ESSAI SUR L'ORIGINE DES LANGUES
LETTRE SUR LA MUSIQUE FRANÇAISE
et
EXAMEN DE DEUX PRINCIPES AVANCÉS
PAR M. RAMEAU

JEAN-JACQUES ROUSSEAU

ESSAI SUR L'ORIGINE DES LANGUES OÙ IL EST PARLÉ DE LA MÉLODIE ET DE L'IMITATION MUSICALE

suivi de
LETTRE SUR LA MUSIQUE FRANÇAISE
et
EXAMEN DE DEUX PRINCIPES AVANCÉS PAR M. RAMEAU

Introduction, notes, bibliographie
et chronologie
par
Catherine KINTZLER

GF Flammarion

INTRODUCTION

I — LA DATATION DE L'*ESSAI SUR L'ORIGINE DES LANGUES* : UN ENJEU INTELLECTUEL.

Des trois textes publiés dans le présent recueil, deux sont aisés à situer et à caractériser sommairement. La *Lettre sur la musique française,* écrite en 1752, parut en 1753 pendant la Querelle des Bouffons ; l'*Examen de deux principes avancés par M. Rameau,* écrit en 1755, est une réponse à l'opuscule de Rameau *Erreurs sur la musique dans l'Encyclopédie.*

La tâche n'est pas aussi simple touchant l'*Essai sur l'origine des langues,* dont on ne connaît pas la date avec certitude et dont il est malaisé de déterminer l'objet principal, partagé, comme l'indique son titre complet, entre l'origine des langues, l'imitation musicale et la mélodie. Non publié du vivant de Rousseau (mort en 1778), l'ouvrage parut en 1781 à Genève, par les soins de Du Peyrou[1] à qui Rousseau l'avait

---

1. Le volume comprend le *Projet concernant de nouveaux signes pour la musique,* la *Dissertation sur la musique moderne,* l'*Essai sur l'origine des langues,* la *Lettre à M. l'Abbé Raynal sur le Concert spirituel où fut exécutée une symphonie de M. Blainville,* l'*Examen de deux principes avancés par M. Rameau,* la *Lettre à M. Burney,* suivie d'une réponse du Petit-Faiseur (volume coté Z 36264 à la Bibliothèque nationale, que nous avons suivi pour établir le texte de l'*Essai* et celui de l'*Examen*).

confié. Depuis bientôt un siècle, la question de la datation de l'*Essai* fait l'objet de discussions complexes parmi les spécialistes. Les retracer dans leur détail conviendrait plus à une étude de méthodologie de l'histoire littéraire[2] qu'à une présentation d'ensemble.

Pourtant, loin de se réduire à une pure question d'érudition, le problème ne peut être désolidarisé d'un enjeu intellectuel concernant la lecture de l'*Essai* et sa place dans la pensée de Rousseau. Il importe donc d'en résumer les principales péripéties. Elles se nouent, d'une part autour de la similitude entre le *Discours sur l'origine de l'inégalité* et le chapitre IX de l'*Essai*, d'autre part autour de découvertes empiriques qui font de cette similitude un élément secondaire. L'enjeu intellectuel peut se formuler sommairement ainsi : l'*Essai* est-il un développement du *Second Discours* ou bien convient-il d'y voir une problématique spécifique dont la musique est le pivot ? Cela revient à se demander s'il y a une philosophie esthétique de Rousseau et, dans l'affirmative, quel rapport elle entretient avec une théorie des langues et du langage.

Dans ce débat au sujet de la chronologie de l'*Essai sur l'origine des langues*, trois étapes peuvent être distinguées.

La première remonte à un siècle. Pour les uns

2. Cette discussion est, en effet, exemplaire et permettrait de montrer que la théorie littéraire est au sens plein du terme une science expérimentale. Signalons que la seule nomenclature des textes jalonnant cette discussion comprenait en 1976 pas moins de quarante références. Elle fut établie, avec un commentaire accompagnant chaque référence, par Charles Porset dans un important article des *Studies on Voltaire and the eighteenth Century*, CLI-CLV, 1976, pp. 1715-1758, « L'"inquiétante étrangeté" de l'*Essai sur l'origine des langues* », article auquel la première partie de cette présentation doit beaucoup. Dans sa récente édition de l'*Essai sur l'origine des langues* (Paris : Folio-Essais, 1990), Jean Starobinski récapitule les étapes chronologiques de la composition du texte (pp. 193-200) et signale plus d'une quinzaine d'études abordant la question chronologique entre 1976 et 1990.

(Beaudouin et Lanson[3]), le texte est antérieur au *Discours sur l'origine de l'inégalité* (1754). Les autres (Espinas et Fouquet[4]) pensent au contraire qu'il lui est postérieur. Jusqu'à ce que Pierre-Maurice Masson[5] redécouvre un texte oublié — mais qui avait cependant été publié en 1884 par Albert Jansen[6] —, le « Projet de préface » que Rousseau avait commencé en vue de publier l'*Essai sur l'origine des langues* avec deux autres textes. Ce « Projet » est daté par Masson aux alentours de 1763 et il figure dans la présente édition p. 51. Masson en conclut que l'*Essai* a d'abord été un fragment du *Second Discours,* que ce fragment a été augmenté vers 1761 pour en faire une riposte à Rameau (qui, par la publication en 1755 des *Erreurs sur la musique dans l'Encyclopédie,* avait violemment attaqué les articles de Rousseau) ; enfin, le texte aurait été revu en 1763 pour devenir l'*Essai.* Les érudits se rallièrent à cette thèse.

Une seconde phase plus diffuse s'ouvre à partir des années soixante. La thèse de l'antériorité de l'*Essai* resurgit, appuyée cette fois sur une analyse interne des textes — en particulier la comparaison de la théorie de la pitié dans le *Second Discours* et dans le chapitre IX de l'*Essai* ainsi que la critique du « Projet de préface ». Elle est notamment avancée par Victor Goldschmidt[7],

3. Henri Beaudouin, *La Vie et les œuvres de Jean-Jacques Rousseau,* Paris, 1891. Gustave Lanson, « Jean-Jacques Rousseau », *La Grande Encyclopédie,* 1900, XXVIII, pp. 1060-1070 ; « L'unité de la pensée de Jean-Jacques Rousseau », *Annales de la Société J.-J. Rousseau,* 1912, VIII, pp. 1-31.
4. Alfred Espinas, « Le *système* de Jean-Jacques Rousseau », *Revue internationale de l'enseignement,* 1895, XXX, pp. 325-356 et 425-462. Paul Fouquet, « Jean-Jacques Rousseau et la grammaire philosophique », *Mélanges de philosophie offerts à Ferdinand Brunot,* Paris, 1904, pp. 115-136.
5. Pierre-Maurice Masson, « Questions de chronologie rousseauiste », *Annales de la Société J.-J. Rousseau,* 1913, IX, pp. 37-61.
6. Albert Jansen, *J.-J. Rousseau als Musiker,* Berlin, Reimer, 1884.
7. Victor Goldschmidt, *Anthropologie et politique. Les principes du système de Rousseau,* Paris, 1974. Voir aussi les précisions apportées par Jean Starobinski dans son édition de l'*Essai,* Paris : Folio-Essais.

et discutée par Jacques Derrida qui défend la thèse de Masson[8]. Dans sa publication de l'*Essai* en 1968, Charles Porset, s'appuyant sur le « Projet de préface », sur une Lettre à Malesherbes et sur un passage des *Confessions,* conclut que l'esquisse commencée à la suite du *Second Discours* a été reprise vers 1756 pour donner un texte intermédiaire intitulé *Essai sur le principe de la mélodie* dont serait issu l'*Essai sur l'origine des langues.*

Un élément décisif intervient en 1974, ouvrant la troisième étape : il s'agit de la découverte d'un manuscrit à la Bibliothèque de Neuchâtel, intitulé « Du Principe de la mélodie ou réponse aux *Erreurs sur la musique* » (le Ms R 60). La découverte fut publiée simultanément et indépendamment par deux chercheurs, Marie-Elisabeth Duchez et Robert Wokler[9]. Ce texte correspond en partie à celui de l'*Examen de deux principes avancés par M. Rameau* et contient en outre dans sa partie centrale une longue digression intitulée « Origine de la mélodie » extrêmement proche de l'*Essai sur l'origine des langues* (chapitres XVIII et XIX). Il s'agit bien de la version intermédiaire de l'*Examen* dont on soupçonnait l'existence. Mais, comme le conjecture Charles Porset[10] en s'appuyant sur une remarque de Marie-Elisabeth Duchez, puisque le « fragment » du *Second Discours* auquel fait allusion le « Projet de préface » ne peut être cherché que dans ce texte et qu'on n'y trouve aucun élément comparable aux chapitres IX et X de l'*Essai* (chapitres proches des analyses du *Second Discours*), il faut conclure qu'il n'y a pas de relation chronologique

---

8. *De la Grammatologie,* Paris, Minuit, 1967, p. 276.

9. M.-E. Duchez : « *Principe de la mélodie* et *Origine des langues* », *Revue de Musicologie,* LX, 1974, nᵒ 1-2, pp. 33-86. R. Wokler : « Rameau, Rousseau and the *Essai sur l'origine des langues* », *Studies on Voltaire and the eighteenth Century,* CXVII, 1974, pp. 179-238. Voir aussi R. Wokler : *Rousseau on Society, Politics, Music and Language, an historical interpretation of his early Writings,* Garland Publishing, Inc. : New York & London, 1987, pp. 437-481.

10. Voir référence note 2.

étroite entre le *Second Discours* et l'*Essai,* même si la relation intellectuelle existe.

L'hypothèse la plus vraisemblable (et ici nous suivons encore Porset) est que Rousseau aurait élaboré un texte sur le langage en vue de son *Second Discours,* texte qu'il aurait supprimé et « repris » ensuite pour répondre à Rameau. C'est la partie centrale de cette réponse qui serait devenue l'*Essai sur l'origine des langues* dont on peut alors situer la composition entre 1756 et 1761, et même plus probablement entre 1758 et 1761 à cause des similitudes entre l'*Essai* et la première version du *Contrat social.*

On peut représenter l'hypothèse par le diagramme suivant :

1º *Discours sur l'origine de l'inégalité* (terminé en 1754).

— un « fragment » de ce texte est réservé par Rousseau : c'est le noyau de la réponse aux *Erreurs sur la musique dans l'Encyclopédie* de Rameau (1755).

2º Version intermédiaire de cette réponse : le Ms R 60, « Du Principe de la mélodie, ou réponse aux *Erreurs sur la musique* ».

3º Les parties extrêmes de ce texte sont réunies, modifiées et forment l'*Examen de deux principes avancés par M. Rameau.*

4º La partie centrale du texte est réservée. Modifiée et développée entre 1756 (ou 1758) et 1761, elle donne naissance à l'*Essai sur l'origine des langues.*

Formulée en termes empiriques et chronologiques, la conclusion la plus vraisemblable est donc que l'*Essai* doit autant, sinon plus, à l'existence de Rameau et de ses ouvrages polémiques qu'à l'existence préalable du *Second Discours.* C'est un élément confirmé par la Lettre à Malesherbes du 25 septembre 1761, dans laquelle Rousseau, parlant de la publication possible de l'*Essai,* précise :

> Je ne pense pas que ce barbouillage puisse supporter l'impression séparément, mais peut-être pourra-t-il passer dans le recueil général à la faveur du reste : toutefois, je souhaiterais qu'il pût être donné à part à

cause de ce Rameau qui continue à me tarabuster vilainement, et qui cherche l'honneur d'une réponse directe
qu'assurément je ne lui ferai pas.

Formulée en termes intellectuels et théoriques, la
conclusion immédiate est que la lecture de l'*Essai* n'a
pas à être nécessairement rabattue sur celle du *Second
Discours* qui n'en est pas la clé — déjà Lanson avait
souligné cet aspect. Comme le fait remarquer Porset,
pourquoi s'acharner à voir une systématicité dans la
pensée de Rousseau à partir de la lecture « anthropo-
logique » ?

Ce premier point engage à lui seul une attitude de
lecture, sans doute plus conforme à la lettre même du
texte. L'*Essai* est un traité sur l'origine des langues
« où il est parlé de la mélodie et de l'imitation musicale » et le chapitre IX, malgré son ampleur, est, de
l'aveu même de Rousseau, une « longue digression ».
Les lignes de crête du texte s'inversent alors par rapport à une lecture traditionnelle : deux points forts (les
langues ; la musique) encadrent une étrange dépres-
sion et observent une sorte de symétrie. Le problème
devient alors, non seulement de montrer en quoi le
problème des langues est symétriquement noué à celui
de la musique (à quoi Rousseau s'emploie clairement
dans son traité), mais surtout d'expliquer cette longue
et cependant capitale « digression ».

On peut penser ensuite que la question empiriquement déterminante de la musique, au-delà d'un problème biographique (les rapports orageux entre Rousseau et Rameau) ou même d'un problème théorique
qui resterait limité à un débat musical, est philosophiquement centrale.

Dès 1967, dans sa *Grammatologie*, Jacques Derrida
abordait cette hypothèse, non sans souligner son
caractère problématique :

> Une inquiétude *semble* animer toute la réflexion de
> Rousseau et lui donner ici toute sa véhémence : elle
> concernerait *d'abord* l'origine et la dégénérescence de la
> musique. [...] Si l'on veut bien admettre que la destinée
> de la musique soit la préoccupation majeure de l'*Essai*,

il faut expliquer que les chapitres qui la concernent occupent à peine le tiers de l'ouvrage [...] et qu'il n'en soit pas question ailleurs. (*op. cit.*, p. 279).

La thèse de l'obsession musicale, ou de la primauté de la musique, soulève en effet la question de la composition interne de l'*Essai,* de son équilibre. Mais il faut expliquer en outre pourquoi le texte devient limpide à partir du chapitre XII (c'est-à-dire à partir du moment où il n'est plus question que de la musique), et pourquoi cette limpidité n'apparaît qu'à qui connaît non seulement le système de Rameau mais aussi l'esthétique dont il est un des représentants les plus éclatants. Dans ces conditions en effet, le traité s'éclaire tout entier.

On en est donc réduit à interpréter ce que Rousseau déclare à Malesherbes : il fallait répondre à Rameau, sans répondre à sa personne, de telle sorte qu'une philosophie fût construite, et non pas qu'une polémique personnelle continuât à être menée. Car répondre « directement » à Rameau était certes possible, et même facile, mais une réponse *ad hominem* eût été déplacée : est-ce seulement pour des raisons d'amour-propre personnel ? Après tout, Rousseau ne s'était pas embarrassé de tels scrupules dans la *Lettre sur la musique française* ni dans l'*Examen de deux principes avancés par M. Rameau.* Mais c'est précisément parce que l'*Essai* existe que l'on peut aujourd'hui, c'est-à-dire après la mort de Rameau, comprendre la *Lettre sur la musique française* comme autre chose qu'un mouvement d'humeur et l'*Examen* comme autre chose qu'une simple péripétie polémique.

Répondre à Rameau, c'était lui répondre pour toujours, et pas seulement à lui : pour lui répondre, il fallait s'en prendre, non seulement à une pensée de la musique et du spectacle, mais aussi au soubassement théorique sur lequel cette pensée était fortement enracinée. N'oublions pas un renseignement précieux fourni par ce passionnant débat sur la datation de l'*Essai* : le traité nous apparaît comme contemporain de la *Lettre à d'Alembert sur les spectacles.* Il fallait s'en prendre, comme Rousseau le fait avec beaucoup de conséquence et sans relâche, à l'esthétique classique fondée sur l'alliance, détestable à ses yeux, du sensualisme et du rationalisme. Mais cela supposait, à la suite d'une esthétique, une métaphysique et surtout un programme moral destiné à remettre l'homme à sa place, à le réintégrer, du monde de la matière et des raisons où le grand siècle l'avait égaré, dans le monde moral des signes, celui où se fait entendre une voix intérieure.

Parce qu'il est une réponse « indirecte » à Rameau, l'*Essai sur l'origine des langues* est une réponse directe et philosophique au siècle de Louis XIV qui éclaire les autres écrits de Rousseau sur la musique en leur donnant une dimenson théorique générale. La musique n'est pas seulement l'objet symptomatique de cette réponse : elle en est la condition méthodique de virulence.

II — UN OBJET PASSIONNÉMENT COMBATTU :
LA PENSÉE CLASSIQUE, SON ESTHÉTIQUE
ET SA MUSIQUE.

Rousseau donne une théorie fortement construite au mouvement artistique de simplification, d'authenticité et d'intimité qui s'affirme à mesure que s'avance le XVIIIᵉ siècle. Que l'on songe au théâtre d'un Nivelle de La Chaussée, à la peinture d'un Greuze ou d'un Chardin, le goût pour les scènes intimes et bourgeoises, pour les sujets inspirés de la vie quotidienne, supplante le privilège des sujets « choisis », les scènes illustres de l'histoire et de la mythologie. Au détour des années 1750, l'esthétique du touchant l'emporte bientôt sur l'esthétique de l'exemplaire qui dominait le XVIIᵉ siècle.

Ce faisant, la pensée de Rousseau va au-delà d'une période limitée qui va bientôt s'épuiser dans le *Sturm und Drang* et dont le romantisme brisera l'étroitesse et la mièvrerie. Elle inaugure et légitime une référence qui est devenue notre évidence, notre pensée naturelle — l'idée selon laquelle l'art a pour fonction d'exprimer un état ineffable des passions humaines. Rousseau fournit sa légitimité à l'anti-matérialisme et à l'anti-rationalisme accrédités aujourd'hui encore largement en matière esthétique. Dans cette légitimation, la musique joue un rôle décisif, placée par Rousseau en position d'art-pilote, de modèle représentant l'immatérialité, l'authenticité et la spiritualité du monde moral dont le schème est une *voix intérieure*.

Mais cette inauguration s'autorise d'un renversement. Rousseau retourne comme un gant l'un des plus imposants édifices esthétiques jamais construits et pensés : l'esthétique classique française, esthétique de la matière et des raisons, esthétique à modèle littéraire et poétique au sein de laquelle la musique avait cependant conquis une place de plein droit sous la forme magnifique et tapageuse de l'opéra merveilleux[11]. Si la France sort de son splendide isolement et s'aligne sur l'Europe à partir de la seconde moitié du XVIIIᵉ siècle, c'est la faute à Rousseau.

De ce dispositif, les articles de l'*Encyclopédie* forment le premier jalon, qui sera repris et complété ultérieurement dans le *Dictionnaire de musique*. Mais pour en saisir la cohérence il faut se donner un ensemble de textes plus vaste : la *Lettre sur la Musique française* et les autres ouvrages polémiques comme l'*Examen de deux principes avancés par M. Rameau,* mais aussi la *Lettre à d'Alembert sur les spectacles,* et surtout l'*Essai sur l'origine des langues.*

La présence de Jean-Philippe Rameau hante l'ensemble. Il ne s'agit nullement là d'un élément anecdotique relevant de la pure biographie ; il faut y voir au contraire un élément inévitable et hautement significatif. La personne de Rameau est un concentré artis-

11. Voir C. Kintzler, *Poétique de l'Opéra français de Corneille à Rousseau,* Paris, Minerve, 1991.

tique et intellectuel des positions que Rousseau combat. A lui seul, il résume un ensemble de thèses sur la nature et les effets de la musique ; il représente aussi l'héritage de l'esthétique classique. Réfuter Rameau, c'est récuser les unes et l'autre, c'est aussi construire une pensée esthétique emportant avec elle toute une philosophie.

Les principes de l'esthétique classique. Une pensée de la médiation

On sait que l'esthétique classique a pour principe fondamental l'imitation de la nature. Mais cette imitation n'est pas une reproduction et la nature qu'elle se donne pour modèle n'a rien à voir avec l'immédiateté observable : il s'agit de chercher le vrai au-delà du réel par l'intermédiaire de la fiction. En cela, les classiques suivent sans doute Aristote qui, au chapitre IX de sa *Poétique,* avance l'idée que la poésie, fictive, épurée, modélisée, est « plus noble et plus philosophique » — c'est-à-dire plus vraie — que la chronique, qui se contente du réel.

Le concept de nature dont ils font usage est cependant plus proche de la nature moderne, telle qu'elle est définie par la science galiléo-cartésienne, que de la *phusis* des Anciens. Sa vérité se révèle par l'analyse en éléments invisibles et abstraits. De même que le mécanicien décompose un mouvement en forces simples dont la combinaison permet de comprendre les phénomènes, de même l'artiste cherche, au-delà de ce qui s'offre à la perception, les « traits » caractéristiques qui, une fois recomposés et recombinés, montreront une vérité jusqu'alors cachée, fictive certes, mais plus forte, plus haute en couleur, plus parlante et plus « caractérisée » que le réel lui-même. La « belle nature » comme le dit l'abbé Batteux, la nature choisie, celle qui a de la « rondeur », n'apparaît jamais mieux que comme un produit de l'art.

C'est pourquoi l'artifice, apparemment éloigné de la nature, en est au contraire un nécessaire révélateur.

La fiction esthétique, à l'instar de la vérité scientifique, est travail, processus ; elle montre la stylisation exemplaire que le réel n'atteint jamais. Mais, à la différence de la science, la fiction esthétique ne se contente pas d'une essence abstraite ; elle livre aux sens éblouis un *extrait* vrai et palpable : elle donne un corps à la vérité et devient par là une double source de plaisir. Nul terme ne résume mieux le projet classique que celui de *rendu*. Par la grâce de l'art, par cette double opération de simplification et d'exaltation, les choses sont rendues à leur éclat fondamental et ramenées à ce qu'elles sont : le fruit redevient alcool, l'églantine redevient rose, la pluie redevient onde, les vents redeviennent zéphirs et aquilons, la forêt redevient jardin, le mouvement redevient danse, le récit redevient poème, le bruit redevient son, la vie enfin redevient théâtre.

On comprend alors qu'une telle perspective ait pour expression philosophique naturelle une pensée de la médiation et des appareillages, où l'intellectualisme rationaliste et le matérialisme mécaniste font des merveilles. Le vrai n'est jamais pour les classiques un objet de dévoilement et de transparence, il est toujours le résultat laborieux de dispositifs de forçage.

On comprend aussi que cet idéal de vérité et de révélation par l'intermédiaire de la fiction se déploie volontiers à travers la notion de *représentation*. C'est pourquoi (et ici on retrouve une fois de plus, relue et retravaillée, une idée aristotélicienne) le champ esthétique classique se règle de préférence sur le modèle pictural et surtout sur le modèle littéraire au sein duquel le théâtre occupe une place privilégiée. Les arts de l'espace, de l'objectivité et de l'extériorité dominent le système classique des Beaux-Arts : « peindre » et « dire » en sont les maîtres mots.

Au sein de ce prestigieux ensemble, la musique ne pouvait prétendre en principe qu'à une modeste place décorative. Plus vouée au temps qu'à l'espace, apparemment peu douée pour la représentation, elle ne pouvait qu'accompagner la danse à la ville et l'élo-

quence à l'église, ou meubler les intermèdes au
théâtre. Elle réussit pourtant à s'introduire dans le système classique des beaux-arts (on devrait plutôt dire à
en forcer l'entrée) avec un tel succès que, peu de
temps après, c'est la musique française que Rousseau
prendra pour symbole de toute une pensée.

L'inscription esthétique de la musique dans le système classique des beaux-arts.

L'opéra et la poétique du théâtre classique

L'inscription de la musique dans le champ esthétique classique s'opère d'abord dans le domaine poétique, et par un coup d'éclat : l'invention de l'opéra
français, et plus particulièrement de la tragédie lyrique
que l'on doit à Quinault et Lully (*Cadmus et Hermione*,
1673) après la malheureuse tentative de Perrin.

Coup de génie, la tragédie lyrique s'introduit de
plein droit dans le système dramatique français par
une sorte d'homologation : elle se glisse dans le moule
de la tragédie classique dont elle est à la fois l'inverse
et le double, la réplique à la fois merveilleuse, carica-
turale et grimaçante. Tragédie à l'envers, puisqu'elle
montre ce que la tragédie classique ne montre pas
(violence et horreurs), qu'elle recourt à d'autres ingré-
dients (agents merveilleux, musique et danse en situation poétique) et qu'elle produit un autre effet (dit
d'« enchantement »), la tragédie lyrique observe
cependant, *mutatis mutandis* les grandes lois du théâtre
classique : vraisemblance, nécessité et propriété,
qu'elle applique à la musique, à la danse et au merveilleux. Par cette forme nouvelle, l'opéra vient ainsi
prendre place exactement en face de son prestigieux
aîné, auquel il est une allusion à la fois grandiose et
grotesque. Il conquiert la dignité d'un théâtre et, grâce
à un jeu complexe de symétries et d'oppositions, se
fait classique.

Sur la scène de l'opéra, la musique accède alors au
statut d'*art d'imitation*. En épousant le modèle théâtral

qui lui donne tout son éclat, elle est tout à fait à sa place
dans les situations pathétiques, merveilleuses, descrip-
tives ou violentes dont elle est un ingrédient vraisemblable et parfaitement normal. Il est « naturel », en effet
qu'un démon danse, qu'une bataille ou qu'un orage se
manifestent par des sons précipités, qu'un dieu s'exprime par des inflexions de voix extraordinaires, qu'un
amant chante. Musique et danse sont en quelque sorte
consubstantielles au monde merveilleux, « pierre fondamentale de l'édifice[12] » qu'est l'opéra français. C'est
précisément parce que cet opéra est merveilleux et qu'il
applique rigoureusement l'étiquette de la vraisemblance merveilleuse que la musique et la danse n'y sont
pas déplacées.

Le modèle linguistique et la théorie des passions

Par ailleurs, la musique se conforme à un modèle
linguistique dont le récitatif français est le fleuron,
fondé à la fois sur les lois de la prosodie et sur les règles
inspirées de la théorie classique des « tropes », c'est-
à-dire des figures de mots et de celles du discours. Ce
point mérite quelque attention, car c'est un des éléments sur lesquels la critique de Rousseau revient souvent.

Tout d'abord, il importe d'en finir avec un préjugé
que Rousseau a largement contribué à établir : l'idée
selon laquelle la langue française serait « destituée de
tout accent », réductible à une ligne sonore atone. De
nos jours, cette idée est accréditée par le fait qu'il
n'existe aucun accent fixe, de type lexical, comme il
en existe en anglais par exemple. Cela ne suffit pas
cependant pour conclure que l'accentuation n'existe
pas : il faut simplement en conclure qu'elle est mobile,
sa position dépendant de la répartition des unités pho-
nologiques et grammaticales dont la longueur peut
varier. Pour s'en tenir à un exemple simple et limité
au seul accent tonique, un locuteur français n'accen-

12. Louis de Cahusac, *Traité historique de la danse*, La Haye,
Neaulme, 1754, II, III, chap. 5, p. 65.

tuera pas de la même manière le mot isolé « mai*so*n » et la succession « mai*so*n de cam*pa*gne ». Cet élément est aujourd'hui bien connu, et pour plus de détails nous renvoyons le lecteur à l'ouvrage de Jean-Claude Milner et François Regnault *Dire le vers* (Paris : Le Seuil, 1987). Les théories de l'accentuation sont déjà fort développées à l'âge classique ; on connaît le fameux *Traité de la prosodie française* de l'abbé d'Olivet, ou l'article de Duclos « Déclamation des Anciens » dans l'*Encyclopédie*. L'observation des règles de la prosodie par Lully confirme empiriquement cet aspect et fait du récitatif français un modèle[13].

Quant à la question des figures du discours et de leur application à la composition musicale, il serait erroné de penser qu'il s'agit uniquement pour le musicien d'une rhétorique de l'affect, consistant à évoquer par la musique des états d'esprit correspondant aux émotions exprimées par le texte sur lequel il compose. La relation sémantique entre texte et musique doit beaucoup plus à un modèle mécanique qu'à un modèle affectif, du moins au sens où nous l'entendons aujourd'hui. Il ne faut pas oublier du reste que toute la théorie classique des passions est fondée sur une mécanique des relations entre l'âme et le corps, dont la matrice se trouve dans le traité des *Passions de l'âme* de Descartes.

Pour suggérer une idée, un sentiment, une situation, on s'inspirera, non pas d'un état d'esprit, mais bien plutôt d'une expression existant dans la langue et couramment admise, en liaison régulière avec l'idée, le sentiment à exprimer. S'il s'agit de rendre l'idée qu'il fait froid, le musicien peut s'appuyer sur l'expression

---

13. Cet aspect mériterait à lui seul un très ample développement qui n'a pas sa place ici. On consultera, entre autres, Robert Fajon, « Propositions pour une analyse rationalisée du récitatif de l'opéra lullyste », *Revue de Musicologie*, LXIV, 1978 (repris et développé dans *L'Opéra à Paris du Roi Soleil à Louis le Bien-Aimé*, Paris-Genève, Slatkine, 1984) ; Catherine Kintzler, *op. cit.*, Paris 1991, pp. 381-394 ; Philippe Beaussant, *Lully*, Paris, Gallimard/Théâtre des Champs-Elysées, 1992, pp. 732-769.

courante « trembler de froid » ; et par conséquent il
mettra un tremblement sur le mot *frimas*. S'il s'agit de
suggérer la gloire, on pensera aux deux expressions
également admises en français : « une gloire écla-
tante », « l'éclat du son des trompettes », et le musicien
évoquera l'éclat de la gloire par l'éclat des trompettes.
Dans ses *Eclaircissements sur les Eléments de philosophie*,
d'Alembert explique la formation de ces idées et
images musicales, en suggérant leur étayage sur des
expressions linguistiques réelles :

> En un mot, toute les fois que la musique entreprendra
> de peindre ou plutôt de nous rappeler l'idée d'un objet
> sensible qui n'est pas un bruit physique, il faut, ce me
> semble, pour qu'elle y réussisse le moins imparfaite-
> ment qu'il est possible, qu'en substituant au son qu'elle
> nous fait entendre l'objet qu'elle veut peindre, on
> puisse former deux phrases qui soient l'une et l'autre
> admises dans la langue[14].

Qu'il s'agisse d'une mécanique des passions, d'une
convenance entre une situation et une autre, d'une
relation entre un bruit (réel ou poétique) et un son
musical élaboré, enfin d'une intersection entre deux
ou plusieurs énoncés également admissibles dans une
langue naturelle et fournissant le support d'une idée
musicale : tous ces procédés, qui soutiennent et justi-
fient la présence de la musique, renvoient à des formes
de matérialité.

L'inscription scientifique de la musique dans la pensée classique : Rameau

Cette inscription de la musique dans le système
classique des beaux-arts indique assez l'importance de
la relation entre le rationalisme et une certaine forme
de matérialisme, relation que Rousseau dénonce sans
relâche dans ses ouvrages consacrés à la musique. A
cette inscription esthétique et linguistico-passionnelle
opérée dès la fin du XVIIᵉ siècle, Rameau va ajouter

14. Jean Le Rond d'Alembert, *Eléments de philosophie. Eclaircissements...*, chap. IX, Paris, Fayard-Corpus, 1986, pp. 290-291.

une inscription proprement scientifique. En donnant à la musique un statut de « science physico-mathématique », il achève le mouvement conjoint de rationalisation et de matérialisation par lequel la musique va devenir, au sens moderne du mot, un objet.

La théorie de l'harmonie

On rencontre ici, fondée sur le concept élémentaire de corps sonore, la théorie de l'*harmonie* dont Rameau tire le principe de la primauté de l'harmonie sur la mélodie. Le tout peut être ramené à une idée initiale, qui fait l'objet des critiques incessantes de Rousseau : la musique tire sa nature d'un processus purement physique ; il s'agit d'un phénomène objectif. Elle n'est pas, primitivement, un événement moral d'ordre psychique ; elle est d'abord un événement naturel.

La démarche qui conduit Rameau à cette position est caractéristique de la science classique : il s'agit toujours pour lui, non pas d'analyser les phénomènes tels qu'ils se présentent à l'observation immédiate et directe, mais de remonter aux éléments premiers qui permettent de rendre compte des phénomènes. Ainsi, on ne s'arrêtera pas à l'analyse perceptive du son musical, celle des effets qu'ils produisent sur nous : rendre compte du son, c'est renvoyer à la nature profonde, initialement inaudible, de la musique. Le son effectivement entendu par l'oreille non avertie est simple et unique en apparence, en réalité il demeure inexplicable si on ne le décompose pas en sons élémentaires : son fondamental, double quinte, triple tierce majeure.

Le concept de *basse fondamentale*, mis en place dès le *Traité de l'harmonie,* installe la musique sur le terrain logique et ordonné qui lui revient. Les consonances de l'accord parfait sont contenues dans le son fondamental, celui d'une corde qui vibre par exemple, et ces consonances correspondent aux divisions rationnelles de la longueur de la corde : 1/1, 1/5, 1/3. Les différents états de l'accord parfait ne sont rien d'autre que les renversements d'un même accord : il s'agit essentiellement du même objet, parce qu'on peut l'expliquer à partir d'un seul son de référence. Il y a donc dans l'accord un son fondamental, ou générateur, qui se présente comme la *ratio cognoscendi* des autres, un son logiquement premier, et c'est de là qu'il faut partir. Toute la théorie musicale se construit sur cet élément premier.

La théorie ramiste prend toute son ampleur et sa signification à partir de 1726 et surtout de 1737, date du traité de la *Génération harmonique*. La notion de *basse fondamentale*, qui avait jusqu'alors une valeur logique d'intelligibilité se trouve promue au statut de *fait naturel* et expérimental à la suite des travaux de l'acousticien Joseph Sauveur. Le phénomène de la résonance du corps sonore (le son d'une cloche, par exemple) fait réellement entendre les trois sons, les trois composantes élémentaires par lesquelles s'analyse le son qu'une oreille naïve perçoit comme simple et unique. Son fondamental, double quinte et triple tierce majeure ne sont pas seulement des êtres logiques destinés à rendre intelligible le phénomène musical, ils sont vraiment donnés par la nature, indépendamment de toute intervention humaine. Le concept de *corps sonore* devient alors la *ratio essendi* de la musique.

Le son musical n'est pas un bloc sonore, c'est un ensemble de relations vibratoires hiérarchisables, déductibles les unes des autres et exprimables par une série de progressions mathématiques, un ensemble ordonné. L'ordre qui déploie les lois de leurs rapports s'appelle l'harmonie. L'harmonie n'est donc pas une valeur anthropomorphique projetée sur le phénomène sonore, c'est l'ensemble des lois qui contraignent les rapports mutuels des sons musicaux entre eux. Quand bien même aucune oreille ne serait là pour l'entendre, elle n'en existerait pas moins.

La mélodie est un phénomène dérivé

La définition de l'harmonie signifie d'abord que la musique repose, dans son essence profonde, sur des combinaisons sonores dont la théorie ramiste fournit une sorte de grammaire. Celui qui ignore la vraie nature de la musique peut croire que ce qui est premier, c'est le son effectivement entendu, le son perceptible, et en particulier (car le phénomène musical se présente presque toujours ainsi à première vue ou plutôt à première écoute) la ligne mélodique d'un chant. Croire que la mélodie est première, c'est mettre les choses sens dessus dessous, confondre réalité et apparence.

Contrairement à une idée répandue, l'harmonie n'est pas un effet surajouté à la mélodie, destiné à l'accompagner ou à la faire valoir ; elle n'est pas non plus un simple mode d'écriture. Elle désigne la nature profonde de la musique : en réalité, elle rend possibles toutes les productions musicales. L'harmonie est première et la mélodie est seconde, car chaque son, chaque séquence d'une mélodie sont supportés par une infrastructure harmonique qui les engendre, les relie à ce qui les précède et à ce qui les suit, et en fournit la raison : le son sous-entend toujours l'harmonie en vertu de laquelle il peut exister et être pensé. Même si cette harmonie fondamentale n'est pas réellement entendue, lorsqu'on chante sans accompagnement par exemple, cela ne l'empêche pas d'être là, inaudible mais logiquement présente : écrire cette harmonie et l'exécuter, c'est rétablir l'ordre de la nature dans sa première constitution. Rameau énonce cette idée en disant que « l'accompagnement représente le corps sonore ».

Certes, l'expérience et l'ordre chronologique parlent plutôt en faveur de la mélodie. Les hommes chantent à l'unisson avant de savoir composer une basse continue ; la linéarité de la mélodie précède dans le temps la verticalité de l'harmonie. Mais l'ordre logique, vrai, vient démentir l'ordre historique apparent : l'histoire de la raison ne suit pas toujours l'histoire des événements et des choses.

Pour montrer que la mélodie n'est qu'un phénomène dérivé, entièrement intelligible à partir du fondement harmonique qu'elle suppose, Rameau avance souvent un argument qu'il considère comme sans réplique : la même séquence mélodique change totalement de nature et produit un effet différent si l'on change la basse qui la soutient :

> Par exemple, si l'on termine un chant diatonique de cette façon : *ré ré ut ut*, en faisant un tremblement (dit cadence) sur le deuxième *ré*, on y sentira l'effet d'un repos absolu, soit qu'on l'accompagne de sa basse fondamentale *sol ut*, soit qu'on ne l'accompagne pas parce qu'on le sous-entend toujours sans y penser. Mais si on lui donne une autre basse, comme *sol la*, appelée *cadence rompue*, dès lors l'effet du repos absolu s'évanouit et on lui désire une suite, quoique ce soit toujours le même chant[15].

Si des sons identiques changent de nature et produisent un effet différent selon qu'ils sont inclus dans des environnements harmoniques distincts, c'est que le son musical ne doit pas être traité comme une réalité isolée, qui posséderait des caractères et des propriétés intrinsèques. Les propriétés du son musical — qui permettent de le distinguer d'un bruit — ne se trouvent jamais dans une émission ou une audition simples : elles résident dans les relations des sons les uns avec les autres, et ce sont ces relations qui constituent la musique. La musique est relations, structure, ordre réglé, c'est-à-dire harmonie[16].

Ainsi, Rameau artiste demeure fidèle aux principes du fastueux opéra des enchantements, alors que Rameau théoricien conduit la musique à un état d'objectivation sans précédent. Non content d'être

15. *Démonstration du principe de l'harmonie,* dans *Musique raisonnée,* Paris, Stock, 1980, pp. 80-81.
16. « Le premier son qui frappa mon oreille fut un trait de lumière. Je m'aperçus tout d'un coup qu'il n'était pas un, ou que l'impression qu'il laissait sur moi était composée. Voilà, me dis-je sur-le-champ, la différence du *bruit* et du *son*. Toute cause qui produit sur mon oreille une impression une et simple, me fait entendre du *bruit ;* toute cause qui produit sur mon oreille une impression composée de plusieurs autres me fait entendre du *son* » (*Démonstration du principe de l'harmonie,* dans *Musique raisonnée,* p. 68).

l'homme qui a fait de la musique une science physico-mathématique, un objet matériel et rationnel, il est aussi l'homme de l'artifice et de l'effet, un homme de théâtre qui idolâtre la fiction. Artiste magnifique et âpre polémiste, savant, raisonneur, hautain, arrogant, il incarne caricaturalement la seconde génération des cartésiens, celle des Fontenelle et des Voltaire, insolents et spirituels — ceux que Rousseau souhaitait peut-être pour pères. Homme de théâtre et personnage théâtral, il cristallise une pensée et un goût. C'est un imposant édifice qu'à travers son illustre aîné, Rousseau s'emploie à renverser.

III — LA PENSÉE ESTHÉTIQUE ET MUSICALE DE ROUSSEAU.

A la fois système et contre-système, la pensée esthétique de Rousseau n'est pas réductible à une idéologie, à une collection d'idées qui ont fait leur chemin. Elle a l'ampleur d'une philosophie complète : une logique — celle de la transparence[17] ; une cosmologie, un système de la nature et une anthropologie — le dualisme entre monde physico-rationnel et monde éthico-passionnel ; une éthique et une politique — celles de la régénération. Mais, à la différence des esthétiques philosophiques générales, elle se construit comme une *esthétique d'objet,* fondée sur l'examen détaillé d'un champ particulier, ce qui est sans précédent depuis Aristote. Cet objet, privilégié entre tous parce qu'il est modèle d'intelligibilité, c'est la musique. La théorie musicale donne accès à l'ensemble du champ ; elle occupe le point central du dispositif.

L'*Essai sur l'origine des langues* trace le cycle théorique par lequel la musique, entendue comme phéno-

---

17. Terme évidemment emprunté à J. Starobinski, *Jean-Jacques Rousseau, la transparence et l'obstacle,* Paris, Gallimard, 1971.

mène parlant, trouve son explication dans une philosophie de l'immatérialité et donne sens en retour à
l'ensemble du champ esthétique.

Pour effectuer la soudure entre l'esthétique et la
philosophie générale, la pensée classique se tournait
vers le concept de fiction, réalisation représentée
d'une nature objective. Au contraire, Rousseau
effectue la liaison en recourant à un autre monde que
le monde naturel ainsi entendu. A ses yeux, il ne
convient plus de regarder les phénomènes esthétiques
en général et la musique en particulier comme
des objets purs et simples, il ne faut pas les noyer
dans l'ordinaire de la nature physique, il faut les
considérer à part : on a affaire ici à des effets parlants.
Le théoricien qui veut en percer l'intelligibilité aura
beau analyser leurs manifestations matérielles, il n'en
tirera jamais que des combinaisons calculables et
mortes. Il faut se tourner vers le *monde intérieur,*
monde psychique ou plutôt monde *moral* spécifique
aux êtres humains. A côté de la nature objective des
classiques, une nature intime et humaine doit être
pensée.

La matrice la plus apte à en dévoiler l'essence est
celle des langues. De tous les « objets » présents dans
le monde, seuls les objets linguistiques ont la propriété, non pas seulement d'exister et d'avoir une
forme sensible, ni même de renvoyer à d'autres ou de
désigner, mais de *toucher* les êtres humains au-delà des
significations littérales qu'ils véhiculent. C'est de là
qu'il faut partir, et c'est pourquoi l'ordre esthétique se
trouve noué à l'ordre linguistique.

La construction s'élabore à travers une dualité
constamment répétée qui traverse l'ensemble du texte
et en constitue l'une des clefs. Deux mondes se font
face. Mêlés dans la réalité empirique au point qu'on
a pu prendre l'un pour l'autre (de même que l'on
peut prendre le signifiant pour le signifié), tout l'effort de Rousseau consiste à les disjoindre pour distinguer le monde physico-rationnel d'une part et le
monde éthico-passionnel de l'autre. L'erreur des clas-

siques consiste à avoir cru que le second pouvait être
structuré, réglé et éclairé par le premier[18].

Dans ce travail de scission et d'élucidation, Rousseau parcourt toutes les variantes de la dualité qu'il
répète à l'envi : elle scande les langues en articulations
et en sons, l'expression en raisons et en figures, l'écriture en alphabets et en hiéroglyphes, la musique en
harmonie et en mélodie. La césure renvoie à une anthropologie dualiste : l'homme du besoin et l'homme
du désir. Elle se caractérise enfin par l'alternative
ontologique entre nature de l'opacité physique et
nature transparente du vrai.

Geste et voix

Il est pourtant insuffisant de dire que l'analyse de
l'effet parlant permet l'accès au monde moral des
signes, parce qu'on peut ainsi commettre un contresens que Rousseau s'applique à dénoncer dès le début
de l'ouvrage. Il ne faut pas confondre « deux manières
de parler », et l'investigation à laquelle le lecteur est
convié dans l'*Essai* ne touche que l'une d'elles. La
simple communication est produite par le besoin,
mais l'expression et l'échange proprement humains
sont irréductibles à l'ordre de l'utilité :

> Il est donc à croire que les besoins dictèrent les pre-
> miers gestes et que les passions arrachèrent les pre-
> mières voix. (Chap. II)

Des deux manières de parler, l'une s'adresse à une
instance analytique et calculatrice, c'est la langue
« dictée par le besoin », elle s'accommode indifférem-
ment d'un matériel visuel, sonore ou tactile qu'on
pourra désigner sous le nom général de *geste ;* l'autre
s'adresse à une instance affective, c'est la langue que
l'émotion « arrache » à l'homme, elle s'exprime exclusivement par la *voix humaine,* seule susceptible de toucher le cœur d'autrui.

18. Voir les analyses désormais classiques de Jacques Derrida, *De
la Grammatologie*, Paris, Minuit, 1967, p. 279 et suiv.

Le noyau initial qui dissocie geste et voix, l'instance de l'analyse et celle de l'émotion, est placé. Il ordonne la majeure partie du texte, qui s'organise autour d'une longue série de bi-partitions.

Pour corroborer et éclairer la césure originaire qu'il vient d'énoncer, Rousseau recourt alors à un argument étranger à la théorie des langues elle-même. Une preuve supplémentaire, dit-il, que les langues, en tant qu'elles sont d'abord des phénomènes issus de la voix, n'ont pas pour origine le besoin, c'est que le besoin disperse les hommes[19]. L'origine des langues doit s'entendre en faisant jouer un double motif : il faut supposer en l'homme un noyau passionnel qui lui « arrache » des voix, puis faire l'hypothèse d'une réunion des hommes pour rendre intelligible la circulation de ces « premières voix ». Ainsi les langues sont-elles filles des passions et de la rencontre. Elles supposent, si l'on veut se reporter à l'histoire philosophique par laquelle Rousseau construit sa théorie politique, les hommes sortis de l'imbécillité bornée du sauvage (état de nature dispersé où règne soit le silence, soit le geste), mais non pas encore entrés dans l'état social où nous les voyons aujourd'hui (état où règnent des langues dégradées, matérialisées et intellectualisées) : l'origine des langues se pense dans un état intermédiaire, moment indécis où les hommes, réunis, ne sont pas encore profondément divisés par l'état de guerre qui lui succède et qu'il engendre nécessairement.

A suivre le parallèle suggéré par l'auteur avec sa pensée de la genèse des sociétés, on conclut que cet état de rapprochement est ambivalent et qu'il contient le germe de sa dégénérescence : rapprochés, les

19. « On prétend que les hommes inventèrent la parole pour exprimer leurs besoins ; cette opinion me paraît insoutenable. L'effet naturel des premiers besoins fut d'écarter les hommes et non de les rapprocher. [...]
De cela seul il suit avec évidence que l'origine des langues n'est point due aux premiers besoins des hommes ; il serait absurde que de la cause qui les écarte vînt le moyen qui les unit. D'où peut donc venir cette origine ? Des besoins moraux, des passions » (chap. II).

hommes se séduisent, mais ils peuvent aussi bientôt se menacer. L'état « primitif[20] » dont parlera le chapitre 6 du livre I du *Contrat social* n'a de durée que philosophique et ponctuelle ; il se décompose bientôt en état de guerre. De même, l'état originaire de la langue passionnée n'a de durée que fictive, et c'est aussi de sa corruption — dont sont issues les langues modernes — que l'*Essai* va nous entretenir.

Le texte qui clôt le chapitre II met brièvement en place deux propositions qui charpentent la suite : 1° les langues sont dues à des besoins moraux ; c'est le monde moral des passions qui donne la clef des effets parlants, 2° « les premières langues furent chantantes et passionnées avant d'être simples et méthodiques » ; la consubstantialité de la musique et de l'archétype d'une langue originaire est affirmée. Une telle consubstantialité, présentée comme une évidence, se conclut du moyen terme par lequel les passions produisent du chant : c'est qu'elles s'expriment par la voix[21].

Cette première occurrence de la musique dans le texte de l'*Essai* doit retenir toute notre attention. Ce n'est pas la musique comme phénomène sonore global qui est ici désignée. La musique originaire, comme la langue originaire, est essentiellement liée à la voix ; elle se présente comme *chant*. Dès à présent se profile la primauté de la mélodie qui caractérise fortement la théorie esthétique rousseauiste : la musique parle par la mélodie, et par rien d'autre. Elle doit donc ses effets à un événement moral et humain. La voix humaine, pareille à nul autre objet sonore, en fait l'essence. Voir dans l'harmonie et dans les combinaisons de « corps sonores » l'essence de la musique, c'est la sortir du monde moral qui lui donne toute sa force pour la jeter dans le monde matériel où elle n'a que faire.

Il en résulte une distinction fondamentale qui

---

20. Voir Louis Althusser, « Sur le *Contrat social* », *Cahiers pour l'analyse* n° 8, Paris, Le Seuil, 1967, pp. 5-42.
21. Voir Alain Grosrichard, « L'Air de Venise », *Ornicar ?,* n° 25, automne 1982.

explique l'ambivalence du vocabulaire employé par
l'auteur. Il y a lieu en effet de distinguer entre deux
espèces de *nature*. L'une renvoie à la nature objective
et physique, galiléo-cartésienne, puis newtonienne.
Appartenant à ce monde, l'objet sonore est analysable
en éléments fondamentaux : ses harmoniques.

L'autre, nature intime de l'homme, n'est pas accessible à l'analyse physico-mathématique. Son étoffe est
purement psychique et aucune réduction matérielle
(calculable) ne saurait en offrir l'intelligibilité. C'est
cette étoffe psychique, dont est faite l'instance émotive, qui seule rend compte des effets de langue, de
l'effet parlant qui touche le cœur humain et remue les
passions[22]. Pour activer celles-ci, il faut autre chose
qu'une combinatoire acoustique et un fracas d'instruments. La voix humaine, ou ce qui est susceptible de
l'évoquer, de se substituer à elle, a ce pouvoir. Activer
les passions, c'est imiter les inflexions de la voix.

La voix humaine occupe une place étrange dans ce
système, et le lecteur est fondé à s'interroger sur son
statut. Il y aurait, dans le monde physique, des « objets »
(on devrait plutôt dire des phénomènes) matériels pri-
vilégiés. Car la voix, humaine ou pas, n'est autre qu'un
corps sonore, ne se distinguant que par des propriétés
communes à tous les phénomènes sonores : hauteur,
fréquence, superposition des harmoniques... Voilà ce
que les acousticiens, les matérialistes, les mécanistes, ne
cessent de répéter. Non, affirme Rousseau, réduire la
voix à un corps sonore est bon dans un cabinet de
physique, mais il s'agit précisément d'une réduction qui
passe à côté de l'essentiel. La voix est signe, et signe de
ce qui ne se réduit pas en propriétés physiques. Matérielle sans aucun doute, la voix représente pourtant de
l'immatériel ; son statut est celui d'un *schème*.

C'est dire que le monde de Rousseau est radicale-
ment hétérogène. La césure philosophique entre
matière et moralité s'y marque, s'y symptomatise par

22. *Dictionnaire de musique*, art. « Imitation », *Œuvres*, Paris,
Belin, 1817, vol. 4, pp. 197-198.

des objets significatifs formant une collection d'objets élus. Ce sont les signes par lesquels s'épanchent les passions : soupirs, regards, larmes et voix que les derniers chapitres de *La Nouvelle Héloïse* mettent en scène. Disparates dans leur nature mécanique, tous ces phénomènes sont profondément homogènes par leur nature morale : ils suggèrent l'immatérialité.

Le dualisme de l'*Essai*

Le privilège du vocalique est donc l'archétype et le modèle qui organise le dualisme de l'*Essai*, il est la clé permettant de dissocier monde moral du sens et monde physique calculable. C'est sur lui qu'est fondée la thèse de l'indistinction originaire entre musique et langue : la vocalisation se présente d'emblée sous forme de mélodisation, ce qui permet à Rousseau, au chapitre XII, d'énoncer l'identité philosophique profonde entre parole originaire et mélodie, puis de jeter un double anathème sur l'articulation des langues et sur l'harmonisation de la musique.

L'articulation, qui est d'ordre « sourd » et consonantique, se présente en effet comme une cassure dans le tissu continu de la fluidité vocalique ; elle le décompose en unités distinctes, matériellement isolables et dénombrables. Effet d'une modification tardive, si l'on suit l'ordre de la généalogie établie par Rousseau, elle apparaît comme surajoutée, institutionnelle, mécanique. Dans les langues modernes, elle finit par envahir la quasi-totalité du matériel linguistique et occulter en grande partie l'essence même de la voix[23]. C'est dans le caractère discontinu et chiffrable de l'articulation que se noue l'alliance tant dénoncée par Rousseau du matérialisme et du rationalisme.

23. Rousseau semble ignorer le rôle des cordes vocales. Sur ce point voir Marie-Elisabeth Duchez, « Principe de la mélodie et origine des langues. Un brouillon inédit de Jean-Jacques Rousseau sur l'origine de la mélodie », *Revue de Musicologie*, déc. 1974, pp. 33-86, en particulier les notes 10, 11 et 12, pp. 78 et 79. Voir aussi Béatrice Didier, *La Musique des Lumières*, Paris, PUF, 1985, pp. 111-171.

Le parallèle entre langue et musique s'ordonne alors de façon claire. L'harmonisation est à la musique mélodique ce que l'articulation est à la langue vocalique ; elle vient résoudre en unités calculables la continuité très souple du tissu mélodique, en corrompt la flexibilité, le fragmente en atomes, introduit d'un même mouvement le bruit et la raison. Voilà qui place la mélodie, du fait de son caractère vocalique, du côté du signe passionné et l'harmonie, articulée et rationnelle, du côté du monde physique.

Le parcours qui épelle les occurrences de la bipartition entre les deux mondes (voix et geste, figures et raisonnements, idéogrammes et alphabets, accents et articulations, mélodie et harmonie) trouve non seulement sa localisation dans une anatomie humaine éclatée (corps pneumatique du désir et corps matériel du besoin) mais aussi dans une géographie philosophique dont les chapitres VIII à XI de l'*Essai* esquissent le relevé symbolique. Le besoin domine le Nord, c'est là que naissent les articulations sourdes, brutales et distinctes. Les passions dominent le Midi, c'est là que naissent autour des fontaines les langues mélodieuses et accentuées.

A l'issue de ce parcours, on a une idée plus précise de ce que devait être la langue mélodique archétype ; on en connaît non seulement les propriétés de fluidité vocalique, de figuration, de continuité, d'accentuation, non seulement les propriétés morales de signe naturel des passions, mais aussi la localisation philosophique qui la situe à la fois dans le microcosme anatomique et dans le macrocosme planétaire. Rousseau en donne enfin la version historico-symbolique : il en projette les caractéristiques sur la langue et la musique des Grecs, qui vaut alors comme représentation allégorique de la langue poétique initiale. Les inflexions et les modulations de cette voix passionnée devaient être extrêmement nombreuses et variées. La mélodie originaire se déployait en intervalles très petits, infinitésimaux, en minuscules accentuations que les oreilles modernes, perverties par la grossièreté des intervalles introduits par la science harmonique et le tempérament, ne percevraient certainement plus.

Histoire d'une double dégénérescence

Face à de telles propriétés, transparence, immédiateté, univocité, quasi-immatérialité, mélodicité et fluidité, la musique de Rameau apparaît comme un objet « monstrueux », et Rousseau s'applique à en montrer l'inadéquation en même temps qu'il pose la question de sa genèse. La dégénérescence de la musique aboutit à cet objet complexe, bizarre, fortement matérialisé et médiatisé qu'est la musique française du théâtre lyrique. Rousseau élabore une théorie de la double dégénérescence des langues et de la musique : sous l'effet d'une série de dégradations et de catastrophes, les unes s'articulent et l'autre s'harmonise ; au bout du compte elles deviennent étrangères les unes aux autres.

D'une part, les langues s'articulent. Le processus d'articulation est d'abord un phénomène physique : sous l'effet des besoins et du développement des techniques, elles deviennent plus rudes, s'enrichissent de sonorités fortes à dominante consonantique et perdent peu à peu la douceur et la finesse des inflexions vocaliques.

Leur matérialité, leur épaisseur s'accroissent, leur fluidité disparaît. Mais l'articulation, en introduisant ces éléments nets, forts et distincts dans leur matérialité, introduit également la netteté et la distinction de la rationalité : il s'agit donc, parallèlement, d'un processus d'intellectualisation. Plus la langue devient rationnelle, et plus elle s'articule, plus elle perd en poésie : à travers les sonorités discontinues, claires et distinctes, parle l'esprit d'intérêt et de calcul. L'accent poétique s'efface pour faire place au raisonnement. Enfin, alors qu'elles gagnent en matière, que le signifiant s'articule et s'épaissit, les langues perdent peu à peu l'accent de la passion et de la sincérité pour devenir les instruments du mensonge et de la duplicité. Toutes les langues, sans exception, subissent une telle dégradation, mais, entre toutes, la plus articulée, la plus rationnelle, la plus intellectualisée, la plus claire, la plus ironique, la plus mensongère et la plus sourde, c'est la langue française : comment pourrait-elle revenir à sa première destination et redevenir signe immédiat des passions ?

La musique suit un chemin à peu près comparable au cours du processus d'harmonisation. A la voix passionnée se substitue un système de sons, considérés dans leurs propriétés physiques : la musique perd en mélodicité et s'oriente vers l'option sensualiste de l'harmonie et de la complexité polyphonique. Rameau, aussi bien comme musicien que comme théoricien de l'harmonie, porte ce mouvement jusqu'à son terme, son *nec plus ultra* : il ne parle plus de voix, mais de vibrations. D'où l'accusation de sensualisme : il s'agit d'une musique destinée au tympan, et non pas d'un langage direct et émotif.

A travers l'harmonisation, Rousseau ne vise pas seulement un phénomène matériel, mais aussi un phénomène intellectuel : à l'« accent oral » issu de la nature, il oppose « les institutions harmoniques » (chap. XVII), effets arbitraires et conventionnels. L'harmonie suppose le calcul, la rationalisation des intervalles.

Finalement, le musicien moderne ne sent plus : il calcule ; il ne chante plus : il écrit. Les effets harmoniques se multiplient, la musique enrichit les objets de sa combinatoire, mais les inflexions mélodiques s'appauvrissent ; on néglige et on oublie les infimes intervalles qui en faisaient la souplesse et la variété. Par la raison et le calcul, on charge la matière, mais on perd de l'âme : la pensée musicale de Rousseau est à la fois un anti-sensualisme et un anti-intellectualisme.

Le résultat ultime de ce processus de dégénérescence, associant matérialisation et intellectualisation, c'est que la musique devient un pur objet. Réduite à un somptueux amas d'accords, de cadences, d'entrelacements savants, elle n'est plus signe de rien ; elle n'est plus que du « corps sonore » et ne peut renvoyer qu'à elle-même : comment pourrait-on y « entendre » quelque chose ?

Illusion mécaniste et régénération esthétique

La musique française se trouve donc prise dans une illusion de type mécaniste. Sortir de cette illusion, c'est rétablir dans sa vérité le concept d'imitation. La musique imite et touche non pas parce qu'elle est matériellement (harmoniquement) saisissable, mais parce qu'elle est signe. Cela revient à dire qu'elle n'imite pas, qu'elle n'imite jamais un objet. Voilà précisément ce qui fait à la fois sa différence et sa supériorité sur les autres arts. Elle peut imiter *directement* le phénomène émotif.

Sans en changer le vocabulaire, Rousseau se livre à un remaniement complet de la doctrine classique de l'imitation de la nature. Il ne s'agit plus à ses yeux d'effectuer une médiation matérielle, même quintessenciée et passée au crible de la distinction entre l'anecdotique et le vrai ; pour produire les passions, il faut susciter l'émotion par un accès immédiat. On passe ainsi d'une doctrine de l'excitation ou de l'ébranlement des affects à une théorie intimiste de l'inspiration :

> Que toute la nature soit endormie, celui qui la contemple ne dort pas, et l'art du musicien consiste à substituer à l'image sensible de l'objet celle des mouvements que sa présence excite dans le cœur du contemplateur : non seulement il agitera la mer, animera la flamme d'un incendie, fera couler les ruisseaux, tomber la pluie et grossir les torrents ; mais il peindra l'horreur d'un désert affreux, rembrunira les murs d'une prison souterraine, calmera la tempête, rendra l'air tranquille et serein, et répandra, de l'orchestre, une fraîcheur nouvelle sur les bocages : il ne représentera pas directement ces choses, mais il excitera dans l'âme les mêmes mouvements qu'on éprouve en les voyant[24].

Ce court-circuit permet d'économiser le détour par l'objet perceptible : tout ce que la théorie classique

---

24. *Dictionnaire de musique*, article « Imitation », p. 198. Texte identique à un passage de l'*Essai*, chap. XV.

pouvait avoir d'encombrant se trouve volatilisé et
dénoncé comme un effet de trompe-l'œil ou de simu-
lacre. Trois médiations sont de la sorte évitées et
condamnées comme illusoires.

La première est l'imitation à prétention objective,
celle qui consiste à traiter l'objet sonore dans l'inten-
tion d'en obtenir un « rendu » musical raffiné. Agiter la
mer, faire couler des ruisseaux, etc., ce n'est pas se
donner comme modèle des objets sonores issus de la
nature physique, c'est se placer dans l'état d'esprit de
celui qui contemple ces objets ou qui en subit la sou-
daineté ou la violence. Le musicien « peint » alors, non
pas l'agitation des flots (frémissement), mais l'agitation de l'âme ou le tremblement émotif de celui qui se
trouve pris dans la tempête.

La seconde médiation est celle de la langue, considérée comme un réel dont les musiciens classiques
épousent la prosodie. Comment accéder au noyau
psychique ? Si on ne peut pas le faire par l'intermédiaire d'un objet caractérisé, à tout le moins doit-on
avoir quelque modèle permettant la mise en œuvre
matérielle de la composition et guidant sa schématisa-
tion. Certes, et ce modèle est celui du langage, qu'il
ne faut pas confondre avec les langues dans leur réalité actuelle. Pour inspirer et produire l'affect, le musicien doit penser à la signification de celui-ci : la
musique qu'il compose vaudra comme signe. Il se
proposera d'imiter cette signification elle-même, et
non les articulations sonores qui la traduisent dans
telle ou telle langue.

Il faut donc s'efforcer de remonter en deçà de la
langue pour atteindre une couche plus profonde : la
musique imite l'essence même des langues, et non pas
nécessairement telle ou telle langue. Il s'agit d'une
véritable reconversion. Au lieu d'avoir l'oreille crispée
sur le matériau linguistique, le musicien doit prendre
une autre direction, se tourner vers l'écoute directe
des passions et de leur expression initiale. Il doit
constamment avoir en vue l'horizon ultime de la
transparence de la langue archétype. L'objet de l'imi-

tation musicale sera une sorte de *voix intérieure,* et non pas les séquences sonores réelles, fortement marquées par l'articulation, de la langue telle qu'elle est :

> Ce qu'on cherche donc à rendre par la mélodie, c'est le ton dont s'expriment les sentiments qu'on veut représenter ; et l'on doit bien se garder d'imiter en cela la déclamation théâtrale, qui n'est elle-même qu'une imitation, mais la voix de la nature parlant sans affectation et sans art. Ainsi le musicien cherchera d'abord un genre de mélodie qui lui fournisse les inflexions musicales les plus convenables au sens des paroles, en subordonnant toujours l'*expression* des mots à celle de la pensée, et celle-ci même à la situation de l'âme de l'interlocuteur : car, quand on est fortement affecté, tous les discours que l'on tient prennent, pour ainsi dire, la teinte du sentiment général qui domine en nous, et l'on ne querelle point ce qu'on aime du ton dont on querelle un indifférent[25].

La troisième forme de l'illusion mécaniste n'est autre que l'harmonie. Phénomène tardif, bruyant et dégénéré, elle détourne l'oreille de l'étoffe vocale et émotive pour porter l'attention sur la décomposition physico-mathématique du son ; enfin, entièrement dépendante de l'arsenal scientifique dont elle s'autorise pour usurper la position naturelle à laquelle elle n'a aucun titre, elle relève uniquement de la convention et du calcul : elle n'est qu'un artifice, une pièce rapportée. Ce n'est pas qu'il faille la bannir complètement : une fois les droits de la mélodie rétablis, l'harmonie peut la mettre en valeur. Elle se trouve alors reléguée à la place qui lui revient, celle d'un accompagnement, d'un faire-valoir.

L'esthétique classique se caractérise donc par une inversion des rôles, qui est bien de l'ordre de l'illusion. Crispation sur la matière, elle idolâtre ce qui n'est que phénomène et s'arrête aux combinaisons ; elle ne va pas jusqu'au bout de la vérité. Maintes fois, la conclusion se répète, aussi bien dans l'*Essai* que dans le *Dictionnaire de musique* : tant qu'on s'obstinera à prendre

---

25. *Dictionnaire de musique,* art. « Expression ».

la chose pour le sens, le physique pour le moral, le calculable et l'articulable pour le sensé, le vraisemblable pour le vrai, on s'égarera dans une sorte de fétichisme.

Les valeurs nouvelles de l'esthétique rousseauiste, destinées d'abord à dénoncer cette illusion classique et ensuite à en sortir, s'entendent alors comme une régénération dont la musique va fournir l'idéal de simplicité. Si les beaux-arts doivent être des arts d'imitation, leur objet principal est de suggérer la voix intérieure seule capable d'émouvoir le cœur humain.

L'homonymie avec les préceptes de l'esthétique classique est frappante. *Imiter, éliminer, choisir,* n'étaient-ce pas des maîtres mots de l'*Art poétique* de Boileau, de la « caractérisation » recherchée par Corneille et redéfinie par Batteux ? Certes, mais le regard a changé entièrement de direction. Ce n'est plus un objet qu'on imite, mais un sens ; les procédés artificialistes par lesquels l'esthétique classique chargeait, soulignait, épaississait l'objet une fois caractérisé (c'est-à-dire analysé et rendu à son essence), ne sont plus de mise. On a ici affaire à un idéal d'allégement qui n'a plus grand-chose à voir avec la caractérisation. Ainsi, Rousseau conseille sans cesse de simplifier l'harmonie. Parallèlement, il se prononce pour l'allégement de la langue. Le langage du cœur, tout en inflexions et en nuances, ne s'embarrasse pas d'un vocabulaire hérissé de concepts[26]. Dans ce mouvement spiritualiste qui réclame le retour au cœur, l'intimité, l'extinction des éclats, on décèle fréquemment la fascination pour l'austérité, qui mène à une esthétique économe en moyens et prodigue en effusions.

On s'en doute, cette exigence simplificatrice touche particulièrement les arts de la scène. L'injonction faite à l'artiste d'accéder à la nature morale somme le théâtre et l'opéra d'effectuer une reconversion radicale. C'est vers l'intérieur de l'âme qu'il

26. Voir par exemple l'article « Duo » du *Dictionnaire de musique.*

convient de porter à présent ses regards et non vers
une extériorité dont la facticité saute aux yeux. D'une
façon générale, le *jeu* théâtral qui sépare la salle et la
scène et place le spectateur en position de contem-
plation, de non-concernement, est resserré jusqu'à
une quasi-dissolution. Retrouvant les accents d'un
Nicole et d'un Bossuet, la *Lettre à d'Alembert* radi-
calise l'appauvrissement poétique bien au-delà du
réalisme et du naturalisme chers au théâtre bour-
geois. Rousseau va jusqu'au bout de cette logique de
l'austérité en abolissant le théâtre dans la fête populaire, moment de communion où la fiction s'évanouit, où le spectacle disparaît, où, dans la transparence absolue des cœurs, il ne se passe rigoureusement rien.

A partir de la musique, c'est donc toute l'esthétique
classique qui, de proche en proche, se trouve à la fois
récusée et révélée. La musique française, l'opéra, le
théâtre classique, tous ces joyaux d'une pensée qui
exaltait la fiction et l'artifice, toutes ces valeurs, aménité, politesse, élégance, urbanité, tout cela, dans un
grand élan qui a quelque chose de platonicien, est
dénoncé et démasqué.

Finalement, l'homme moderne, victime de l'illusion
mécaniste et rationaliste, incapable d'entendre autre chose
que du bruit et des arguments, inapte à dire autre chose
que des calculs et des mots d'esprit, apparaît comme un
prisonnier, pris qu'il est en effet dans le monde pesant de
la matière et des raisons, qu'il croit être son seul horizon
possible. En évoquant, à travers l'âge mythique de l'éloquence et des langues sonores, une liberté perdue, Rousseau conclut l'*Essai*, avec quelques accents lacédémo-
niens qui rappellent la *Lettre à d'Alembert,* sur une sombre
note pessimiste.

Pourtant, rien ne permet aujourd'hui de conclure à
l'échec de la pensée esthétique que Rousseau inaugure
aussi magistralement. En s'opposant aux conceptions
classiques, il installe la musique dans le champ de
l'intériorité, la transforme en art intimiste et extatique.
Il préfigure l'âge moderne, pour lequel la musique est,

par essence, émotion ; il la sort du domaine chargé et raffiné de la sensualité pour la placer dans celui de la spiritualité.

Ce faisant, il crée une nouvelle table des valeurs esthétiques dont la clef est déposée dans la musique elle-même et qui va devenir un *credo*. La musique mélodique, parce qu'elle représente le phénomène par lequel le sens consent à se faire sensation, prend le pas sur l'ensemble du domaine esthétique : elle fournit le modèle de l'art et l'aune à laquelle toute production doit être jugée. En faisant de l'intériorité la finalité ultime des productions esthétiques, Rousseau bouscule de fond en comble la classification des beaux-arts. Des arts, on jugera désormais sur le modèle « musical » c'est-à-dire selon le schème d'une voix intérieure et passionnée.

Le diktat de la musique est en lui-même une nouveauté et préfigure le déferlement de la référence musicale à laquelle l'esthétique moderne s'asservit volontiers. Il suppose une refonte complète de la conception que l'on se fait de la musique. Pour qu'elle devienne un référent universel, il fallait en construire le concept moderne : Rousseau invente l'idée qu'il y a *la* musique, entité diffuse, unique et originaire.

Cette idée va devenir une évidence. C'est en son nom qu'aujourd'hui s'impose une idéologie musicale multiculturelle qui égalise et mêle tout : la philosophie du « walkman » et des radios libres. Rousseau rend licite la philosophie des salles de concert et des fonds de loge d'opéra, la mélomanie : pour goûter la musique, il faudrait nécessairement cesser de penser et se retirer dans l'intimité de son âme. Il inaugure aussi bien celle des concerts rock : au-delà des langues qui divisent, la musique réunirait les jeunes, elle serait communication immédiate, communion.

De telles positions sont des caricatures et des avatars grotesques d'une grande philosophie qui fait de la musique le prototype d'un langage en deçà des langues et de la représentation des états d'âme, de l'accès à l'intimité psychique, la fin que devrait se proposer tout artiste. Lire l'*Essai sur l'origine des langues*, c'est retrouver la grande philosophie dont toutes ces affligeantes banalités sont le sous-produit dégénéré, ce qui est une manière, en les pensant, de ne pas y consentir.

IV — LA STRATÉGIE DE L'*ESSAI SUR L'ORIGINE DES LANGUES* : TROIS THÈSES EMBOÎTÉES.

La place prédominante occupée par la question musicale dans l'*Essai* se confirme encore si l'on examine la manière dont l'auteur dispose ses thèses. Rousseau s'appuie en effet sur trois moments décisifs qui éclairent le principe fondamental selon lequel les langues sont d'origine et d'étoffe morale. Chacun des trois moments a la fonction d'un nouage, d'une sorte de « point de capiton » qui oriente le principe initial en verrouillant certaines interprétations. Ils se succèdent en s'emboîtant « en entonnoir » et on aboutit à une position dont la spécialisation excède largement les besoins d'une théorie des langues.

Le premier point consiste à lier la moralité, le psychisme dont sont issues les langues, au concept de *sonorité*. Le chapitre premier, en privilégiant le système des objets audibles et l'appareil auditif pour l'expression et la communication des passions, met en place l'occurrence la plus grossière du dualisme qui distingue monde moral des sons et monde physique des gestes. A y bien réfléchir, y compris à la lumière des plus récentes théories linguistiques, cette thèse était suffisante pour fonder une théorie des langues dans ce qui les distingue précisément d'un simple système de signaux. Le modèle sonore caractérise en effet la structure de toutes les langues humaines ; il supporte aujourd'hui le concept de « système linguistique » et permet de rendre compte des effets d'équivocité propres au langage humain.

Mais s'en tenir à la césure entre son et geste, c'eût été admettre que les sonorités sourdes, consonantiques, et les sonorités vocaliques sont équivalentes, et de ce fait considérer l'articulation comme une donnée première au même titre que les sons vocaux : du même coup, la rationalité de ces mêmes articulations se fût trouvée incluse de plein droit dans l'univers « moral ». Thèse insuffisante en tout état de cause pour introduire la dissymétrie décisive entre Nord et Midi, et surtout pour récuser un certain type de musique, la musique articulée, harmonisée. La suite du texte va au-delà de la simple distinction entre l'ordre du son et celui du geste en précisant, à l'intérieur du système auditif et audible, le privilège du *vocalique* par opposition au consonantique. Une telle segmentation de l'univers sonore permet à Rousseau de donner un sens plus rigoureux au dualisme en rejetant dans le monde physique une partie de ce qu'on pourrait attribuer au monde moral : la rationalité et l'intellectualité. La fonction du concept de *voix* est donc centrale, puisqu'elle autorise Rousseau à faire basculer la thèse initiale du traité en infléchissant le concept de *sonorité* de façon décisive. Plus que le son, c'est l'inflexion vocalique qui est le canal obligé des passions et l'organe imitatif de la moralité.

Ce deuxième verrouillage qui noue la voix à l'expression du monde moral, fonde l'introduction de la musique dans l'ouvrage : celle-ci aura pour support originaire la même vocalité qui rend compte des langues. Les conséquences sont lumineuses. Si la musique est d'essence vocale, on la caractérisera comme primitivement mélodique et secondairement harmonique. Rameau, qui croit le contraire, se trompe : aveuglé par son mécanisme rationaliste et crispé sur l'analyse du corps sonore, il prend la conséquence pour le principe. Le titre de l'*Essai* s'éclaire alors tout entier : l'origine (vocalique) des langues montre que la musique est mélodique parce que, comme les langues, la musique vraiment imitative est un *analogon* des affects.

On constate alors qu'un troisième verrouillage est nécessaire à l'achèvement de la thèse complète du traité. Pour établir, en effet, la mélodicité essentielle de la musique — sans laquelle la position de Rameau demeure inattaquable — , il fallait encore lier le concept de vocalité à celui de mélodicité afin d'établir l'équivalence ou du moins l'homogénéité entre *parole* et *chant,* entre vocalité linguistique et vocalité musicale. Rousseau tisse ce dernier « point de capiton » en deux étapes.

La première étape est interne à la théorie des langues et s'appuie sur des considérations mécaniques destinées à privilégier la *voix.* Au chapitre II, en effet, on apprend que les inflexions vocaliques sont plus « primitives » et « naturelles » que les articulations consonantiques parce qu'elles sont plus aisées à émettre, alors que les sons sourds demandent de l'éducation et de l'exercice.

Outre le fait qu'elle est fausse (mais il faut considérer les choses du point de vue de l'auteur, qui la croyait vraie), cette argumentation est insuffisante parce qu'elle est contredite par un autre aspect de la théorie de Rousseau. En effet, si les sons vocaliques sont plus proches des passions tendres et plaintives, en revanche les passions rudes, agressives et « rationnelles », comme l'inquiétude, l'âpreté, l'irascibilité, la colère, engendrent des sons sourds et articulés. Or, on ne voit pas pourquoi les passions du premier genre seraient plus primitives et essentielles que celles du second.

Il faut donc rompre l'équilibre entre ces deux grands groupes de passions qui, en principe, jouent un rôle égal dans l'émission de manifestations linguistiques et pourraient donc être considérées comme équivalentes dans la formation des langues, ce qui ôterait toute prééminence à la vocalité et à la mélodicité. C'est à quoi s'efforce la seconde étape. Le déséquilibre nécessaire en faveur de la vocalité-mélodicité s'opère grâce à un détour, une excursion à l'extérieur de la théorie proprement dite des langues, détour en

forme de projection dans un espace géographico-
philosophique proche du *Second Discours*.

La dissymétrie s'effectue par le privilège que Rousseau accorde aux langues méridionales, dominées par
les sons vocaliques et la ligne mélodique au détriment
des langues du Nord plus consonantiques. Il faut donc
établir l'opposition Midi/Nord comme le lieu de mani-
festation de l'opposition vocalique/consonantique, et
toujours par l'intermédiaire d'une théorie des passions. La fonction des chapitres IX et X est d'établir
cette rupture en montrant l'antériorité et la primauté
de l'origine des langues dans les pays chauds sur leur
apparition dans les pays froids. On chante plus volontiers autour des fontaines qu'autour des foyers parce
qu'on s'y entretient des passions plus voluptueuses et
qu'on s'y trouve dans un lieu public (préfiguration
d'une *agora*). Donc « les vers, les chants, la parole »
ont une origine commune et l'auteur passe alors à la
seconde partie du traité : la musique, comme les langues, est originairement et essentiellement mélodique.

Malgré tout, on peut objecter qu'il s'agit là plus
d'une décision que d'une argumentation.

Tout d'abord, la dissymétrie entre le Nord et le
Midi repose sur une hypothèse relevant de la théorie
politique (comme le montre bien le chapitre XX).
Faire d'un lieu extérieur (ici, les fontaines) la figure
emblématique de la constitution de l'espace public,
c'est rester dépendant de l'image antique du politique,
celle de la place publique, des rassemblements en
plein air où l'éloquence est reine. Rousseau avoue fiè-
rement cette dépendance par une singulière insistance
sur l'image de Sparte qui hante son œuvre.

Enfin, un problème reste obscur, celui de l'identité
ou de la distinction entre l'émission de la voix *parlée* et
l'émission de la voix *chantée*, ou encore celui de l'homogénéité du concept de *vocalité*.

L'*Essai* suppose implicitement en effet que la voix
humaine est essentiellement et originairement une
voix chantée. La voix parlée apparaît comme une
dégradation, une « perte d'accent », comme le mon-

trent très bien les pseudo-expérimentations du chapitre VII, qui ne sont concluantes que si l'on a déjà
décidé que la voix humaine est d'abord et primitivement une voix chantée, d'où l'équivalence si souvent
répétée par l'auteur entre « les vers, le chant, la
parole ».

Or la continuité entre voix parlée et voix chantée
n'est pas évidente, y compris à l'époque de Rousseau.
On se reportera notamment à l'article « Déclamation
des anciens » de Duclos dans l'*Encyclopédie,* qui (en
s'appuyant sur les travaux de Dodart) fait de la différence entre les deux types d'émission une différence
absolue ou *de nature :* il n'y a alors aucune raison pour
privilégier l'une plutôt que l'autre, ni pour faire de
l'une l'origine de l'autre ; la différence étant de nature,
le choix entre l'émission parlée et l'émission chantée
est exclusif, et les deux formes d'émission sont paral-
lèles. Rousseau connaît du reste le problème au
moment où il écrit l'*Essai,* car il avait abordé clairement ce point dans le texte « Principe de la mélodie »,
où il affirme l'identité de nature entre voix parlante et
voix chantante[27]. Mais on ne retrouve ce passage ni
dans le texte définitif de l'*Examen de deux principes,* ni
dans celui de l'*Essai.*

L'article « Voix » du *Dictionnaire de musique* tran-
chera encore la question dans le même sens, celui
d'une simple différence *de degré* entre les deux émissions et introduira le postulat de la primauté de la voix
chantée :

> Les observations qu'a faites M. Dodart[28] sur les diffé-
> rences de la voix de parole et de la voix de chant dans
> le même homme, loin de contrarier cette explication, la
> confirment ; car, comme il y a des langues plus ou
> moins harmonieuses, dont les accents sont plus ou
> moins musicaux, on remarque aussi dans ces langues

27. « Il me suffit de remarquer ici que le son de la voix chantante
est le même son de la voix parlante, mais permanent et soutenu, au
lieu que dans la parole il est dans un état de fluxion continuelle et
ne se soutient jamais. » (Dans R. Wokler, *op. cit.,* p. 449.)

28. Dodart, *Mémoire sur les causes de la voix de l'homme et des
différents tons,* 1703.

que les voix de parole et de chant se rapprochent ou s'éloignent dans la même proportion : ainsi comme la langue italienne est plus musicale que la française, la parole s'y éloigne moins du chant ; et il est plus aisé d'y reconnaître au chant l'homme qu'on a entendu parler. Dans une langue qui serait toute harmonieuse, comme était au commencement la langue grecque, la différence de la voix de parole à la voix de chant serait nulle ; on n'aurait que la même voix pour parler et pour chanter : peut-être est-ce encore aujourd'hui le cas des Chinois.

Le privilège du chant, et donc de la mélodie, dans l'*Essai sur l'origine des langues,* semble bien relever d'une sorte de pétition de principe. Faut-il en conclure que Rousseau a tort ? Que le statut de la mélodie apparaisse, non pas comme un fait établi, mais plutôt comme un principe nécessaire, et comme un *devoir-être* sur lequel s'acharne l'auteur montre qu'il s'agit là plus d'un enjeu que d'une vérité au sens strict du terme.

Rejeter la pensée musicale de Rousseau ou s'en détourner parce qu'elle s'autorise de principes discutables, ce serait croire qu'une théorie philosophique partage le même concept de la vérité qu'une théorie scientifique : on pourrait aussi bien récuser la physique d'Aristote parce qu'on sait bien que nombre de notions y sont scientifiquement fausses. Or une théorie scientifiquement fausse peut demeurer une pensée philosophique valide si elle est de l'ordre d'une pensée qui va jusqu'au bout, menant vers les questions fondamentales, éclairant aussi bien elle-même que les adversaires auxquels elle s'en prend. Ainsi, le mythe philosophique qu'est la langue originaire prend valeur d'objet explicatif, exemplaire de ce qu'on appelle « vérité » en philosophie : sa fonction n'est pas d'être vrai au sens positif ou scientifique du terme, mais de révéler ce qui était obscur, de récuser les idées reçues et de faire penser.

L'enjeu de la théorie musicale et linguistique de Rousseau est bien celui d'une pensée esthétique qui engage une philosophie tout entière : elle nous apprend que pour penser la musique et les langues, il faut, au-delà des questions techniques, affronter des questions ontologiques, morales et politiques. Elle nous apprend aussi que, dans cet affrontement, des choix exclusifs et violents se présentent — qu'il faut bien oser caractériser par l'opposition entre le matérialisme rationaliste et le spiritualisme — , choix ultimes qui retrouvent et enrichissent ceux que tracèrent les grandes figures originaires de la philosophie.

Catherine KINTZLER.

NOTE SUR CETTE ÉDITION

Les textes ont été établis :

— pour l'*Essai sur l'origine des langues* et l'*Examen de deux principes avancés par M. Rameau,* d'après le volume publié en 1781 à Genève portant le titre *Projet concernant de nouveaux signes pour la musique* et en faux-titre *Traités sur la musique* ;

— pour la *Lettre sur la musique française,* d'après les deux éditions de 1753 (Paris) et le volume huitième de la *Collection complète des œuvres de J.-J. Rousseau, citoyen de Genève* publié à Genève en 1782.

Conformément à l'habitude de la collection, l'orthographe et la ponctuation ont été modernisées. Les notes de Rousseau figurent en bas de page et sont appelées par des astérisques.

Le présent volume étant principalement consacré à l'*Essai sur l'origine des langues,* la *Lettre sur la musique française* et l'*Examen de deux principes avancés par M. Rameau* figurent en annexe et font l'objet d'une présentation et d'une annotation succinctes.

L'annotation de l'*Essai sur l'origine des langues* aurait été impossible sans le travail accompli par Charles Porset dans son édition de 1968 (Bordeaux, Ducros) et par Jean Starobinski dans son édition de 1990 (Paris, Folio-Essais). En marchant sur leurs traces, et maintes fois en leur faisant des emprunts, je me suis épargné bien des efforts dans la recherche des nombreuses références.

Je remercie M. Robert Thiery, conservateur de la Bibliothèque d'études rousseauistes à Montmorency, pour son accueil et pour les ressources qu'il a mises à ma disposition ainsi que Mme Schmidt-Surdez, conservatrice des manuscrits à la Bibliothèque de Neuchâtel.

                                                        C. K.

Lettre de Rousseau à Malesherbes[1],
25 septembre 1761

Madame la Maréchale de Luxembourg veut bien se charger, Monsieur, de vous remettre le petit écrit dont je vous avais parlé et que vous avez bien voulu me promettre de lire non seulement comme Magistrat mais comme homme de lettres qui daigne s'intéresser à l'auteur et veut bien lui dire son avis. Je ne pense pas que ce barbouillage puisse supporter l'impression séparément, mais peut-être pourra-t-il passer dans le recueil général, à la faveur du reste : toutefois je souhaiterais qu'il pût être donné à part à cause de ce Rameau qui continue à me tarabuster vilainement et qui cherche l'honneur d'une réponse directe qu'assurément je ne lui ferai pas. Daignez décider, Monsieur, votre jugement sera ma loi à tous égards.

1. Directeur général de la Librairie.

Extrait du Projet de préface de 1763
*pour un volume réunissant l'*Imitation théâtrale,
Le Lévite d'Ephraïm, *et l'*Essai sur l'origine des langues

Le second morceau[1] ne fut aussi d'abord qu'un fragment du discours sur l'inégalité que j'en retranchai comme trop long et hors de place. Je le repris à l'occasion des Erreurs de M. Rameau sur la musique, titre aux deux mots près que j'ai retranchés parfaitement rempli par l'ouvrage qui le porte. Cependant, retenu par le ridicule de disserter sur les langues quand on en sait à peine une et d'ailleurs peu content de ce morceau, j'avais résolu de le supprimer comme indigne de l'attention du public. Mais un magistrat illustre[2] qui cul ive et protège les lettres en a pensé plus favorablement que moi. Je soumets donc avec plaisir, comme on peut bien le croire, mon jugement au sien, et j'essaye à la faveur des deux autres écrits de faire passer celui-ci que je n'eusse peut-être osé risquer seul.

1. Il s'agit de l'*Essai*.
2. Malesherbes.

ESSAI
SUR
L'ORIGINE DES LANGUES,

OÙ IL EST PARLÉ
DE LA MÉLODIE ET DE L'IMITATION MUSICALE.

CHAPITRE PREMIER

Des divers moyens de communiquer nos pensées.

La parole distingue l'homme entre les animaux : le langage distingue les nations entre elles ; on ne connaît d'où est un homme qu'après qu'il a parlé. L'usage et le besoin font apprendre à chacun la langue de son pays ; mais qu'est-ce qui fait que cette langue est celle de son pays et non pas d'un autre ? Il faut bien remonter, pour le dire, à quelque raison qui tienne au local, et qui soit antérieure aux mœurs mêmes : la parole étant la première institution sociale ne doit sa forme qu'à des causes naturelles[1].

Sitôt qu'un homme fut reconnu par un autre pour un être sentant, pensant et semblable à lui, le désir ou le besoin de lui communiquer ses sentiments et ses pensées lui en fit chercher les moyens. Ces moyens ne peuvent se tirer que des sens, les seuls instruments par lesquels un homme puisse agir sur un autre. Voilà donc l'institution des signes sensibles pour exprimer la pensée. Les inventeurs du langage ne firent pas ce raisonnement, mais l'instinct leur en suggéra la conséquence.

Les moyens généraux par lesquels nous pouvons agir sur les sens d'autrui se bornent à deux, savoir le mouvement et la voix. L'action du mouvement est immédiate par le toucher ou médiate par le geste ; la première, ayant pour terme la longueur du bras, ne peut se transmettre à distance, mais l'autre atteint aussi loin que le rayon visuel. Ainsi restent seulement la vue et l'ouïe pour organes passifs du langage entre des hommes dispersés.

Quoique la langue du geste et celle de la voix soient également naturelles[2], toutefois la première est plus facile et dépend moins des conventions : car plus d'objets frappent nos yeux que nos oreilles, et les figures ont plus de variété que les sons ; elles sont aussi plus expressives et disent plus en moins de temps. L'amour, dit-on, fut l'inventeur du dessin. Il put inventer aussi la parole, mais moins heureusement. Peu content d'elle, il la dédaigne, il a des manières plus vives de s'exprimer. Que celle qui traçait avec tant de plaisir l'ombre de son amant lui disait de choses[3] ! Quels sons eût-elle employés pour rendre ce mouvement de baguette ?

Nos gestes ne signifient rien que notre inquiétude naturelle ; ce n'est pas de ceux-là que je veux parler[4]. Il n'y a que les Européens qui gesticulent en parlant : on dirait que toute la force de leur langue est dans leurs bras ; ils y ajoutent encore celle des poumons, et tout cela ne leur sert de guère. Quand un Franc s'est bien démené, s'est bien tourmenté le corps à dire beaucoup de paroles, un Turc ôte un moment la pipe de sa bouche, dit deux mots à demi-voix, et l'écrase d'une sentence.

Depuis que nous avons appris à gesticuler nous avons oublié l'art des pantomimes, par la même raison qu'avec beaucoup de belles grammaires nous n'entendons plus les symboles des Égyptiens. Ce que les anciens disaient le plus vivement, ils ne l'exprimaient pas par des mots, mais par des signes ; ils ne le disaient pas, ils le montraient.

Ouvrez l'histoire ancienne, vous la trouverez pleine de ces manières d'argumenter aux yeux, et jamais elles ne manquent de produire un effet plus assuré que tous les discours qu'on aurait pu mettre à la place. L'objet offert avant de parler ébranle l'imagination, excite la curiosité, tient l'esprit en suspens et dans l'attente de ce qu'on va dire. J'ai remarqué que les Italiens et les Provençaux, chez qui pour l'ordinaire le geste précède le discours, trouvent ainsi le moyen de se faire mieux écouter, et même avec plus de plaisir. Mais le langage le plus énergique est celui où le signe a tout dit avant qu'on ne parle. Tarquin[5], Thrasybule[6] abattant les têtes des pavots, Alexandre[7] appliquant son cachet sur la bouche de son favori, Diogène[8] se promenant devant Zénon, ne parlaient-ils pas mieux qu'avec des mots ? Quel circuit de paroles eût aussi bien exprimé les mêmes idées ? Darius[9], engagé dans la Scythie avec son armée, reçoit de la part du roi des Scythes une grenouille, un oiseau, une souris, et cinq flèches : le héraut remet son présent en silence et part. Cette terrible harangue fut entendue, et Darius n'eut plus grande hâte que de regagner son pays comme il put. Substituez une lettre à ces signes, plus elle sera menaçante, moins elle effraiera ; ce ne sera plus qu'une gasconnade dont Darius n'aurait fait que rire.

Quand le Lévite d'Éphraïm[10] voulut venger la mort de sa femme, il n'écrivit point aux tribus d'Israël ; il divisa le corps en douze pièces, et les leur envoya. A cet horrible aspect, ils courent aux armes en criant tout d'une voix : *non, jamais rien de tel n'est arrivé dans Israël, depuis le jour que nos pères sortirent d'Égypte jusqu'à ce jour.* Et la tribu de Benjamin fut exterminée*. De nos jours l'affaire, tournée en plaidoyers, en discussions, peut-être en plaisanteries, eût traîné en longueur, et le plus horrible des crimes fût enfin demeuré impuni. Le roi Saül[11], revenant du labourage, dépeça de même les bœufs de sa charrue et usa d'un signe semblable pour faire marcher Israël au secours de la ville de Jabès. Les prophètes des Juifs, les législateurs des Grecs, offrant souvent au peuple des objets sensibles, lui parlaient mieux par ces objets qu'ils n'eussent fait par de longs discours ; et la manière dont Athénée rapporte que l'orateur Hypéride fit absoudre la courtisane Phryné[12], sans alléguer un seul mot pour sa

---

* Il n'en resta que six cents hommes, sans femmes ni enfants.

défense, est encore une éloquence muette dont l'effet n'est pas rare dans tous les temps.

Ainsi l'on parle aux yeux bien mieux qu'aux oreilles : il n'y a personne qui ne sente la vérité du jugement d'Horace[13] à cet égard. On voit même que les discours les plus éloquents sont ceux où l'on enchâsse le plus d'images, et les sons n'ont jamais plus d'énergie que quand ils font l'effet des couleurs.

Mais lorsqu'il est question d'émouvoir le cœur et d'enflammer les passions, c'est tout autre chose[14]. L'impression successive du discours, qui frappe à coups redoublés, vous donne bien une autre émotion que la présence de l'objet même où d'un coup d'œil vous avez tout vu. Supposez une situation de douleur parfaitement connue ; en voyant la personne affligée vous serez difficilement ému jusqu'à pleurer ; mais laissez-lui le temps de vous dire tout ce qu'elle sent, et bientôt vous allez fondre en larmes. Ce n'est qu'ainsi que les scènes de tragédie font leur effet*. La seule pantomime sans discours vous laissera presque tranquille ; le discours sans geste vous arrachera des pleurs. Les passions ont leurs gestes, mais elles ont aussi leurs accents, et ces accents qui nous font tressaillir, ces accents auxquels on ne peut dérober son organe pénètrent par lui jusqu'au fond du cœur, y portent malgré nous les mouvements qui les arrachent, et nous font sentir ce que nous entendons. Concluons que les signes visibles rendent l'imitation plus exacte, mais que l'intérêt s'excite mieux par les sons[16].

Ceci me fait penser que si nous n'avions jamais eu que des besoins physiques, nous aurions fort bien pu ne parler jamais[17], et nous entendre parfaitement par la seule langue du geste. Nous aurions pu établir des sociétés peu différentes de ce qu'elles sont aujour-

---

* J'ai dit ailleurs[15] pourquoi les malheurs feints nous touchent bien plus que les véritables. Tel sanglote à la tragédie, qui n'eut de ses jours pitié d'aucun malheureux. L'invention du théâtre est admirable pour enorgueillir notre amour-propre de toutes les vertus que nous n'avons point.

d'hui, ou qui même auraient marché mieux à leur but ; nous aurions pu instituer des lois, choisir des chefs, inventer des arts, établir le commerce, et faire en un mot presque autant de choses que nous en faisons par le secours de la parole. La langue épistolaire des salams* transmet sans crainte des jaloux les secrets de la galanterie orientale à travers les harems les mieux gardés. Les muets du grand-seigneur s'entendent entre eux, et entendent tout ce qu'on leur dit par signes, tout aussi bien qu'on peut le dire par le discours. Le sieur Pereyre[18], et ceux qui comme lui apprennent aux muets non seulement à parler, mais à savoir ce qu'ils disent, sont bien forcés de leur apprendre auparavant une autre langue non moins compliquée, à l'aide de laquelle ils puissent leur faire entendre celle-là.

Chardin[19] dit qu'aux Indes les facteurs, se prenant la main l'un à l'autre et modifiant leurs attouchements d'une manière que personne ne peut apercevoir, traitent ainsi publiquement, mais en secret, toutes leurs affaires sans s'être dit un seul mot. Supposez ces facteurs aveugles, sourds et muets, ils ne s'entendront pas moins entre eux. Ce qui montre que des deux sens par lesquels nous sommes actifs, un seul suffirait pour nous former un langage.

Il paraît encore par les mêmes observations que l'invention de l'art de communiquer nos idées dépend moins des organes qui nous servent à cette communication que d'une faculté propre à l'homme[20] qui lui fait employer ses organes à cet usage, et qui, si ceux-là lui manquaient, lui en ferait employer d'autres à la même fin. Donnez à l'homme une organisation tout aussi grossière qu'il vous plaira : sans doute il acquerra moins d'idées ; mais pourvu seulement qu'il y ait entre lui et ses semblables quelque moyen de communication par lequel l'un puisse agir et l'autre sentir, ils

---

* Les salams sont des multitudes de choses les plus communes, comme une orange, un ruban, un charbon, etc., dont l'envoi forme un sens connu de tous les amants dans le pays où cette langue est en usage.

parviendront à se communiquer enfin tout autant d'idées qu'ils en auront.

Les animaux ont pour cette communication une organisation plus que suffisante, et jamais aucun d'eux n'en a fait cet usage. Voilà, ce me semble, une différence bien caractéristique. Ceux d'entre eux qui travaillent et vivent en commun, les castors, les fourmis, les abeilles, ont quelque langue naturelle pour s'entre-communiquer, je n'en fais aucun doute. Il y a même lieu de croire que la langue des castors et celle des fourmis sont dans le geste et parlent seulement aux yeux. Quoi qu'il en soit, par cela même que les unes et les autres de ces langues sont naturelles, elles ne sont pas acquises ; les animaux qui les parlent les ont en naissant ; ils les ont tous, et partout la même ; ils n'en changent point, ils n'y font pas le moindre progrès. La langue de convention n'appartient qu'à l'homme. Voilà pourquoi l'homme fait des progrès, soit en bien, soit en mal, et pourquoi les animaux n'en font point. Cette seule distinction paraît mener loin : on l'explique, dit-on, par la différence des organes. Je serais curieux de voir cette explication.

CHAPITRE II

Que la première invention de la parole ne vient pas
des besoins, mais des passions.

Il est donc à croire que les besoins dictèrent les premiers gestes et que les passions arrachèrent les premières voix [21]. En suivant avec ces distinctions la trace des faits, peut-être faudrait-il raisonner sur l'origine des langues tout autrement qu'on n'a fait jusqu'ici. Le génie des langues orientales, les plus anciennes qui nous soient connues, dément absolument la marche didactique qu'on imagine dans leur composition. Ces langues n'ont rien de méthodique et de raisonné ; elles sont vives et figurées. On nous fait du langage des premiers hommes des langues de géomètres, et nous voyons que ce furent des langues de poètes [22].

Cela dut être. On ne commença pas par raisonner, mais par sentir. On prétend que les hommes inventèrent la parole pour exprimer leurs besoins ; cette opinion me paraît insoutenable. L'effet naturel des premiers besoins fut d'écarter les hommes et non de les rapprocher [23]. Il le fallait ainsi pour que l'espèce vînt à s'étendre et que la terre se peuplât promptement, sans quoi le genre humain se fût entassé dans un coin du monde, et tout le reste fût demeuré désert.

De cela seul il suit avec évidence que l'origine des langues n'est point due aux premiers besoins des hommes ; il serait absurde que de la cause qui les écarte vînt le moyen qui les unit. D'où peut donc venir cette origine ? Des besoins moraux, des passions. Toutes les passions rapprochent les hommes que la nécessité de chercher à vivre force à se fuir. Ce n'est ni la faim, ni la soif, mais l'amour, la haine, la pitié, la colère, qui leur ont arraché les premières voix. Les fruits ne se dérobent point à nos mains, on peut s'en nourrir sans parler ; on poursuit en silence la proie dont on veut se repaître ; mais pour émouvoir un jeune cœur, pour repousser un agresseur injuste, la nature dicte des accents, des cris, des plaintes : voilà les plus anciens mots inventés, et voilà pourquoi les premières langues furent chantantes et passionnées avant d'être simples et méthodiques[24]. Tout ceci n'est pas vrai sans distinction, mais j'y reviendrai ci-après.

CHAPITRE III

Que le premier langage dut être figuré.

Comme les premiers motifs qui firent parler l'homme furent des passions, ses premières expressions furent des tropes[25]. Le langage figuré fut le premier à naître, le sens propre fut trouvé le dernier. On n'appela les choses de leur vrai nom que quand on les vit sous leur véritable forme. D'abord on ne parla qu'en poésie ; on ne s'avisa de raisonner que longtemps après.

Or, je sens bien qu'ici le lecteur m'arrête, et me demande comment une expression peut être figurée avant d'avoir un sens propre, puisque ce n'est que dans la translation du sens que consiste la figure. Je conviens de cela ; mais pour m'entendre il faut substituer l'idée que la passion nous présente au mot que nous transposons ; car on ne transpose les mots que parce qu'on transpose aussi les idées, autrement le langage figuré ne signifierait rien. Je réponds donc par un exemple.

Un homme sauvage en rencontrant d'autres se sera d'abord effrayé. Sa frayeur lui aura fait voir ces hommes plus grands et plus forts que lui-même ; il leur aura donné le nom de *géants*. Après beaucoup d'expériences, il aura reconnu que ces prétendus géants, n'étant ni plus grands ni plus forts que lui, leur stature ne convenait point à l'idée qu'il avait d'abord attachée au mot de géant. Il inventera donc un autre nom commun à eux et à lui, tel par exemple que le nom d'*homme,* et laissera celui de *géant* à l'objet faux qui l'avait frappé durant son illusion. Voilà comment le mot figuré naît avant le mot propre, lorsque la passion nous fascine les yeux, et que la première idée qu'elle nous offre n'est pas celle de la vérité. Ce que j'ai dit des mots et des noms est sans difficulté pour les tours de phrases. L'image illusoire offerte par la passion se montrant la première, le langage qui lui répondait fut aussi le premier inventé ; il devint ensuite métaphorique quand l'esprit éclairé, reconnaissant sa première erreur, n'en employa les expressions que dans les mêmes passions qui l'avaient produite.

CHAPITRE IV

Des caractères distinctifs de la première langue
et des changements qu'elle dut éprouver.

Les simples sons sortent naturellement du gosier,
la bouche est naturellement plus ou moins ouverte ;
mais les modifications de la langue et du palais, qui
font articuler, exigent de l'attention, de l'exercice ; on
ne les fait point sans vouloir les faire, tous les enfants
ont besoin de les apprendre, et plusieurs n'y par-
viennent pas aisément. Dans toutes les langues, les
exclamations les plus vives sont inarticulées ; les cris,
les gémissements sont de simples voix ; les muets,
c'est-à-dire les sourds, ne poussent que des sons inarticulés[26] : le père Lamy ne conçoit pas même que les
hommes en eussent pu jamais inventer d'autres, si
Dieu ne leur eût expressément appris à parler. Les
articulations sont en petit nombre ; les sons sont en
nombre infini ; les accents qui les marquent peuvent
se multiplier de même ; toutes les notes de la
musique sont autant d'accents ; nous n'en avons, il
est vrai, que trois ou quatre dans la parole ; mais les
Chinois en ont beaucoup davantage ; en revanche ils
ont moins de consonnes. A cette source de combinaisons ajoutez celle des temps ou de la quantité, et
vous aurez non seulement plus de mots, mais plus de
syllabes diversifiées que la plus riche des langues n'en
a besoin.

Je ne doute point qu'indépendamment du vocabulaire et de la syntaxe, la première langue, si elle existait encore, n'eût gardé des caractères originaux qui la distingueraient de toutes les autres. Non seulement tous les tours de cette langue devraient être en images, en sentiments, en figures ; mais dans sa partie mécanique elle devrait répondre à son premier objet, et présenter aux sens ainsi qu'à l'entendement les impressions presque inévitables de la passion qui cherche à se communiquer.

Comme les voix naturelles sont inarticulées, les mots auraient peu d'articulations ; quelques consonnes interposées, effaçant l'hiatus des voyelles, suffiraient pour les rendre coulantes et faciles à prononcer. En revanche les sons seraient très variés, et la diversité des accents multiplierait les mêmes voix : la quantité, le rythme seraient de nouvelles sources de combinaisons ; en sorte que les voix, les sons, l'accent, le nombre, qui sont de la nature, laissant peu de chose à faire aux articulations qui sont de convention, l'on chanterait au lieu de parler ; la plupart des mots radicaux seraient des sons imitatifs, ou de l'accent des passions, ou de l'effet des objets sensibles : l'onomatopée s'y ferait sentir continuellement.

Cette langue aurait beaucoup de synonymes pour exprimer le même être par ses différents rapports[*] ; elle aurait peu d'adverbes et de mots abstraits pour exprimer ces mêmes rapports. Elle aurait beaucoup d'augmentatifs, de diminutifs, de mots composés, de particules explétives pour donner de la cadence aux périodes et de la rondeur aux phrases ; elle aurait beaucoup d'irrégularités et d'anomalies, elle négligerait l'analogie grammaticale pour s'attacher à l'euphonie, au nombre, à l'harmonie et à la beauté des sons ; au lieu d'arguments elle aurait des sentences, elle persuaderait sans convaincre et peindrait sans raisonner ; elle ressemblerait à la langue chinoise à cer-

---

[*] On dit que l'arabe a plus de mille mots différents pour dire un *chameau*, plus de cent pour dire un *glaive*, etc.

tains égards ; à la grecque, à d'autres ; à l'arabe, à d'autres. Étendez ces idées dans toutes leurs branches, et vous trouverez que le *Cratyle* de Platon n'est pas si ridicule qu'il paraît l'être.

CHAPITRE V

De l'écriture.

Quiconque étudiera l'histoire et le progrès des langues verra que plus les voix deviennent monotones, plus les consonnes se multiplient, et qu'aux accents qui s'effacent, aux quantités qui s'égalisent, on supplée par des combinaisons grammaticales et par de nouvelles articulations : mais ce n'est qu'à force de temps que se font ces changements. A mesure que les besoins croissent, que les affaires s'embrouillent, que les lumières s'étendent, le langage change de caractère : il devient plus juste et moins passionné ; il substitue aux sentiments les idées ; il ne parle plus au cœur, mais à la raison. Par là même l'accent s'éteint, l'articulation s'étend, la langue devient plus exacte, plus claire, mais plus traînante, plus sourde et plus froide. Ce progrès me paraît tout à fait naturel[27].

Un autre moyen de comparer les langues et de juger de leur ancienneté se tire de l'écriture, et cela en raison inverse de la perfection de cet art. Plus l'écriture est grossière, plus la langue est antique. La première manière d'écrire n'est pas de peindre les sons, mais les objets mêmes, soit directement comme faisaient les Mexicains, soit par des figures allégoriques, comme firent autrefois les Égyptiens. Cet état répond à la langue passionnée, et suppose déjà quelque société et des besoins que les passions ont fait naître.

La seconde manière est de représenter les mots et les propositions par des caractères conventionnels, ce qui ne peut se faire que quand la langue est tout à fait formée et qu'un peuple entier est uni par des lois communes, car il y a déjà ici double convention : telle est l'écriture des Chinois ; c'est là véritablement peindre les sons et parler aux yeux.

La troisième est de décomposer la voix parlante en un certain nombre de parties élémentaires, soit vocales, soit articulées, avec lesquelles on puisse former tous les mots et toutes les syllabes imaginables. Cette manière d'écrire, qui est la nôtre, a dû être imaginée par des peuples commerçants qui, voyageant en plusieurs pays et ayant à parler plusieurs langues, furent forcés d'inventer des caractères qui pussent être communs à toutes. Ce n'est pas précisément peindre la parole, c'est l'analyser.

Ces trois manières d'écrire répondent assez exactement aux trois divers états sous lesquels on peut considérer les hommes rassemblés en nations. La peinture des objets convient aux peuples sauvages, les signes des mots et des propositions aux peuples barbares, et l'alphabet aux peuples policés.

Il ne faut donc pas penser que cette dernière invention soit une preuve de la haute antiquité du peuple inventeur. Au contraire, il est probable que le peuple qui l'a trouvée avait en vue une communication plus facile avec d'autres peuples parlant d'autres langues, lesquels du moins étaient ses contemporains et pouvaient être plus anciens que lui. On ne peut pas dire la même chose des deux autres méthodes. J'avoue cependant que, si l'on s'en tient à l'histoire et aux faits connus, l'écriture par alphabet paraît remonter aussi haut qu'aucune autre. Mais il n'est pas surprenant que nous manquions de monuments des temps où l'on n'écrivait pas.

Il est peu vraisemblable que les premiers qui s'avisèrent de résoudre la parole en signes élémentaires aient fait d'abord des divisions bien exactes. Quand ils s'aperçurent ensuite de l'insuffisance de leur analyse,

les uns, comme les Grecs, multiplièrent les caractères
de leur alphabet, les autres se contentèrent d'en varier
le sens ou le son par des positions ou combinaisons
différentes. Ainsi paraissent écrites les inscriptions des
ruines de Tchelminar[28], dont Chardin nous a tracé
des ectypes. On n'y distingue que deux figures ou
caractères*, mais de diverses grandeurs et posés en
différents sens. Cette langue inconnue et d'une antiquité presque effrayante devait pourtant être alors
bien formée, à en juger par la perfection des arts
qu'annoncent la beauté des caractères** et les monuments admirables où se trouvent ces inscriptions. Je
ne sais pourquoi l'on parle si peu de ces étonnantes
ruines : quand j'en lis la description dans Chardin, je
me crois transporté dans un autre monde. Il me
semble que tout cela donne furieusement à penser.

L'art d'écrire ne tient point à celui de parler[29]. Il
tient à des besoins d'une autre nature, qui naissent

---

* « Des gens s'étonnent, dit Chardin, que deux figures puissent
faire tant de lettres, mais, pour moi, je ne vois pas là de quoi
s'étonner si fort, puisque les lettres de notre alphabet, qui sont au
nombre de vingt-trois, ne sont pourtant composées que de deux
lignes, la droite et la circulaire ; c'est-à-dire qu'avec un C et un I on
fait toutes les lettres qui composent nos mots. »

** « Ce caractère paraît fort beau, et n'a rien de confus ni de
barbare. L'on dirait que les lettres auraient été dorées ; car il y en a
plusieurs, et surtout des majuscules, où il paraît encore de l'or ; et
c'est assurément quelque chose d'admirable et d'inconcevable que
l'air n'ait pu manger cette dorure durant tant de siècles. Du reste,
ce n'est pas merveille qu'aucun de tous les savants du monde n'ait
jamais rien compris à cette écriture, puisqu'elle n'approche en
aucune manière d'aucune écriture qui soit venue à notre connaissance, au lieu que toutes les écritures connues aujourd'hui, excepté
le chinois, ont beaucoup d'affinité entre elles, et paraissent venir de
la même source. Ce qu'il y a en ceci de plus merveilleux est que les
Guèbres, qui sont les restes des anciens Perses, et qui en conservent
et perpétuent la religion, non seulement ne connaissent pas mieux
ces caractères que nous, mais que leurs caractères n'y ressemblent
pas plus que les nôtres. D'où il s'ensuit, ou que c'est un caractère
de cabale, ce qui n'est pas vraisemblable, puisque ce caractère est le
commun et naturel de l'édifice en tous endroits, et qu'il n'y en a pas
d'autre du même ciseau, ou qu'il est d'une si grande antiquité que
nous n'oserions presque le dire. » En effet, Chardin ferait présumer,
sur ce passage, que du temps de Cyrus et des mages, ce caractère
était déjà oublié, et tout aussi peu connu qu'aujourd'hui.

plus tôt ou plus tard selon des circonstances tout à fait indépendantes de la durée des peuples, et qui pourraient n'avoir jamais eu lieu chez des nations très anciennes. On ignore durant combien de siècles l'art des hiéroglyphes fut peut-être la seule écriture des Égyptiens, et il est prouvé qu'une telle écriture peut suffire à un peuple policé, par l'exemple des Mexicains qui en avaient une encore moins commode.

En comparant l'alphabet copte à l'alphabet syriaque ou phénicien, on juge aisément que l'un vient de l'autre, et il ne serait pas étonnant que ce dernier fût l'original, ni que le peuple le plus moderne eût à cet égard instruit le plus ancien. Il est clair aussi que l'alphabet grec vient de l'alphabet phénicien ; l'on voit même qu'il en doit venir. Que Cadmus ou quelque autre l'ait apporté de Phénicie, toujours paraît-il certain que les Grecs ne l'allèrent pas chercher, et que les Phéniciens l'apportèrent eux-mêmes ; car, des peuples de l'Asie et de l'Afrique, ils furent les premiers et presque les seuls* qui commercèrent en Europe, et ils vinrent bien plutôt chez les Grecs que les Grecs n'allèrent chez eux : ce qui ne prouve nullement que le peuple grec ne soit pas aussi ancien que le peuple de Phénicie.

D'abord les Grecs n'adoptèrent pas seulement les caractères des Phéniciens, mais même la direction de leurs lignes de droite à gauche. Ensuite ils s'avisèrent d'écrire par sillons, c'est-à-dire en retournant de la gauche à la droite, puis de la droite à la gauche alternativement**. Enfin ils écrivirent comme nous faisons aujourd'hui, en recommençant toutes les lignes de gauche à droite. Ce progrès n'a rien que de naturel : l'écriture par sillons est sans contredit la plus commode à lire. Je suis même étonné qu'elle ne se soit pas établie avec l'impression, mais étant difficile à

---

* Je compte les Carthaginois pour Phéniciens, puisqu'ils étaient une colonie de Tyr.

** Voyez Pausanias, Arcad. Les Latins, dans les commencements, écrivirent de même, et de là, selon Marius Victorinus, est venu le mot de *versus*.

écrire à la main, elle dut s'abolir quand les manuscrits
se multiplièrent.

Mais bien que l'alphabet grec vienne de l'alphabet
phénicien, il ne s'ensuit point que la langue grecque
vienne de la phénicienne. Une de ces propositions ne
tient point à l'autre, et il paraît que la langue grecque
était déjà fort ancienne, que l'art d'écrire était récent
et même imparfait chez les Grecs. Jusqu'au siège de
Troie, ils n'eurent que seize lettres, si toutefois ils les
eurent. On dit que Palamède en ajouta quatre, et
Simonide les quatre autres. Tout cela est pris d'un
peu loin[30]. Au contraire le latin, langue plus moderne,
eut presque dès sa naissance un alphabet complet,
dont cependant les premiers Romains ne se servaient
guère, puisqu'ils commencèrent si tard d'écrire leur
histoire, et que les lustres ne se marquaient qu'avec
des clous.

Du reste, il n'y a pas une quantité de lettres ou
éléments de la parole absolument déterminée ; les uns
en ont plus, les autres moins, selon les langues et selon
les diverses modifications qu'on donne aux voix et aux
consonnes. Ceux qui ne comptent que cinq voyelles se
trompent fort : les Grecs en écrivaient sept, les premiers Romains six* ; Messieurs de Port-Royal[32] en
comptent dix, M. Duclos[33] dix-sept ; et je ne doute
pas qu'on n'en trouvât beaucoup davantage, si l'habitude avait rendu l'oreille plus sensible et la bouche
plus exercée aux diverses modifications dont elles sont
susceptibles. A proportion de la délicatesse de l'organe, on trouvera plus ou moins de modifications
entre l'*a* aigu et l'*o* grave, entre l'*i* et l'*e* ouvert, etc.
C'est ce que chacun peut éprouver en passant d'une
voyelle à l'autre par une voix continue et nuancée ; car
on peut fixer plus ou moins de ces nuances et les
marquer par des caractères particuliers, selon qu'à
force d'habitude on s'y est rendu plus ou moins sensible, et cette habitude dépend des sortes de voix usi-

---

* *Vocales quas Græce septem, Romulus sex, usus posterior quinque
commemorat, Y velut Græca rejecta.* Mart. Capel., lib. III[31].

tées dans le langage, auxquelles l'organe se forme insensiblement. La même chose peut se dire à peu près des lettres articulées ou consonnes. Mais la plupart des nations n'ont pas fait ainsi. Elles ont pris l'alphabet les unes des autres, et représenté par les mêmes caractères des voix et des articulations très différentes. Ce qui fait que, quelque exacte que soit l'orthographe, on lit toujours ridiculement une autre langue que la sienne, à moins qu'on n'y soit extrêmement exercé.

L'écriture, qui semble devoir fixer la langue, est précisément ce qui l'altère ; elle n'en change pas les mots, mais le génie ; elle substitue l'exactitude à l'expression[34]. L'on rend ses sentiments quand on parle et ses idées quand on écrit. En écrivant, on est forcé de prendre tous les mots dans l'acception commune ; mais celui qui parle varie les acceptions par les tons, il les détermine comme il lui plaît ; moins gêné pour être clair, il donne plus à la force, et il n'est pas possible qu'une langue qu'on écrit garde longtemps la vivacité de celle qui n'est que parlée. On écrit les voix et non pas les sons[35] : or, dans une langue accentuée, ce sont les sons, les accents, les inflexions de toute espèce qui font la plus grande énergie du langage, et rendent une phrase, d'ailleurs commune, propre seulement au lieu où elle est. Les moyens qu'on prend pour suppléer à celui-là étendent, allongent la langue écrite, et passant des livres dans le discours, énervent la parole même*. En disant tout comme on l'écrirait, on ne fait plus que lire en parlant.

---

* Le meilleur de ces moyens, et qui n'aurait pas ce défaut, serait la ponctuation, si on l'eût laissée moins imparfaite. Pourquoi, par exemple, n'avons-nous pas de point vocatif ? Le point interrogeant que nous avons était beaucoup moins nécessaire car, par la seule construction, on voit si l'on interroge ou si l'on n'interroge pas, au moins dans notre langue. *Venez-vous* et *vous venez* ne sont pas la même chose. Mais comment distinguer par écrit un homme qu'on nomme d'un homme qu'on appelle ? C'est là vraiment une équivoque qu'eût levée le point vocatif. La même équivoque se trouve dans l'ironie, quand l'accent ne la fait pas sentir.

CHAPITRE VI

S'il est probable qu'Homère ait su écrire.

Quoi qu'on nous dise de l'invention de l'alphabet grec, je la crois beaucoup plus moderne qu'on ne la fait, et je fonde principalement cette opinion sur le caractère de la langue. Il m'est venu bien souvent dans l'esprit de douter non seulement qu'Homère sût écrire, mais même qu'on écrivît de son temps. J'ai grand regret que ce doute soit si formellement démenti par l'histoire de Bellérophon dans l'*Iliade*[36] ; comme j'ai le malheur, aussi bien que le père Hardouin[37], d'être un peu obstiné dans mes paradoxes, si j'étais moins ignorant, je serais bien tenté d'étendre mes doutes sur cette histoire même, et de l'accuser d'avoir été sans beaucoup d'examen interpolée par les compilateurs d'Homère. Non seulement dans le reste de l'*Iliade* on voit peu de traces de cet art, mais j'ose avancer que toute l'*Odyssée* n'est qu'un tissu de bêtises et d'inepties qu'une lettre ou deux eussent réduit en fumée, au lieu qu'on rend ce poème raisonnable et même assez bien conduit en supposant que ses héros aient ignoré l'écriture. Si l'*Iliade* eût été écrite, elle eût été beaucoup moins chantée, les rapsodes eussent été moins recherchés et se seraient moins multipliés. Aucun autre poète n'a été ainsi chanté, si ce n'est le Tasse à Venise, encore n'est-ce que par les gondoliers qui ne sont pas grands lecteurs. La diversité des dia-

lectes employés par Homère forme encore un préjugé
très fort. Les dialectes distingués par la parole se rapprochent et se confondent par l'écriture, tout se rapporte insensiblement à un modèle commun. Plus une
nation lit et s'instruit, plus ses dialectes s'effacent, et
enfin ils ne restent plus qu'en forme de jargon chez le
peuple, qui lit peu et qui n'écrit point[38].

Or, ces deux poèmes étant postérieurs au siège de
Troie, il n'est guère apparent que les Grecs qui firent
ce siège connussent l'écriture, et que le poète qui le
chanta ne la connût pas. Ces poèmes restèrent longtemps écrits seulement dans la mémoire des hommes ;
ils furent rassemblés par écrit assez tard et avec beaucoup de peine. Ce fut quand la Grèce commença
d'abonder en livres et en poésie écrite que tout le
charme de celle d'Homère se fit sentir par comparaison. Les autres poètes écrivaient, Homère seul avait
chanté, et ces chants divins n'ont cessé d'être écoutés
avec ravissement que quand l'Europe s'est couverte de
barbares qui se sont mêlés de juger ce qu'ils ne pouvaient sentir.

CHAPITRE VII

De la prosodie moderne.

Nous n'avons aucune idée d'une langue sonore et harmonieuse, qui parle autant par les sons que par les voix[39]. Si l'on croit suppléer à l'accent par les accents, on se trompe : on n'invente les accents que quand l'accent est déjà perdu*. Il y a plus ; nous croyons avoir des accents dans notre langue et nous n'en avons

* Quelques savants prétendent[40], contre l'opinion commune et contre la preuve tirée de tous les anciens manuscrits, que les Grecs ont connu et pratiqué dans l'écriture les signes appelés *accents,* et ils fondent cette opinion sur deux passages que je vais transcrire l'un et l'autre, afin que le lecteur puisse juger de leur vrai sens.

Voici le premier, tiré de Cicéron, dans son *Traité de l'Orateur,* livre III, nº 44 :

« *Hanc diligentiam subsequitur modus etiam et forma verborum, quod jam vereor ne huic Catulo videatur esse puerile. Versus enim veteres illi in hac soluta oratione propemodum, hoc est, numeros quosdam nobis esse adhibendos putaverunt. Interspirationis enim non defetigationis nostrae, neque librariorum notis, sed verborum et sententiarum modo, interpunctas clausulas in orationibus esse voluerunt : idque princeps Isocrates instituisse fertur, ut inconditam antiquorum dicendi consuetudinem, delectationis atque aurium causa (quemadmodum scribit discipulus ejus Naucrates), numeris adstringeret.*

« *Namque haec duo musici, qui erant quondam idem poetae, machinati ad voluptatem sunt, versum atque cantum, ut et verborum numero, et vocum modo, delectatione vincerent aurium satietatem. Hæc igitur duo, vocis dico moderationem, et verborum conclusionem, quoad orationis severitas pati posset, a poetica ad eloquentiam traducenda duxerunt.* »

Voici le second, tiré d'Isidore, dans ses *Origines,* livre Ier, chapitre 20 :

point : nos prétendus accents ne sont que des voyelles
ou des signes de quantité ; ils ne marquent aucune
variété de sons. La preuve est que ces accents se rendent tous, ou par des temps inégaux, ou par des modifications des lèvres, de la langue, ou du palais, qui font
la diversité des voix ; aucun par des modifications de
glotte, qui font la diversité des sons. Ainsi, quand
notre circonflexe n'est pas une simple voix, il est une
longue, ou il n'est rien. Voyons à présent ce qu'il était
chez les Grecs.

*Denys d'Halicarnasse dit que l'élévation du ton dans
l'accent aigu et l'abaissement dans le grave étaient une
quinte ; ainsi l'accent prosodique était aussi musical, surtout le circonflexe, où la voix, après avoir monté d'une
quinte, descendait d'une autre quinte sur la même syllabe*.*
On voit assez par ce passage et par ce qui s'y rapporte
que M. Duclos ne reconnaît point d'accent musical
dans notre langue, mais seulement l'accent prosodique et l'accent vocal ; on y ajoute un accent ortho-
graphique qui ne change rien à la voix, ni au son, ni à
la quantité, mais qui tantôt indique une lettre sup-
primée, comme le circonflexe, et tantôt fixe le sens
équivoque d'un monosyllabe, tel que l'accent prétendu grave qui distingue *où* adverbe de lieu de *ou*

« *Praeterea quædam sententiarum notae apud celeberrimos auctores
fuerunt, quasque antiqui ad distinctionem scripturarum carminibus et
historiis apposuerunt. Nota est figura propria in litterae modum posita,
ad demonstrandum unamquamque verbi sententiarumque ac versuum
rationem. Notae autem versibus apponuntur numero XXVI, quae sunt
nominibus infra scriptis, etc.* »
Pour moi, je vois là que du temps de Cicéron les bons copistes
pratiquaient la séparation des mots et certains signes équivalents à
notre ponctuation. J'y vois encore l'invention du nombre et de la
déclamation de la prose, attribuée à Isocrate. Mais je n'y vois point
du tout les signes écrits, les accents : et quand je les y verrais,
on n'en pourrait conclure qu'une chose que je ne dispute pas, et qui
rentre tout à fait dans mes principes, savoir, que quand les Romains
commencèrent à étudier le grec, les copistes, pour leur en indiquer
la prononciation, inventèrent les signes des accents, des esprits et de
la prosodie ; mais il ne s'ensuivrait nullement que ces signes fussent
en usage parmi les Grecs, qui n'en avaient aucun besoin.
  * M. Duclos, *Remarques sur la Grammaire générale et raisonnée*,
page 30.

particule disjonctive, et *à* pris pour article du même *a* pris pour verbe ; cet accent distingue à l'œil seulement ces monosyllabes, rien ne les distingue à la prononciation*. Ainsi la définition de l'accent que les Français ont généralement adoptée ne convient à aucun des accents de leur langue.

Je m'attends bien que plusieurs de leurs grammairiens, prévenus que les accents marquent élévation ou abaissement de voix, se récrieront encore ici au paradoxe, et faute de mettre assez de soins à l'expérience, ils croiront rendre par les modifications de la glotte ces mêmes accents qu'ils rendent uniquement en variant les ouvertures de la bouche ou les positions de la langue. Mais voici ce que j'ai à leur dire pour constater l'expérience et rendre ma preuve sans réplique.

Prenez exactement avec la voix l'unisson de quelque instrument de musique, et sur cet unisson prononcez de suite tous les mots français les plus diversement accentués que vous pourrez rassembler ; comme il n'est pas ici question de l'accent oratoire, mais seulement de l'accent grammatical, il n'est pas même nécessaire que ces divers mots aient un sens suivi. Observez, en parlant ainsi, si vous ne marquez pas sur ce même son tous les accents aussi sensiblement, aussi nettement que si vous prononciez sans gêne en variant votre ton de voix. Or, ce fait supposé, et il est incontestable, je dis que puisque tous vos accents s'expriment sur le même ton, ils ne marquent donc pas des sons différents. Je n'imagine pas ce qu'on peut répondre à cela.

Toute langue où l'on peut mettre plusieurs airs de musique sur les mêmes paroles n'a point d'accent musical déterminé. Si l'accent était déterminé, l'air le

---

* On pourrait croire que c'est par ce même accent que les Italiens distinguent, par exemple, *è* verbe de *e* conjonction ; mais le premier se distingue à l'oreille par un son plus fort et plus appuyé, ce qui rend vocal l'accent dont il est marqué : observation que le Buonmattei[41] a eu tort de ne pas faire.

serait aussi. Dès que le chant est arbitraire, l'accent est compté pour rien.

Les langues modernes de l'Europe sont toutes du plus au moins dans le même cas. Je n'en excepte pas même l'italienne. La langue italienne, non plus que la française, n'est point par elle-même une langue musicale. La différence est seulement que l'une se prête à la musique, et que l'autre ne s'y prête pas.

Tout ceci mène à la confirmation de ce principe, que par un progrès naturel toutes les langues lettrées doivent changer de caractère et perdre de la force en gagnant de la clarté ; que plus on s'attache à perfectionner la grammaire et la logique, plus on accélère ce progrès, et que pour rendre bientôt une langue froide et monotone, il ne faut qu'établir des académies chez le peuple qui la parle.

On connaît les langues dérivées par la différence de l'orthographe à la prononciation. Plus les langues sont antiques et originales, moins il y a d'arbitraire dans la manière de les prononcer, par conséquent moins de complications de caractères pour déterminer cette prononciation. *Tous les signes prosodiques des anciens*, dit M. Duclos, *supposé que l'emploi en fût bien fixé, ne valaient pas encore l'usage*[42]. Je dirai plus : ils y furent substitués. Les anciens Hébreux n'avaient ni points, ni accents ; ils n'avaient pas même des voyelles. Quand les autres nations ont voulu se mêler de parler hébreu, et que les Juifs ont parlé d'autres langues, la leur a perdu son accent ; il a fallu des points, des signes pour le régler, et cela a bien plus rétabli le sens des mots que la prononciation de la langue. Les Juifs de nos jours, parlant hébreu, ne seraient plus entendus de leurs ancêtres.

Pour savoir l'anglais il faut l'apprendre deux fois, l'une à le lire, et l'autre à le parler. Si un Anglais lit à haute voix, et qu'un étranger jette les yeux sur le livre, l'étranger n'aperçoit aucun rapport entre ce qu'il voit et ce qu'il entend. Pourquoi cela ? Parce que l'Angleterre ayant été successivement conquise par divers peuples, les mots se sont toujours écrits de même,

tandis que la manière de les prononcer a souvent
changé. Il y a bien de la différence entre les signes qui
déterminent le sens de l'écriture et ceux qui règlent la
prononciation. Il serait aisé de faire avec les seules
consonnes une langue fort claire par écrit, mais qu'on
ne saurait parler. L'algèbre a quelque chose de cette
langue-là. Quand une langue est plus claire par son
orthographe que par sa prononciation, c'est un signe
qu'elle est plus écrite que parlée ; telle pouvait être la
langue savante des Égyptiens ; telles sont pour nous
les langues mortes. Dans celles qu'on charge de
consonnes inutiles, l'écriture semble même avoir précédé la parole, et qui ne croirait la polonaise dans ce
cas-là ? Si cela était, le polonais devrait être la plus
froide de toutes les langues.

CHAPITRE VIII

Différence générale et locale dans l'origine
des langues.

Tout ce que j'ai dit jusqu'ici convient aux langues primitives en général et aux progrès qui résultent de leur durée, mais n'explique ni leur origine, ni leurs différences. La principale cause qui les distingue est locale, elle vient des climats où elles naissent et de la manière dont elles se forment ; c'est à cette cause qu'il faut remonter pour concevoir la différence générale et caractéristique qu'on remarque entre les langues du Midi et celles du Nord[43]. Le grand défaut des Européens est de philosopher toujours sur les origines des choses d'après ce qui se passe autour d'eux. Ils ne manquent point de nous montrer les premiers hommes habitant une terre ingrate et rude, mourant de froid et de faim, empressés à se faire un couvert et des habits ; ils ne voient partout que la neige et les glaces de l'Europe, sans songer que l'espèce humaine, ainsi que toutes les autres, a pris naissance dans les pays chauds, et que sur les deux tiers du globe l'hiver est à peine connu. Quand on veut étudier les hommes, il faut regarder près de soi ; mais pour étudier l'homme, il faut apprendre à porter sa vue au loin ; il faut d'abord observer les différences pour découvrir les propriétés.

Le genre humain, né dans les pays chauds, s'étend de là dans les pays froids ; c'est dans ceux-ci qu'il se multiplie et reflue ensuite dans les pays chauds. De cette action et réaction viennent les révolutions de la terre et l'agitation continuelle de ses habitants. Tâchons de suivre dans nos recherches l'ordre même de la nature. J'entre dans une longue digression sur un sujet si rebattu[44] qu'il en est trivial, mais auquel il faut toujours revenir, malgré qu'on en ait, pour trouver l'origine des institutions humaines.

CHAPITRE IX[45]

Formation des langues méridionales.

Dans les premiers temps*, les hommes épars sur la face de la terre n'avaient de société que celle de la famille, de lois que celles de la nature, de langue que le geste et quelques sons inarticulés**. Ils n'étaient liés par aucune idée de fraternité commune, et n'ayant aucun arbitre que la force, ils se croyaient ennemis les uns des autres. C'étaient leur faiblesse et leur ignorance qui leur donnaient cette opinion. Ne connaissant rien, ils craignaient tout, ils attaquaient pour se défendre. Un homme abandonné seul sur la face de la terre, à la merci du genre humain, devait être un animal féroce. Il était prêt à faire aux autres tout le mal qu'il craignait d'eux. La crainte et la faiblesse sont les sources de la cruauté.

Les affections sociales ne se développent en nous qu'avec nos lumières. La pitié, bien que naturelle au

---

* J'appelle les premiers temps ceux de la dispersion des hommes, à quelque âge du genre humain qu'on veuille en fixer l'époque.

** Les véritables langues n'ont point une origine domestique, il n'y a qu'une convention plus générale et plus durable qui les puisse établir. Les sauvages de l'Amérique ne parlent presque jamais que hors de chez eux ; chacun garde le silence dans sa cabane, il parle par signes à sa famille, et ces signes sont peu fréquents, parce qu'un sauvage est moins inquiet, moins impatient qu'un Européen, qu'il n'a pas tant de besoins, et qu'il prend soin d'y pourvoir lui-même.

cœur de l'homme, resterait éternellement inactive sans l'imagination qui la met en jeu. Comment nous laissons-nous émouvoir à la pitié ? En nous transportant hors de nous-mêmes, en nous identifiant avec l'être souffrant. Nous ne souffrons qu'autant que nous jugeons qu'il souffre ; ce n'est pas dans nous, c'est dans lui que nous souffrons. Qu'on songe combien ce transport suppose de connaissances acquises ! Comment imaginerais-je des maux dont je n'ai nulle idée ? Comment souffrirais-je en voyant souffrir un autre, si je ne sais pas même qu'il souffre, si j'ignore ce qu'il y a de commun entre lui et moi ? Celui qui n'a jamais réfléchi ne peut être ni clément, ni juste, ni pitoyable ; il ne peut pas non plus être méchant et vindicatif[46]. Celui qui n'imagine rien ne sent que lui-même ; il est seul au milieu du genre humain.

La réflexion naît des idées comparées, et c'est la pluralité des idées qui porte à les comparer. Celui qui ne voit qu'un seul objet n'a point de comparaison à faire. Celui qui n'en voit qu'un petit nombre, et toujours les mêmes dès son enfance, ne les compare point encore, parce que l'habitude de les voir lui ôte l'attention nécessaire pour les examiner : mais à mesure qu'un objet nouveau nous frappe nous voulons le connaître ; dans ceux qui nous sont connus nous lui cherchons des rapports. C'est ainsi que nous apprenons à considérer ce qui est sous nos yeux, et que ce qui nous est étranger nous porte à l'examen de ce qui nous touche.

Appliquez ces idées aux premiers hommes, vous verrez la raison de leur barbarie. N'ayant jamais rien vu que ce qui était autour d'eux, cela même ils ne le connaissaient pas ; ils ne se connaissaient pas eux-mêmes. Ils avaient l'idée d'un père, d'un fils, d'un frère, et non pas d'un homme. Leur cabane contenait tous leurs semblables ; un étranger, une bête, un monstre étaient pour eux la même chose : hors eux et leur famille, l'univers entier ne leur était rien.

De là les contradictions apparentes qu'on voit entre les pères des nations : tant de naturel et tant d'inhumanité, des mœurs si féroces et des cœurs si tendres, tant d'amour pour leur famille et d'aversion pour leur espèce. Tous leurs sentiments, concentrés entre leurs proches, en avaient plus d'énergie. Tout ce qu'ils connaissaient leur était cher. Ennemis du reste du monde qu'ils ne voyaient point et qu'ils ignoraient, ils ne haïssaient que ce qu'ils ne pouvaient connaître.

Ces temps de barbarie étaient le siècle d'or, non parce que les hommes étaient unis, mais parce qu'ils étaient séparés. Chacun, dit-on, s'estimait le maître de tout, cela peut être ; mais nul ne connaissait et ne désirait que ce qui était sous sa main : ses besoins, loin de le rapprocher de ses semblables, l'en éloignaient. Les hommes, si l'on veut, s'attaquaient dans la rencontre, mais ils se rencontraient rarement. Partout régnait l'état de guerre, et toute la terre était en paix.

Les premiers hommes furent chasseurs ou bergers, et non pas laboureurs ; les premiers biens furent des troupeaux, et non pas des champs. Avant que la propriété de la terre fût partagée, nul ne pensait à la cultiver. L'agriculture est un art qui demande des instruments ; semer pour recueillir est une précaution qui demande de la prévoyance. L'homme en société cherche à s'étendre, l'homme isolé se resserre. Hors de la portée où son œil peut voir et où son bras peut atteindre, il n'y a plus pour lui ni droit ni propriété. Quand le Cyclope a roulé la pierre à l'entrée de sa caverne, ses troupeaux et lui sont en sûreté. Mais qui garderait les moissons de celui pour qui les lois ne veillent pas ?

On me dira que Caïn fut laboureur, et que Noé planta la vigne. Pourquoi non ? Ils étaient seuls, qu'avaient-ils à craindre ? D'ailleurs ceci ne fait rien contre moi ; j'ai dit ci-devant ce que j'entendais par les premiers temps. En devenant fugitif, Caïn fut bien forcé d'abandonner l'agriculture ; la vie errante des descendants de Noé dut aussi la leur faire oublier. Il fallut peupler la terre avant de la cultiver : ces deux choses se font mal ensemble. Durant la première dispersion du genre humain, jusqu'à ce que la

famille fût arrêtée et que l'homme eût une habitation
fixe, il n'y eut plus d'agriculture. Les peuples qui ne
se fixent point ne sauraient cultiver la terre ; tels
furent autrefois les nomades, tels furent les Arabes
vivant sous des tentes, les Scythes dans leurs chariots,
tels sont encore aujourd'hui les Tartares errants et les
sauvages de l'Amérique.

Généralement, chez tous les peuples dont l'origine
nous est connue, on trouve les premiers barbares
voraces et carnassiers, plutôt qu'agriculteurs et grani-
vores. Les Grecs nomment le premier qui leur apprit à
labourer la terre, et il paraît qu'ils ne connurent cet art
que fort tard. Mais quand ils ajoutent qu'avant Triptolème[47] ils ne vivaient que de gland, ils disent une
chose sans vraisemblance et que leur propre histoire
dément : car ils mangeaient de la chair avant Triptolème, puisqu'il leur défendit d'en manger. On ne voit
pas au reste qu'ils aient tenu grand compte de cette
défense.

Dans les festins d'Homère on tue un bœuf pour
régaler ses hôtes, comme on tuerait de nos jours un
cochon de lait. En lisant qu'Abraham servit un veau à
trois personnes, qu'Eumée fit rôtir deux chevreaux
pour le dîner d'Ulysse, et qu'autant en fit Rebecca
pour celui de son mari, on peut juger quels terribles
dévoreurs de viande étaient les hommes de ces
temps-là. Pour concevoir les repas des anciens, on n'a
qu'à voir aujourd'hui ceux des sauvages ; j'ai failli dire
ceux des Anglais.

Le premier gâteau qui fut mangé fut la communion
du genre humain. Quand les hommes commencèrent
à se fixer, ils défrichaient quelque peu de terre autour
de leur cabane, c'était un jardin plutôt qu'un champ.
Le peu de grain qu'on recueillait se broyait entre deux
pierres ; on en faisait quelques gâteaux qu'on cuisait
sous la cendre, ou sur la braise, ou sur une pierre
ardente, dont on ne mangeait que dans les festins.
Cet antique usage, qui fut consacré chez les Juifs par
la Pâque, se conserve encore aujourd'hui dans la
Perse et dans les Indes. On n'y mange que des pains

sans levain, et ces pains en feuilles minces se cuisent
et se consomment à chaque repas. On ne s'est avisé
de faire fermenter le pain que quand il en a fallu
davantage, car la fermentation se fait mal sur une
petite quantité.

Je sais qu'on trouve déjà l'agriculture en grand dès
le temps des patriarches. Le voisinage de l'Égypte
avait dû la porter de bonne heure en Palestine. Le
livre de Job, le plus ancien peut-être de tous les livres
qui existent, parle de la culture des champs ; il compte
cinq cents paires de bœufs parmi les richesses de Job ;
ce mot de paires montre ces bœufs accouplés pour le
travail ; il est dit positivement que ces bœufs labou-
raient quand les Sabéens les enlevèrent, et l'on peut
juger quelle étendue de pays devaient labourer cinq
cents paires de bœufs.

Tout cela est vrai ; mais ne confondons point les
temps. L'âge patriarcal que nous connaissons est
bien loin du premier âge. L'Écriture compte dix générations de l'un à l'autre dans ces siècles où les
hommes vivaient longtemps. Qu'ont-ils fait durant ces
dix générations ? Nous n'en savons rien. Vivant épars
et presque sans société, à peine parlaient-ils :
comment pouvaient-ils écrire ? Et dans l'uniformité
de leur vie isolée quels événements nous auraient-ils
transmis ?

Adam parlait, Noé parlait ; soit. Adam avait été instruit par Dieu même. En se divisant, les enfants de
Noé abandonnèrent l'agriculture, et la langue
commune périt avec la première société. Cela serait
arrivé quand il n'y aurait jamais eu de tour de Babel.
On a vu dans des îles désertes des solitaires oublier
leur propre langue : rarement après plusieurs générations, des hommes hors de leur pays conservent leur
premier langage, même ayant des travaux communs et
vivant entre eux en société.

Épars dans ce vaste désert du monde, les hommes
retombèrent dans la stupide barbarie où ils se seraient
trouvés s'ils étaient nés de la terre. En suivant ces
idées si naturelles, il est aisé de concilier l'autorité de

l'Écriture avec les monuments antiques, et l'on n'est pas réduit à traiter de fables des traditions aussi anciennes que les peuples qui nous les ont transmises.

Dans cet état d'abrutissement, il fallait vivre. Les plus actifs, les plus robustes, ceux qui allaient toujours en avant, ne pouvaient vivre que de fruits et de chasse ; ils devinrent donc chasseurs, violents, sanguinaires ; puis avec le temps guerriers, conquérants, usurpateurs. L'histoire a souillé ses monuments des crimes de ces premiers rois ; la guerre et les conquêtes ne sont que des chasses d'hommes. Après les avoir conquis, il ne leur manquait que de les dévorer. C'est ce que leurs successeurs ont appris à faire.

Le plus grand nombre, moins actif et plus paisible, s'arrêta le plus tôt qu'il put, assembla du bétail, l'apprivoisa, le rendit docile à la voix de l'homme ; pour s'en nourrir, apprit à le garder, à le multiplier ; et ainsi commença la vie pastorale.

L'industrie humaine s'étend avec les besoins qui la font naître. Des trois manières de vivre possibles à l'homme, savoir, la chasse, le soin des troupeaux et l'agriculture, la première exerce le corps à la force, à l'adresse, à la course ; l'âme, au courage, à la ruse : elle endurcit l'homme et le rend féroce. Le pays des chasseurs n'est pas longtemps celui de la chasse*. Il faut poursuivre au loin le gibier, de là l'équitation. Il faut atteindre le même gibier qui fuit ; de là les armes légères, la fronde, la flèche, le javelot. L'art pastoral, père du repos et des passions oiseuses, est celui qui se suffit le plus à lui-même. Il fournit à l'homme, presque sans peine, la vie et le vêtement ; il lui fournit même sa demeure. Les tentes des premiers bergers étaient

---

* Le métier de chasseur n'est point favorable à la population. Cette observation, qu'on a faite quand les îles de Saint-Domingue et de la Tortue étaient habitées par des boucaniers, se confirme par l'état de l'Amérique septentrionale. On ne voit point que les pères d'aucune nation nombreuse aient été chasseurs par état ; ils ont tous été agriculteurs ou bergers. La chasse doit donc être moins considérée ici comme ressource de subsistance que comme un accessoire de l'état pastoral.

faites de peaux de bêtes : le toit de l'arche et du tabernacle de Moïse n'était pas d'une autre étoffe. A l'égard de l'agriculture, plus lente à naître, elle tient à tous les arts ; elle amène la propriété, le gouvernement, les lois, et par degrés la misère et les crimes, inséparables pour notre espèce de la science du bien et du mal. Aussi les Grecs ne regardaient-ils pas seulement Triptolème comme l'inventeur d'un art utile, mais comme un instituteur et un sage duquel ils tenaient leur première discipline et leurs premières lois. Au contraire, Moïse semble porter un jugement d'improbation sur l'agriculture, en lui donnant un méchant pour inventeur et faisant rejeter de Dieu ses offrandes : on dirait que le premier laboureur annonçait dans son caractère les mauvais effets de son art. L'auteur de la *Genèse* avait vu plus loin qu'Hérodote.

A la division précédente se rapportent les trois états de l'homme considéré par rapport à la société. Le sauvage est chasseur, le barbare est berger, l'homme civil est laboureur.

Soit donc qu'on recherche l'origine des arts, soit qu'on observe les premières mœurs, on voit que tout se rapporte dans son principe aux moyens de pourvoir à la subsistance ; et quant à ceux de ces moyens qui rassemblent les hommes, ils sont déterminés par le climat et par la nature du sol. C'est donc aussi par les mêmes causes qu'il faut expliquer la diversité des langues et l'opposition de leurs caractères.

Les climats doux, les pays gras et fertiles ont été les premiers peuplés et les derniers où les nations se sont formées, parce que les hommes s'y pouvaient passer plus aisément les uns des autres, et que les besoins qui font naître la société s'y sont fait sentir plus tard.

Supposez un printemps perpétuel sur la terre ; supposez partout de l'eau, du bétail, des pâturages ; supposez les hommes, sortant des mains de la nature, une fois dispersés parmi tout cela : je n'imagine pas comment ils auraient jamais renoncé à leur liberté primitive, et quitté la vie isolée et pastorale, si convenable à leur indolence naturelle*, pour s'imposer sans nécessité l'esclavage, les travaux, les misères inséparables de l'état social.

Celui qui voulut que l'homme fût sociable toucha du doigt l'axe du globe et l'inclina sur l'axe de l'univers. A ce léger mouvement, je vois changer la face de la terre et décider la vocation du genre humain : j'entends au loin les cris de joie d'une multitude insensée ; je vois édifier les palais et les villes ; je vois naître les arts, les lois, le commerce ; je vois les peuples se former, s'étendre, se dissoudre, se succéder comme les flots de la mer ; je vois les hommes rassemblés sur quelques points de leur demeure pour s'y dévorer mutuellement, faire un affreux désert du reste du monde, digne monument de l'union sociale et de l'utilité des arts.

La terre nourrit les hommes ; mais quand les premiers besoins les ont dispersés, d'autres besoins les rassemblent, et c'est alors seulement qu'ils parlent et qu'ils font parler d'eux. Pour ne pas me trouver en contradiction avec moi-même, il faut me laisser le temps de m'expliquer[48].

Si l'on cherche en quels lieux sont nés les pères du genre humain, d'où sortirent les premières colonies, d'où vinrent les premières émigrations , vous ne nommerez pas les heureux climats de l'Asie Mineure, ni de la Sicile, ni de l'Afrique, pas même de l'Égypte ; vous nommerez les sables de la Chaldée, les rochers de la Phénicie. Vous trouverez la même chose dans tous les temps. La Chine a beau se peupler de Chinois, elle se

---

* Il est inconcevable à quel point l'homme est naturellement paresseux. On dirait qu'il ne vit que pour dormir, végéter, rester immobile ; à peine peut-il se résoudre à se donner les mouvements nécessaires pour s'empêcher de mourir de faim. Rien ne maintient tant les sauvages dans l'amour de leur état que cette délicieuse indolence. Les passions qui rendent l'homme inquiet, prévoyant, actif, ne naissent que dans la société. Ne rien faire est la première et la plus forte passion de l'homme après celle de se conserver. Si l'on y regardait bien, l'on verrait que, même parmi nous, c'est pour parvenir au repos que chacun travaille ; c'est encore la paresse qui nous rend laborieux.

peuple aussi de Tartares ; les Scythes ont inondé l'Europe et l'Asie ; les montagnes de Suisse versent actuellement dans nos régions fertiles une colonie perpétuelle qui promet de ne point tarir.

Il est naturel, dit-on, que les habitants d'un pays ingrat le quittent pour en occuper un meilleur[49]. Fort bien ; mais pourquoi ce meilleur pays, au lieu de fourmiller de ses propres habitants, fait-il place à d'autres ? Pour sortir d'un pays ingrat il y faut être. Pourquoi donc tant d'hommes y naissent-ils par préférence ? On croirait que les pays ingrats ne devraient se peupler que de l'excédent des pays fertiles, et nous voyons que c'est le contraire. La plupart des peuples latins se disaient aborigènes*, tandis que la grande Grèce, beaucoup plus fertile, n'était peuplée que d'étrangers. Tous les peuples grecs avouaient tirer leur origine de diverses colonies, hors celui dont le sol était le plus mauvais, savoir, le peuple attique, lequel se disait autochtone ou né de lui-même. Enfin, sans percer la nuit des temps, les siècles modernes offrent une observation décisive ; car quel climat au monde est plus triste que celui qu'on nomma la fabrique du genre humain ?

Les associations d'hommes sont en grande partie l'ouvrage des accidents de la nature ; les déluges particuliers, les mers extravasées, les éruptions des volcans, les grands tremblements de terre, les incendies allumés par la foudre et qui détruisaient les forêts, tout ce qui dut effrayer et disperser les sauvages habitants d'un pays dut ensuite les rassembler pour réparer en commun les pertes communes. Les traditions des malheurs de la terre, si fréquents dans les anciens temps, montrent de quels instruments se servit la Providence pour forcer les humains à se rapprocher. Depuis que les sociétés sont établies, ces grands accidents ont cessé et sont devenus plus rares ; il semble que cela doit encore être ; les mêmes mal-

* Ces noms d'*autochtones* et d'*aborigènes* signifient seulement que les premiers habitants du pays étaient sauvages, sans société, sans lois, sans traditions, et qu'ils peuplèrent avant de parler.

heurs qui rassemblèrent les hommes épars disperse-
raient ceux qui sont réunis.

Les révolutions des saisons sont une autre cause
plus générale et plus permanente qui dut produire le
même effet dans les climats exposés à cette variété.
Forcés de s'approvisionner pour l'hiver, voilà les habitants dans le cas de s'entraider, les voilà contraints
d'établir entre eux quelque sorte de convention.
Quand les courses deviennent impossibles et que la
rigueur du froid les arrête, l'ennui les lie autant que le
besoin. Les Lapons ensevelis dans leurs glaces, les
Esquimaux, le plus sauvage de tous les peuples, se
rassemblent l'hiver dans leurs cavernes, et l'été ne se
connaissent plus. Augmentez d'un degré leur développement et leurs lumières, les voilà réunis pour toujours.

L'estomac ni les intestins de l'homme ne sont pas
faits pour digérer la chair crue ; en général son goût ne
la supporte pas ; à l'exception peut-être des seuls
Esquimaux dont je viens de parler, les sauvages
mêmes grillent leurs viandes. A l'usage du feu, nécessaire pour les cuire, se joint le plaisir qu'il donne à la
vue, et sa chaleur agréable au corps. L'aspect de la
flamme, qui fait fuir les animaux, attire l'homme*. On
se rassemble autour d'un foyer commun, on y fait des
festins, on y danse ; les doux liens de l'habitude y
rapprochent insensiblement l'homme de ses semblables, et sur ce foyer rustique brûle le feu sacré qui
porte au fond des cœurs le premier sentiment de l'humanité.

* Le feu fait grand plaisir aux animaux ainsi qu'à l'homme, lorsqu'ils sont accoutumés à sa vue et qu'ils ont senti sa douce chaleur.
Souvent même il ne leur serait guère moins utile qu'à nous, au
moins pour réchauffer leurs petits. Cependant on n'a jamais ouï
dire qu'aucune bête, ni sauvage ni domestique, ait acquis assez
d'industrie pour faire du feu, même à notre exemple. Voilà donc ces
êtres raisonneurs qui forment, dit-on, devant l'homme une société
fugitive, dont cependant l'intelligence n'a pu s'élever jusqu'à tirer
d'un caillou des étincelles, et les recueillir, ou conserver au moins
quelques feux abandonnés ! Par ma foi, les philosophes se moquent
de nous tout ouvertement. On voit bien par leurs écrits qu'en effet
ils nous prennent pour des bêtes.

Dans les pays chauds, les sources et les rivières, inégalement dispersées, sont d'autres points de réunion, d'autant plus nécessaires que les hommes peuvent moins se passer d'eau que de feu. Les barbares surtout, qui vivent de leurs troupeaux, ont besoin d'abreuvoirs communs, et l'histoire des plus anciens temps nous apprend qu'en effet c'est là que commencèrent et leurs traités et leurs querelles*[50]. La facilité des eaux peut retarder la société des habitants dans les lieux bien arrosés. Au contraire, dans les lieux arides il fallut concourir à creuser des puits, à tirer des canaux pour abreuver le bétail. On y voit des hommes associés de temps presque immémorial, car il fallait que le pays restât désert ou que le travail humain le rendît habitable. Mais le penchant que nous avons à tout rapporter à nos usages rend sur ceci quelques réflexions nécessaires.

Le premier état de la terre différait beaucoup de celui où elle est aujourd'hui qu'on la voit parée ou défigurée par la main des hommes. Le chaos que les poètes ont feint dans les éléments régnait dans ses productions. Dans ces temps reculés, où les révolutions étaient fréquentes, où mille accidents changeaient la nature du sol et les aspects du terrain, tout croissait confusément, arbres, légumes, arbrisseaux, herbages ; nulle espèce n'avait le temps de s'emparer du terrain qui lui convenait le mieux et d'y étouffer les autres ; elles se séparaient lentement, peu à peu, et puis un bouleversement survenait qui confondait tout.

Il y a un tel rapport entre les besoins de l'homme et les productions de la terre, qu'il suffit qu'elle soit peuplée, et tout subsiste ; mais avant que les hommes réunis missent par leurs travaux communs une balance entre ses productions, il fallait, pour qu'elles subsistassent toutes, que la nature se chargeât seule de l'équilibre que la main des hommes conserve aujourd'hui ; elle maintenait ou rétablissait cet équilibre par

---

* Voyez l'exemple de l'un et de l'autre au chapitre XXI de la *Genèse*, entre Abraham et Abimelec, au sujet du puits du serment.

des révolutions, comme ils le maintiennent ou réta-
blissent par leur inconstance. La guerre, qui ne régnait
pas encore entre eux, semblait régner entre les éléments ; les hommes ne brûlaient point de villes, ne
creusaient point de mines, n'abattaient point d'arbres,
mais la nature allumait des volcans, excitait des tremblements de terre, le feu du ciel consumait des forêts.
Un coup de foudre, un déluge, une exhalaison faisaient alors en peu d'heures ce que cent mille bras
d'hommes font aujourd'hui dans un siècle. Sans cela
je ne vois pas comment le système eût pu subsister et
l'équilibre se maintenir. Dans les deux règnes orga-
nisés, les grandes espèces eussent à la longue absorbé
les petites*. Toute la terre n'eût bientôt été couverte
que d'arbres et de bêtes féroces ; à la fin tout eût péri.

Les eaux auraient perdu peu à peu la circulation qui
vivifie la terre. Les montagnes se dégradent et s'abais-
sent, les fleuves charrient, la mer se comble et s'étend,
tout tend insensiblement au niveau ; la main des
hommes retient cette pente et retarde ce progrès ; sans
eux il serait plus rapide, et la terre serait peut-être déjà
sous les eaux. Avant le travail humain, les sources mal
distribuées se répandaient plus inégalement, fertili-
saient moins la terre, en abreuvaient plus difficilement
les habitants. Les rivières étaient souvent inaccessi-
bles, leurs bords escarpés ou marécageux : l'art
humain ne les retenant point dans leurs lits, elles en
sortaient fréquemment, s'extravasaient à droite ou à
gauche, changeaient leurs directions et leurs cours, se

* On prétend que, par une sorte d'action et de réaction naturelle,
les diverses espèces du règne animal se maintiendraient d'elles-
mêmes dans un balancement perpétuel qui leur tiendrait lieu
d'équilibre. Quand l'espèce dévorante se sera, dit-on, trop multi-
pliée aux dépens de l'espèce dévorée, alors, ne trouvant plus de
subsistance, il faudra que la première diminue et laisse à la seconde
le temps de se repeupler, jusqu'à ce que, fournissant de nouveau
une subsistance abondante à l'autre, celle-ci diminue encore, tandis
que l'espèce dévorante se repeuple de nouveau. Mais une telle oscil-
lation ne me paraît point vraisemblable ; car, dans ce système, il
faut qu'il y ait un temps où l'espèce qui sert de proie augmente, et
où celle qui s'en nourrit diminue, ce qui me semble contre toute
raison.

partageaient en diverses branches ; tantôt on les trouvait à sec, tantôt des sables mouvants en défendaient l'approche ; elles étaient comme n'existant pas, et l'on mourait de soif au milieu des eaux.

Combien de pays arides ne sont habitables que par les saignées et par les canaux que les hommes ont tirés des fleuves ! La Perse presque entière ne subsiste que par cet artifice. La Chine fourmille de peuple à l'aide de ses nombreux canaux ; sans ceux des Pays-Bas, ils seraient inondés par les fleuves, comme ils le seraient par la mer sans leurs digues. L'Égypte, le plus fertile pays de la terre, n'est habitable que par le travail humain. Dans les grandes plaines dépourvues de rivières et dont le sol n'a pas assez de pente, on n'a d'autre ressource que les puits. Si donc les premiers peuples dont il soit fait mention dans l'histoire n'habitaient pas dans les pays gras ou sur de faciles rivages, ce n'est pas que ces climats heureux fussent déserts, mais c'est que leurs nombreux habitants, pouvant se passer les uns des autres, vécurent plus longtemps isolés dans leurs familles et sans communication. Mais dans les lieux arides où l'on ne pouvait avoir de l'eau que par des puits, il fallut bien se réunir pour les creuser, ou du moins s'accorder pour leur usage. Telle dut être l'origine des sociétés et des langues dans les pays chauds.

Là se formèrent les premiers liens des familles[51], là furent les premiers rendez-vous des deux sexes. Les jeunes filles venaient chercher de l'eau pour le ménage, les jeunes hommes venaient abreuver leurs troupeaux. Là des yeux accoutumés aux mêmes objets dès l'enfance commencèrent d'en voir de plus doux. Le cœur s'émut à ces nouveaux objets, un attrait inconnu le rendit moins sauvage, il sentit le plaisir de n'être pas seul. L'eau devint insensiblement plus nécessaire, le bétail eut soif plus souvent ; on arrivait en hâte, et l'on partait à regret. Dans cet âge heureux où rien ne marquait les heures, rien n'obligeait à les compter ; le temps n'avait d'autre mesure que l'amusement et l'ennui. Sous de vieux chênes vainqueurs

des ans, une ardente jeunesse oubliait par degrés sa
férocité ; on s'apprivoisait peu à peu les uns avec les
autres ; en s'efforçant de se faire entendre, on apprit à
s'expliquer. Là se firent les premières fêtes, les pieds
bondissaient de joie, le geste empressé ne suffisait
plus, la voix l'accompagnait d'accents passionnés, le
plaisir et le désir, confondus ensemble, se faisaient
sentir à la fois. Là fut enfin le vrai berceau des peuples, et du pur cristal des fontaines sortirent les premiers feux de l'amour.

Quoi donc ! Avant ce temps les hommes nais-
saient-ils de la terre ? Les générations se succédaient-
elles sans que les deux sexes fussent unis, et sans que
personne s'entendît ? Non : il y avait des familles,
mais il n'y avait point de nations ; il y avait des langues domestiques, mais il n'y avait point de langues
populaires ; il y avait des mariages, mais il n'y avait
point d'amour. Chaque famille se suffisait à elle-
même et se perpétuait par son seul sang. Les enfants,
nés des mêmes parents, croissaient ensemble, et trou-
vaient peu à peu des manières de s'expliquer entre
eux ; les sexes se distinguaient avec l'âge ; le penchant
naturel suffisait pour les unir, l'instinct tenait lieu de
passion, l'habitude tenait lieu de préférence ; on devenait maris et femmes sans avoir cessé d'être frère et
sœur*. Il n'y avait là rien d'assez animé pour dénouer
la langue, rien qui pût arracher assez fréquemment les
accents des passions ardentes pour les tourner en institutions, et l'on en peut dire autant des besoins rares
et peu pressants qui pouvaient porter quelques

---

* Il fallut bien que les premiers hommes épousassent leurs sœurs.
Dans la simplicité des premières mœurs, cet usage se perpétua sans
inconvénient tant que les familles restèrent isolées, et même après la
réunion des plus anciens peuples ; mais la loi qui l'abolit n'est pas
moins sacrée pour être d'institution humaine. Ceux qui ne la regar-
dent que par la liaison qu'elle forme entre les familles n'en voient
pas le côté le plus important. Dans la familiarité que le commerce
domestique établit nécessairement entre les deux sexes, du moment
qu'une si sainte loi cesserait de parler au cœur et d'en imposer aux
sens, il n'y aurait plus d'honnêteté parmi les hommes, et les plus
effroyables mœurs causeraient bientôt la destruction du genre
humain.

hommes à concourir à des travaux communs : l'un commençait le bassin de la fontaine, et l'autre l'achevait ensuite, souvent sans avoir eu besoin du moindre accord, et quelquefois même sans s'être vus. En un mot, dans les climats doux, dans les terrains fertiles, il fallut toute la vivacité des passions agréables pour commencer à faire parler les habitants. Les premières langues, filles du plaisir et non du besoin, portèrent longtemps l'enseigne de leur père ; leur accent séducteur ne s'effaça qu'avec les sentiments qui les avaient fait naître, lorsque de nouveaux besoins, introduits parmi les hommes, forcèrent chacun de ne songer qu'à lui-même et de retirer son cœur au-dedans de lui.

CHAPITRE X

Formation des langues du Nord.

A la longue tous les hommes deviennent semblables[52], mais l'ordre de leur progrès est différent. Dans
les climats méridionaux, où la nature est prodigue, les
besoins naissent des passions ; dans les pays froids où
elle est avare, les passions naissent des besoins, et les
langues, tristes filles de la nécessité, se sentent de leur
dure origine.

Quoique l'homme s'accoutume aux intempéries de
l'air, au froid, au malaise, même à la faim, il y a pourtant un point où la nature succombe. En proie à ces
cruelles épreuves, tout ce qui est débile périt ; tout le
reste se renforce, et il n'y a point de milieu entre la
vigueur et la mort. Voilà d'où vient que les peuples
septentrionaux sont si robustes : ce n'est pas d'abord
le climat qui les a rendus tels, mais il n'a souffert que
ceux qui l'étaient, et il n'est pas étonnant que les
enfants gardent la bonne constitution de leurs pères.

On voit déjà que les hommes, plus robustes, doivent
avoir des organes moins délicats ; leurs voix doivent être
plus âpres et plus fortes. D'ailleurs quelle différence
entre les inflexions touchantes qui viennent des mouvements de l'âme, aux cris qu'arrachent les besoins physiques ? Dans ces affreux climats où tout est mort durant
neuf mois de l'année, où le soleil n'échauffe l'air quelques semaines que pour apprendre aux habitants de

quels biens ils sont privés et prolonger leur misère, dans ces lieux où la terre ne donne rien qu'à force de travail, et où la source de vie semble être plus dans les bras que dans le cœur, les hommes, sans cesse occupés à pourvoir à leur subsistance, songeaient à peine à des liens plus doux, tout se bornait à l'impulsion physique ; l'occasion faisait le choix, la facilité faisait la préférence. L'oisiveté qui nourrit les passions fit place au travail qui les réprime. Avant de songer à vivre heureux, il fallait songer à vivre. Le besoin mutuel unissant les hommes bien mieux que le sentiment n'aurait fait, la société ne se forma que par l'industrie ; le continuel danger de périr ne permettait pas de se borner à la langue du geste, et le premier mot ne fut pas chez eux, *aimez-moi*, mais *aidez-moi*.

Ces deux termes, quoique assez semblables, se prononcent d'un ton bien différent. On n'avait rien à faire sentir, on avait tout à faire entendre : il ne s'agissait donc pas d'énergie, mais de clarté. A l'accent que le cœur ne fournissait pas, on substitua des articulations fortes et sensibles, et s'il y eut dans la forme du langage quelque impression naturelle, cette impression contribuait encore à sa dureté[53].

En effet, les hommes septentrionaux ne sont pas sans passions, mais ils en ont d'une autre espèce[54]. Celles des pays chauds sont des passions voluptueuses, qui tiennent à l'amour et à la mollesse. La nature fait tant pour les habitants qu'ils n'ont presque rien à faire ; pourvu qu'un Asiatique ait des femmes et du repos, il est content. Mais dans le Nord où les habitants consomment beaucoup sur un sol ingrat, des hommes soumis à tant de besoins sont faciles à irriter ; tout ce qu'on fait autour d'eux les inquiète : comme ils ne subsistent qu'avec peine, plus ils sont pauvres, plus ils tiennent au peu qu'ils ont ; les approcher c'est attenter à leur vie. De là leur vient ce tempérament irascible, si prompt à se tourner en fureur contre tout ce qui les blesse. Ainsi leurs voix les plus naturelles sont celles de la colère et des menaces, et ces voix s'accompagnent toujours d'articulations fortes qui les rendent dures et bruyantes.

CHAPITRE XI

Réflexions sur ces différences [55].

Voilà, selon mon opinion, les causes physiques les plus générales de la différence caractéristique des primitives langues. Celles du Midi durent être vives, sonores, accentuées, éloquentes et souvent obscures à force d'énergie ; celles du Nord durent être sourdes, rudes, articulées, criardes, monotones, claires à force de mots plutôt que par une bonne construction. Les langues modernes, cent fois mêlées et refondues, gardent encore quelque chose de ces différences. Le français, l'anglais, l'allemand, sont le langage privé [56] des hommes qui s'entraident, qui raisonnent entre eux de sang froid, ou de gens emportés qui se fâchent ; mais les ministres des dieux annonçant les mystères sacrés, les sages donnant des lois aux peuples, les chefs entraînant la multitude, doivent parler arabe ou persan*. Nos langues valent mieux écrites que parlées, et l'on nous lit avec plus de plaisir qu'on ne nous écoute. Au contraire, les langues orientales écrites perdent leur vie et leur chaleur. Le sens n'est qu'à moitié dans les mots, toute sa force est dans les accents. Juger du génie des Orientaux par leurs livres, c'est vouloir peindre un homme sur son cadavre.

Pour bien apprécier les actions des hommes, il faut

---

* Le turc est une langue septentrionale.

les prendre dans tous leurs rapports, et c'est ce qu'on ne nous apprend point à faire. Quand nous nous mettons à la place des autres, nous nous y mettons toujours tels que nous sommes modifiés, non tels qu'ils doivent l'être, et quand nous pensons les juger sur la raison, nous ne faisons que comparer leurs préjugés aux nôtres. Tel, pour savoir lire un peu d'arabe, sourit en feuilletant l'*Alcoran*, qui, s'il eût entendu Mahomet l'annoncer en personne dans cette langue éloquente et cadencée, avec cette voix sonore et persuasive qui séduisait l'oreille avant le cœur, et sans cesse animant ses sentences de l'accent de l'enthousiasme, se fût prosterné contre terre en criant : grand prophète, envoyé de Dieu, menez-nous à la gloire, au martyre ; nous voulons vaincre ou mourir pour vous. Le fanatisme nous paraît toujours risible, parce qu'il n'a point de voix parmi nous pour se faire entendre[57]. Nos fanatiques mêmes ne sont pas de vrais fanatiques, ce ne sont que des fripons ou des fous. Nos langues, au lieu d'inflexions pour des inspirés, n'ont que des cris pour des possédés du diable.

CHAPITRE XII

Origine de la musique et ses rapports.

Avec les premières voix se formèrent les premières articulations ou les premiers sons[58], selon le genre de la passion qui dictait les uns ou les autres. La colère arrache des cris menaçants, que la langue et le palais articulent : mais la voix de la tendresse est plus douce, c'est la glotte qui la modifie, et cette voix devient un son. Seulement les accents en sont plus fréquents ou plus rares, les inflexions plus ou moins aiguës, selon le sentiment qui s'y joint. Ainsi la cadence et les sons naissent avec les syllabes, la passion fait parler tous les organes et pare la voix de tout leur éclat ; ainsi les vers, les chants, la parole ont une origine commune. Autour des fontaines dont j'ai parlé, les premiers discours furent les premières chansons : les retours périodiques et mesurés du rythme, les inflexions mélodieuses des accents firent naître la poésie et la musique avec la langue ; ou plutôt tout cela n'était que la langue même pour ces heureux climats et ces heureux temps où les seuls besoins pressants qui demandaient le concours d'autrui étaient ceux que le cœur faisait naître.

Les premières histoires, les premières harangues, les premières lois furent en vers ; la poésie fut trouvée avant la prose ; cela devait être, puisque les passions parlèrent avant la raison. Il en fut de même de la

musique ; il n'y eut point d'abord d'autre musique
que la mélodie, ni d'autre mélodie que le son varié de
la parole ; les accents formaient le chant, les quantités
formaient la mesure, et l'on parlait autant par les sons
et par le rythme que par les articulations et les voix[59].
Dire et chanter étaient autrefois la même chose, dit
Strabon, ce qui montre, ajoute-t-il, que la poésie est la
source de l'éloquence*. Il fallait dire que l'une et
l'autre eurent la même source et ne furent d'abord
que la même chose. Sur la manière dont se lièrent les
premières sociétés, était-il étonnant qu'on mît en vers
les premières histoires, et qu'on chantât les premières
lois ? Était-il étonnant que les premiers grammairiens
soumissent leur art à la musique, et fussent à la fois
professeurs de l'un et de l'autre** ?

Une langue qui n'a que des articulations et des voix
n'a donc que la moitié de sa richesse ; elle rend des
idées, il est vrai, mais pour rendre des sentiments, des
images, il lui faut encore un rythme et des sons, c'est-
à-dire une mélodie : voilà ce qu'avait la langue
grecque, et ce qui manque à la nôtre.

Nous sommes toujours dans l'étonnement sur les
effets prodigieux de l'éloquence, de la poésie et de la
musique parmi les Grecs. Ces effets ne s'arrangent
point dans nos têtes, parce que nous n'en éprouvons
plus de pareils ; et tout ce que nous pouvons gagner
sur nous, en les voyant si bien attestés, est de faire
semblant de les croire par complaisance pour nos
savants***. Burette, ayant traduit comme il put en

---

* *Géographie*, livre I.
** « *Archytas atque Aristoxenes etiam subjectam grammaticem
musicae putaverunt, et eosdem utriusque rei praeceptores fuisse... Tum
Eupolis, apud quem Prodamus et musicem et litteras docet. Et Maricas,
qui est Hyperbolus, nihil se ex musicis scire nisi litteras confitetur.* »
Quintil., lib. I, cap. 10[60].
*** Sans doute il faut faire en toute chose déduction de l'exagé-
ration grecque, mais c'est aussi trop donner au préjugé moderne
que de pousser ces déductions jusqu'à faire évanouir toutes les différences. « Quand la musique des Grecs, dit l'abbé Terrasson[61], du
temps d'Amphion et d'Orphée, en était au point où elle est aujour-
d'hui dans les villes les plus éloignées de la capitale, c'est alors
qu'elle suspendait le cours des fleuves, qu'elle attirait les chênes, et

notes de notre musique certains morceaux de musique grecque, eut la simplicité de faire exécuter ces morceaux à l'Académie des Belles-Lettres, et les académiciens eurent la patience de les écouter. J'admire cette expérience[62] dans un pays dont la musique est indéchiffrable pour toute autre nation. Donnez un monologue d'opéra français à exécuter par tels musiciens étrangers qu'il vous plaira, je vous défie d'y rien reconnaître. Ce sont pourtant ces mêmes Français qui prétendaient juger la mélodie d'une ode de Pindare mise en musique il y a deux mille ans !

J'ai lu qu'autrefois en Amérique les Indiens, voyant l'effet étonnant des armes à feu, ramassaient à terre des balles de mousquet ; puis, les jetant avec la main en faisant un grand bruit de la bouche, ils étaient tout surpris de n'avoir tué personne. Nos orateurs, nos musiciens, nos savants ressemblent à ces Indiens. Le prodige n'est pas qu'avec notre musique nous ne fassions plus ce que faisaient les Grecs avec la leur ; il serait, au contraire, qu'avec des instruments si différents on produisît les mêmes effets.

qu'elle faisait mouvoir les rochers. Aujourd'hui qu'elle est arrivée à un très haut point de perfection, on l'aime beaucoup, on en pénètre même les beautés, mais elle laisse tout à sa place. Il en a été ainsi des vers d'Homère, poète né dans les temps qui se ressentaient encore de l'enfance de l'esprit humain, en comparaison de ceux qui l'ont suivi. On s'est extasié sur ses vers, et l'on se contente aujourd'hui de goûter et d'estimer ceux des bons poètes. » On ne peut nier que l'abbé Terrasson n'eût quelquefois de la philosophie, mais ce n'est sûrement pas dans ce passage qu'il en a montré.

CHAPITRE XIII

De la mélodie.

L'homme est modifié par ses sens, personne n'en doute ; mais faute de distinguer les modifications, nous en confondons les causes ; nous donnons trop et trop peu d'empire aux sensations ; nous ne voyons pas que souvent elles ne nous affectent point seulement comme sensations, mais comme signes ou images, et que leurs effets moraux ont aussi des causes morales. Comme les sentiments qu'excite en nous la peinture ne viennent point des couleurs, l'empire que la musique a sur nos âmes n'est point l'ouvrage des sons[63]. De belles couleurs bien nuancées plaisent à la vue, mais ce plaisir est purement de sensation. C'est le dessin, c'est l'imitation qui donne à ces couleurs de la vie et de l'âme, ce sont les passions qu'elles expriment qui viennent émouvoir les nôtres : ce sont les objets qu'elles représentent qui viennent nous affecter. L'intérêt et le sentiment ne tiennent point aux couleurs ; les traits d'un tableau touchant nous touchent encore dans une estampe ; ôtez ces traits dans le tableau, les couleurs ne feront plus rien.

La mélodie fait précisément dans la musique ce que fait le dessin dans la peinture ; c'est elle qui marque les traits et les figures dont les accords et les sons ne sont que les couleurs ; mais, dira-t-on, la mélodie n'est qu'une succession de sons ; sans doute, mais le dessin n'est aussi qu'un arrangement de couleurs. Un orateur se sert d'encre pour tracer ses écrits, est-ce à dire que l'encre soit une liqueur fort éloquente[64] ?

Supposez un pays où l'on n'aurait aucune idée du dessin, mais où beaucoup de gens, passant leur vie à combiner, mêler, nuer des couleurs, croiraient exceller en peinture. Ces gens-là raisonneraient de la nôtre précisément comme nous raisonnons de la musique des Grecs. Quand on leur parlerait de l'émotion que nous causent de beaux tableaux et du charme de s'attendrir devant un sujet pathétique, leurs savants approfondiraient aussitôt la matière, compareraient leurs couleurs aux nôtres, examineraient si notre vert est plus tendre, ou notre rouge plus éclatant ; ils chercheraient quels accords de couleurs peuvent faire pleurer, quels autres peuvent mettre en colère. Les Burette de ce pays-là rassembleraient sur des guenilles quelques lambeaux défigurés de nos tableaux ; puis on se demanderait avec surprise ce qu'il y a de si merveilleux dans ce coloris.

Que si dans quelque nation voisine on commençait à former quelque trait, quelque ébauche de dessin, quelque figure encore imparfaite, tout cela passerait pour du barbouillage, pour une peinture capricieuse et baroque, et l'on s'en tiendrait, pour conserver le goût, à ce beau simple, qui véritablement n'exprime rien, mais qui fait briller de belles nuances, de grandes plaques bien colorées, de longues dégradations de teintes sans aucun trait.

Enfin peut-être à force de progrès on viendrait à l'expérience du prisme. Aussitôt quelque artiste célèbre[65] établirait là-dessus un beau système. Messieurs, leur dirait-il, pour bien philosopher, il faut remonter aux causes physiques. Voilà la décomposition de la lumière, voilà toutes les couleurs primitives, voilà leurs rapports, leurs proportions ; voilà les vrais principes du plaisir que vous fait la peinture. Tous ces mots mystérieux de dessin, de représentation, de figure, sont une pure charlatanerie des peintres français qui, par leurs imitations, pensent donner je ne sais quels mouvements à l'âme, tandis qu'on sait qu'il n'y a que des sensations. On vous dit des merveilles de leurs tableaux, mais voyez mes teintes.

Les peintres français, continuerait-il, ont peut-être observé l'arc-en-ciel, ils ont pu recevoir de la nature quelque goût de nuance et quelque instinct de coloris. Moi, je vous ai montré les grands, les vrais principes de l'art. Que dis-je, de l'art ! De tous les arts, Messieurs, de toutes les sciences. L'analyse des couleurs, le calcul des réfractions du prisme vous donnent les seuls rapports exacts qui soient dans la nature, la règle de tous les rapports. Or, tout dans l'univers n'est que rapport. On sait donc tout quand on sait peindre, on sait tout quand on sait assortir des couleurs.

Que dirions-nous du peintre assez dépourvu de sentiment et de goût pour raisonner de la sorte, et borner stupidement au physique de son art le plaisir que nous fait la peinture ? Que dirions-nous du musicien qui, plein de préjugés semblables, croirait voir dans la seule harmonie la source des grands effets de la musique ? Nous enverrions le premier mettre en couleur des boiseries, et nous condamnerions l'autre à faire des opéras français[66].

Comme donc la peinture n'est pas l'art de combiner des couleurs d'une manière agréable à la vue, la musique n'est pas non plus l'art de combiner des sons d'une manière agréable à l'oreille[67]. S'il n'y avait que cela, l'une et l'autre seraient au nombre des sciences naturelles, et non pas des beaux-arts. C'est l'imitation[68] seule qui les élève à ce rang. Or, qu'est-ce qui fait de la peinture un art d'imitation ? C'est le dessin. Qu'est-ce qui de la musique en fait un autre ? C'est la mélodie.

CHAPITRE XIV

De l'harmonie.

La beauté des sons est de la nature ; leur effet est
purement physique ; il résulte du concours des
diverses particules d'air mises en mouvement par le
corps sonore et par toutes ses aliquotes, peut-être à
l'infini ; le tout ensemble donne une sensation
agréable. Tous les hommes de l'univers prendront
plaisir à écouter de beaux sons ; mais si ce plaisir n'est
animé par des inflexions mélodieuses qui leur soient
familières, il ne sera point délicieux, il ne se changera
point en volupte[69]. Les plus beaux chants, à notre gré,
toucheront toujours médiocrement une oreille qui n'y
sera point accoutumée ; c'est une langue dont il faut
avoir le dictionnaire.

L'harmonie proprement dite est dans un cas bien
moins favorable encore. N'ayant que des beautés de
convention[70], elle ne flatte à nul égard les oreilles qui
n'y sont pas exercées ; il faut en avoir une longue
habitude pour la sentir et pour la goûter. Les oreilles
rustiques n'entendent que du bruit dans nos consonances. Quand les proportions naturelles sont altérées,
il n'est pas étonnant que le plaisir naturel n'existe
plus.

Un son porte avec lui tous ses sons harmoniques
concomitants, dans les rapports de force et d'intervalles qu'ils doivent avoir entre eux pour donner la

plus parfaite harmonie de ce même son. Ajoutez-y la tierce ou la quinte, ou quelque autre consonance, vous ne l'ajoutez pas, vous la redoublez, vous laissez le rapport d'intervalle, mais vous altérez celui de force. En renforçant une consonance et non pas les autres, vous rompez la proportion : en voulant faire mieux que la nature, vous faites plus mal. Vos oreilles et votre goût sont gâtés par un art mal entendu. Naturellement il n'y a point d'autre harmonie que l'unisson.

M. Rameau prétend que les dessus d'une certaine simplicité suggèrent naturellement leurs basses, et qu'un homme ayant l'oreille juste et non exercée entonnera naturellement cette basse. C'est là un préjugé de musicien, démenti par toute expérience. Non seulement celui qui n'aura jamais entendu ni basse, ni harmonie, ne trouvera de lui-même ni cette harmonie, ni cette basse, mais même elles lui déplairont si on les lui fait entendre, et il aimera beaucoup mieux le simple unisson.

Quand on calculerait mille ans les rapports des sons et les lois de l'harmonie, comment fera-t-on jamais de cet art un art d'imitation, où est le principe de cette imitation prétendue, de quoi l'harmonie est-elle signe, et qu'y a-t-il de commun entre des accords et nos passions ?

Qu'on fasse la même question sur la mélodie, la réponse vient d'elle-même, elle est d'avance dans l'esprit des lecteurs. La mélodie, en imitant les inflexions de la voix, exprime les plaintes, les cris de douleur ou de joie, les menaces, les gémissements ; tous les signes vocaux des passions sont de son ressort. Elle imite les accents des langues, et les tours affectés dans chaque idiome à certains mouvements de l'âme ; elle n'imite pas seulement, elle parle, et son langage inarticulé, mais vif, ardent, passionné, a cent fois plus d'énergie que la parole même. Voilà d'où naît la force des imitations musicales ; voilà d'où naît l'empire du chant sur les cœurs sensibles. L'harmonie y peut concourir[71] en certains systèmes, en liant la succession des sons par quelques lois de modulation, en rendant les intonations plus justes, en portant à l'oreille un témoignage assuré de cette justesse, en rapprochant et fixant à des intervalles consonants et liés des inflexions inappréciables. Mais en donnant aussi des entraves à la mélodie, elle lui ôte l'énergie et l'expression ; elle efface l'accent passionné pour y substituer l'intervalle harmonique ; elle assujettit à deux seuls modes des chants qui devraient en avoir autant qu'il y a de tons oratoires ; elle efface et détruit des multitudes de sons ou d'intervalles qui n'entrent pas dans son système ; en un mot, elle sépare tellement le chant de la parole[72] que ces deux langages se combattent, se contrarient, s'ôtent mutuellement tout caractère de vérité, et ne se peuvent réunir sans absurdité dans un sujet pathétique. De là vient que le peuple trouve toujours ridicule qu'on exprime en chant les passions fortes et sérieuses ; car il sait que dans nos langues ces passions n'ont point d'inflexions musicales, et que les hommes du Nord, non plus que les cygnes, ne meurent pas en chantant.

La seule harmonie est même insuffisante pour les expressions qui semblent dépendre uniquement d'elle. Le tonnerre, le murmure des eaux, les vents, les orages sont mal rendus par de simples accords. Quoi qu'on fasse, le seul bruit ne dit rien à l'esprit ; il faut que les objets parlent pour se faire entendre ; il faut toujours, dans toute imitation, qu'une espèce de discours supplée à la voix de la nature. Le musicien qui veut rendre du bruit par du bruit se trompe ; il ne connaît ni le faible ni le fort de son art ; il en juge sans goût, sans lumières[73]. Apprenez-lui qu'il doit rendre du bruit par du chant ; que s'il faisait croasser [sic] des grenouilles[74], il faudrait qu'il les fît chanter ; car il ne suffit pas qu'il imite, il faut qu'il touche et qu'il plaise, sans quoi sa maussade imitation n'est rien, et ne donnant d'intérêt à personne, elle ne fait nulle impression.

CHAPITRE XV

*Que nos plus vives sensations agissent souvent
par des impressions morales.*

Tant qu'on ne voudra considérer les sons que par
l'ébranlement qu'ils excitent dans nos nerfs, on n'aura
point les vrais principes de la musique et de son pouvoir sur les cœurs. Les sons dans la mélodie n'agissent
pas seulement sur nous comme sons, mais comme
signes de nos affections, de nos sentiments[75] ; c'est
ainsi qu'ils excitent en nous les mouvements qu'ils
expriment, et dont nous y reconnaissons l'image. On
aperçoit quelque chose de cet effet moral jusque dans
les animaux. L'aboiement d'un chien en attire un
autre. Si mon chat m'entend imiter un miaulement, à
l'instant je le vois attentif, inquiet, agité. S'aperçoit-il
que c'est moi qui contrefais la voix de son semblable,
il se rassied et reste en repos. Pourquoi cette différence d'impression, puisqu'il n'y en a point dans
l'ébranlement des fibres, et que lui-même y a d'abord
été trompé ?

Si le plus grand empire qu'ont sur nous nos sensations n'est pas dû à des causes morales, pourquoi
donc sommes-nous si sensibles à des impressions qui
sont nulles pour des barbares ? Pourquoi nos plus touchantes musiques ne sont-elles qu'un vain bruit à
l'oreille d'un Caraïbe ? Ses nerfs sont-ils d'une autre
nature que les nôtres ? Pourquoi ne sont-ils pas

ébranlés de même, ou pourquoi ces mêmes ébranlements affectent-ils tant les uns et si peu les autres ?

On cite en preuve du pouvoir physique des sons la
guérison des piqûres des tarentules. Cet exemple
prouve tout le contraire. Il ne faut ni des sons absolus
ni les mêmes airs pour guérir tous ceux qui sont
piqués de cet insecte ; il faut à chacun d'eux des airs
d'une mélodie qui lui soit connue et des phrases qu'il
comprenne. Il faut à l'Italien des airs italiens ; au Turc
il faudrait des airs turcs. Chacun n'est affecté que des
accents qui lui sont familiers, ses nerfs ne s'y prêtent
qu'autant que son esprit les y dispose : il faut qu'il
entende la langue qu'on lui parle pour que ce qu'on
lui dit puisse le mettre en mouvement. Les cantates de
Bernier[76] ont, dit-on, guéri de la fièvre un musicien
français, elles l'auraient donnée à un musicien de
toute autre nation.

Dans les autres sens, et jusqu'au plus grossier de
tous, on peut observer les mêmes différences. Qu'un
homme, ayant la main posée et l'œil fixé sur le même
objet, le croie successivement animé et inanimé,
quoique les sens soient frappés de même, quel changement dans l'impression ! La rondeur, la blancheur,
la fermeté, la douce chaleur, la résistance élastique, le
renflement successif ne lui donnent plus qu'un toucher doux, mais insipide, s'il ne croit sentir un cœur
plein de vie palpiter et battre sous tout cela.

Je ne connais qu'un sens aux affections duquel rien
de moral ne se mêle : c'est le goût. Aussi la gourman-
dise n'est-elle jamais le vice dominant que des gens
qui ne sentent rien.

Que celui donc qui veut philosopher sur la force des
sensations commence par écarter des impressions
purement sensuelles les impressions intellectuelles et
morales que nous recevons par la voie des sens, mais
dont ils ne sont que les causes occasionnelles ; qu'il
évite l'erreur de donner aux objets sensibles un pouvoir qu'ils n'ont pas ou qu'ils tiennent des affections
de l'âme qu'ils nous représentent. Les couleurs et les
sons peuvent beaucoup comme représentations et

signes, peu de chose comme simples objets des sens.
Des suites de sons ou d'accords m'amuseront un
moment peut-être ; mais pour me charmer et m'attendrir, il faut que ces suites m'offrent quelque chose qui
ne soit ni son ni accord, et qui me vienne émouvoir
malgré moi. Les chants mêmes qui ne sont qu'agréables et ne disent rien lassent encore ; car ce n'est pas
tant l'oreille qui porte le plaisir au cœur, que le cœur
qui le porte à l'oreille. Je crois qu'en développant
mieux ces idées on se fût épargné bien de sots raisonnements sur la musique ancienne. Mais dans ce siècle
où l'on s'efforce de matérialiser toutes les opérations
de l'âme et d'ôter toute moralité aux sentiments
humains, je suis trompé si la nouvelle philosophie ne
devient aussi funeste au bon goût qu'à la vertu[77].

CHAPITRE XVI

Fausse analogie entre les couleurs et les sons.

Il n'y a sortes d'absurdités auxquelles les observations physiques n'aient donné lieu dans la considération des beaux-arts. On a trouvé dans l'analyse du son les mêmes rapports que dans celle de la lumière. Aussitôt on a saisi vivement cette analogie, sans s'embarrasser de l'expérience et de la raison. L'esprit de système a tout confondu, et faute de savoir peindre aux oreilles, on s'est avisé de chanter aux yeux. J'ai vu ce fameux clavecin[78] sur lequel on prétendait faire de la musique avec des couleurs ; c'était bien mal connaître les opérations de la nature de ne pas voir que l'effet des couleurs est dans leur permanence, et celui des sons dans leur succession.

Toutes les richesses du coloris s'étalent à la fois sur la face de la terre. Du premier coup d'œil tout est vu ; mais plus on regarde et plus on est enchanté. Il ne faut plus qu'admirer et contempler sans cesse.

Il n'en est pas ainsi du son : la nature ne l'analyse point et n'en sépare point les harmoniques ; elle les cache au contraire sous l'apparence de l'unisson[79], ou si quelquefois elle les sépare dans le chant modulé de l'homme et dans le ramage de quelques oiseaux, c'est successivement, et l'un après l'autre ; elle inspire des chants et non des accords, elle dicte de la mélodie et non de l'harmonie. Les couleurs sont la parure des êtres inanimés ; toute matière est colorée ; mais les sons annoncent le mouvement, la voix annonce un être sensible ; il n'y a que des corps animés qui chantent. Ce n'est pas le flûteur automate qui joue de la flûte, c'est le mécanicien qui mesura le vent et fit mouvoir les doigts.

Ainsi chaque sens a son champ qui lui est propre. Le champ de la musique est le temps, celui de la peinture est l'espace[80]. Multiplier les sons entendus à la fois ou développer les couleurs l'une après l'autre, c'est changer leur économie, c'est mettre l'œil à la place de l'oreille et l'oreille à la place de l'œil.

Vous dites : comme chaque couleur est déterminée par l'angle de réfraction du rayon qui la donne, de même chaque son est déterminé par le nombre des vibrations du corps sonore en un temps donné. Or, les rapports de ces angles et de ces nombres étant les mêmes, l'analogie est évidente. Soit, mais cette analogie est de raison, non de sensation, et ce n'est pas de cela qu'il s'agit. Premièrement l'angle de réfraction est sensible et mesurable, et non pas le nombre des vibrations. Les corps sonores, soumis à l'action de l'air, changent incessamment de dimensions et de sons. Les couleurs sont durables, les sons s'évanouissent, et l'on n'a jamais de certitude que ceux qui renaissent soient les mêmes que ceux qui sont éteints. De plus, chaque couleur est absolue, indépendante, au lieu que chaque son n'est pour nous que relatif, et ne se distingue que par comparaison. Un son n'a par lui-même aucun caractère absolu qui le fasse reconnaître : il est grave ou aigu, fort ou doux par rapport à un autre ; en lui-même il n'est rien de tout cela. Dans le système harmonique, un son quelconque n'est rien non plus naturellement ; il n'est ni tonique, ni dominant, ni harmonique, ni fondamental, parce que toutes ces propriétés ne sont que des rapports, et que le système entier pouvant varier du grave à l'aigu, chaque son change d'ordre et de place dans le système, selon que le système change de degré. Mais les propriétés des couleurs ne consistent point en des rapports. Le jaune est jaune, indépendant du rouge et du bleu, partout il est sensible et reconnaissable, et sitôt qu'on aura fixé l'angle de réfraction qui le donne, on sera sûr d'avoir le même jaune dans tous les temps.

Les couleurs ne sont pas dans les corps colorés, mais dans la lumière ; pour qu'on voie un objet, il faut qu'il soit éclairé. Les sons ont aussi besoin d'un mobile, et pour qu'ils existent, il faut que le corps sonore soit ébranlé. C'est un autre avantage en faveur de la vue, car la perpétuelle émanation des astres est l'instrument naturel qui agit sur elle, au lieu que la nature seule engendre peu de sons, et à moins qu'on n'admette l'harmonie des sphères célestes, il faut des êtres vivants pour la produire.

On voit par là que la peinture est plus près de la nature, et que la musique tient plus à l'art humain. On sent aussi que l'une intéresse plus que l'autre, précisément parce qu'elle rapproche plus l'homme de l'homme et nous donne toujours quelque idée de nos semblables. La peinture est souvent morte et inanimée ; elle vous peut transporter au fond d'un désert ; mais sitôt que des signes vocaux frappent votre oreille, ils vous annoncent un être semblable à vous ; ils sont, pour ainsi dire, les organes de l'âme, et s'ils vous peignent aussi la solitude, ils vous disent que vous n'y êtes pas seul. Les oiseaux sifflent, l'homme seul chante, et l'on ne peut entendre ni chant, ni symphonie, sans se dire à l'instant : un autre être sensible est ici[81].

C'est un des plus grands avantages du musicien de pouvoir peindre les choses qu'on ne saurait entendre, tandis qu'il est impossible au peintre de représenter celles qu'on ne saurait voir, et le plus grand prodige d'un art qui n'agit que par le mouvement est d'en pouvoir former jusqu'à l'image du repos. Le sommeil, le calme de la nuit, la solitude et le silence même entrent dans les tableaux de la musique. On sait que le bruit peut produire l'effet du silence et le silence l'effet du bruit, comme quand on s'endort à une lecture égale et monotone et qu'on s'éveille à l'instant qu'elle cesse. Mais la musique agit plus intimement sur nous en excitant par un sens des affections semblables à celles qu'on peut exciter par un autre, et comme le rapport ne peut être sensible que l'impression ne soit forte, la peinture, dénuée de cette force, ne peut rendre à la musique les imitations que celle-ci tire d'elle. Que toute la nature soit endormie, celui qui la contemple ne dort pas, et l'art du musicien consiste à substituer à l'image insensible de l'objet celle des mouvements que sa présence excite dans le cœur du contemplateur. Non seulement il agitera la mer, animera les flammes d'un incendie, fera couler les ruisseaux, tomber la pluie et grossir les torrents ; mais il peindra l'horreur d'un désert affreux, rembrunira les murs d'une prison souterraine, calmera la tempête, rendra l'air tranquille et serein, et répandra de l'orchestre une fraîcheur nouvelle sur les bocages. Il ne représentera pas directement ces choses, mais il excitera dans l'âme les mêmes sentiments qu'on éprouve en les voyant[82].

CHAPITRE XVII

Erreur des musiciens nuisible à leur art.

Voyez comment tout nous ramène sans cesse aux effets moraux dont j'ai parlé, et combien les musiciens qui ne considèrent la puissance des sons que par l'action de l'air et l'ébranlement des fibres sont loin de connaître en quoi réside la force de cet art. Plus ils le rapprochent des impressions purement physiques, plus ils l'éloignent de son origine, et plus ils lui ôtent aussi de sa primitive énergie. En quittant l'accent oral et s'attachant aux seules institutions harmoniques, la musique devient plus bruyante à l'oreille et moins douce au cœur. Elle a déjà cessé de parler, bientôt elle ne chantera plus, et alors avec tous ses accords et toute son harmonie elle ne fera plus aucun effet sur nous[83].

CHAPITRE XVIII

*Que le système musical des Grecs n'avait aucun
rapport au nôtre* [84].

Comment ces changements sont-ils arrivés ? Par un
changement naturel du caractère des langues. On sait
que notre harmonie est une invention gothique. Ceux
qui prétendent trouver le système des Grecs dans le
nôtre se moquent de nous. Le système des Grecs
n'avait absolument d'harmonique dans notre sens que
ce qu'il fallait pour fixer l'accord des instruments sur
des consonances parfaites. Tous les peuples qui ont
des instruments à cordes sont forcés de les accorder
par des consonances ; mais ceux qui n'en ont pas ont
dans leurs chants des inflexions que nous nommons
fausses parce qu'elles n'entrent pas dans notre système et que nous ne pouvons les noter. C'est ce qu'on
a remarqué sur les chants des sauvages de l'Amérique,
et c'est ce qu'on aurait dû remarquer aussi sur divers
intervalles de la musique des Grecs, si l'on eût étudié
cette musique avec moins de prévention pour la nôtre.

Les Grecs divisaient leur diagramme par tétracordes[85], comme nous divisons notre clavier par octaves,
et les mêmes divisions se répétaient exactement chez
eux à chaque tétracorde comme elles se répètent chez
nous à chaque octave ; similitude qu'on n'eût pu
conserver dans l'unité du mode harmonique, et qu'on
n'aurait pas même imaginée. Mais comme on passe

par des intervalles moins grands quand on parle que quand on chante, il fut naturel qu'ils regardassent la répétition des tétracordes dans leur mélodie orale comme nous regardons la répétition des octaves dans notre mélodie harmonique.

Ils n'ont reconnu pour consonances que celles que nous appelons consonances parfaites ; ils ont rejeté de ce nombre les tierces et les sixtes. Pourquoi cela ? C'est que l'intervalle du ton mineur étant ignoré d'eux, ou du moins proscrit de la pratique, et leurs consonances n'étant point tempérées, toutes leurs tierces majeures étaient trop fortes d'un comma, leurs tierces mineures trop faibles d'autant, et par conséquent leurs sixtes majeures et mineures réciproquement altérées de même. Qu'on s'imagine maintenant quelles notions d'harmonie on peut avoir et quels modes harmoniques on peut établir en bannissant les tierces et les sixtes du nombre des consonances ! Si les consonances mêmes qu'ils admettaient leur eussent été connues par un vrai sentiment d'harmonie, ils les auraient au moins sous-entendues au-dessous de leurs chants, la consonance tacite des marches fondamentales eût prêté son nom aux marches diatoniques qu'elles leur suggéraient. Loin d'avoir moins de consonances que nous, ils en auraient eu davantage, et préoccupés, par exemple, de la basse *ut sol*, ils eussent donné le nom de consonance à la seconde *ut ré*.

Mais, dira-t-on, pourquoi donc des marches diatoniques ? Par un instinct qui, dans une langue accentuée et chantante, nous porte à choisir les inflexions les plus commodes : car entre les modifications trop fortes qu'il faut donner à la glotte pour entonner continuellement les grands intervalles des consonances, et la difficulté de régler l'intonation dans les rapports très composés des moindres intervalles, l'organe prit un milieu et tomba naturellement sur des intervalles plus petits que les consonances et plus simples que les comma ; ce qui n'empêcha pas que de moindres intervalles n'eussent aussi leur emploi dans des genres plus pathétiques.

CHAPITRE XIX

Comment la musique a dégénéré.

A mesure que la langue se perfectionnait, la mélodie, en s'imposant de nouvelles règles, perdait insensiblement de son ancienne énergie, et le calcul des intervalles fut substitué à la finesse des inflexions. C'est ainsi, par exemple, que la pratique du genre enharmonique[86] s'abolit peu à peu. Quand les théâtres eurent pris une forme régulière, on n'y chantait plus que sur des modes prescrits, et à mesure qu'on multipliait les règles de l'imitation, la langue imitative s'affaiblissait[87].

L'étude de la philosophie et le progrès du raisonnement ayant perfectionné la grammaire, ôtèrent à la langue ce ton vif et passionné qui l'avait d'abord rendue si chantante. Dès le temps de Ménalippide et de Philoxène, les symphonistes, qui d'abord étaient aux gages des poètes et n'exécutaient que sous eux et pour ainsi dire à leur dictée, en devinrent indépendants, et c'est de cette licence que se plaint si amèrement la Musique dans une comédie de Phérécrate dont Plutarque nous a conservé le passage[88]. Ainsi la mélodie, commençant à n'être plus si adhérente au discours, prit insensiblement une existence à part, et la musique devint plus indépendante des paroles. Alors aussi cessèrent peu à peu ces prodiges qu'elle avait produits lorsqu'elle n'était que l'accent et l'harmonie de la poésie, et qu'elle lui donnait sur les passions cet empire que la parole n'exerça plus dans la suite que sur la raison. Aussi, dès que la Grèce fut pleine de sophistes et de philosophes, n'y vit-on plus ni poètes, ni musiciens célèbres. En cultivant l'art de convaincre, on perdit celui d'émouvoir. Platon lui-même, jaloux d'Homère et d'Euripide, décria l'un et ne put imiter l'autre.

Bientôt la servitude ajouta son influence à celle de la philosophie. La Grèce aux fers perdit ce feu qui n'échauffe que les âmes libres, et ne trouva plus pour louer ses tyrans le ton dont elle avait chanté ses héros. Le mélange des Romains affaiblit encore ce qui restait au langage d'harmonie et d'accent. Le latin, langue plus sourde et moins musicale, fit tort à la musique en l'adoptant. Le chant employé dans la capitale altéra peu à peu celui des provinces ; les théâtres de Rome nuisirent à ceux d'Athènes. Quand Néron remportait des prix, la Grèce avait cessé d'en mériter, et la même mélodie, partagée à deux langues, convint moins à l'une et à l'autre.

Enfin arriva la catastrophe qui détruisit les progrès de l'esprit humain, sans ôter les vices qui en étaient l'ouvrage. L'Europe, inondée de barbares et asservie par des ignorants, perdit à la fois ses sciences, ses arts, et l'instrument universel des uns et des autres, savoir la langue harmonieuse perfectionnée. Ces hommes grossiers que le Nord avait engendrés accoutumèrent insensiblement toutes les oreilles à la rudesse de leur organe ; leur voix dure et dénuée d'accent était bruyante sans être sonore. L'empereur Julien comparait le parler des Gaulois au croassement [*sic*] des grenouilles[89]. Toutes leurs articulations étant aussi âpres que leurs voix étaient nasardes et sourdes, ils ne pouvaient donner qu'une sorte d'éclat à leur chant, qui était de renforcer le son des voyelles pour couvrir l'abondance et la dureté des consonnes.

Ce chant bruyant, joint à l'inflexibilité de l'organe, obligea ces nouveaux venus et les peuples subjugués qui les imitèrent de ralentir tous les sons pour les faire entendre. L'articulation pénible et les sons renforcés concoururent également à chasser de la mélodie tout sentiment de mesure et de rythme. Comme ce qu'il y avait de plus dur à prononcer était toujours le passage d'un son à l'autre, on n'avait rien de mieux à faire que de s'arrêter sur chacun le plus qu'il était possible, de le renfler, de le faire éclater le plus qu'on pouvait. Le chant ne fut bientôt plus qu'une suite ennuyeuse et lente de sons traînants et criés, sans douceur, sans mesure et sans grâce ; et si quelques savants disaient qu'il fallait observer les longues et les brèves dans le chant latin, il est sûr au moins qu'on chanta les vers comme la prose, et qu'il ne fut plus question de pieds, de rythmes, ni d'aucune espèce de chant mesuré[90].

Le chant ainsi dépouillé de toute mélodie, et consistant uniquement dans la force et la durée des sons, dut suggérer enfin les moyens de le rendre plus sonore encore à l'aide des consonances. Plusieurs voix, traînant sans cesse à l'unisson des sons d'une durée illimitée, trouvèrent par hasard quelques accords qui, renforçant le bruit, le leur firent paraître agréable, et ainsi commença la pratique du discant et du contrepoint.

J'ignore combien de siècles les musiciens tournèrent autour des vaines questions que l'effet connu d'un principe ignoré leur fit agiter. Le plus infatigable lecteur ne supporterait pas dans Jean de Muris[91] le verbiage de huit ou dix grands chapitres pour savoir, dans l'intervalle de l'octave coupée en deux consonances, si c'est la quinte ou la quarte qui doit être au grave, et quatre cents ans après on trouve encore dans Bontempi[92] des énumérations non moins ennuyeuses de toutes les basses qui doivent porter la sixte au lieu de la quinte. Cependant l'harmonie prit insensiblement la route que lui prescrit l'analyse, jusqu'à ce qu'enfin l'invention du mode mineur[93] et des dissonances y eut introduit l'arbitraire dont elle est pleine, et que le seul préjugé nous empêche d'apercevoir*.

* Rapportant toute l'harmonie à ce principe très simple de la résonance des cordes dans leurs aliquotes, M. Rameau fonde le

La mélodie étant oubliée et l'attention du musicien s'étant tournée entièrement vers l'harmonie, tout se dirigea peu à peu sur ce nouvel objet ; les genres, les modes, la gamme, tout reçut des faces nouvelles ; ce furent les successions harmoniques qui réglèrent la marche des parties. Cette marche ayant usurpé le nom de mélodie, on ne put méconnaître en effet dans cette nouvelle mélodie les traits de sa mère, et notre système musical étant ainsi devenu par degrés purement harmonique, il n'est pas étonnant que l'accent oral en ait souffert, et que la musique ait perdu pour nous presque toute son énergie.

Voilà comment le chant devint par degrés un art entièrement séparé de la parole dont il tire son origine, comment les harmoniques des sons firent oublier les inflexions de la voix, et comment enfin, bornée à l'effet purement physique du concours des vibrations, la musique se trouva privée des effets moraux qu'elle avait produits quand elle était doublement la voix de la nature.

mode mineur et la dissonance sur sa prétendue expérience qu'une corde sonore en mouvement fait vibrer d'autres cordes plus longues à sa douzième et à sa dix-septième majeure au grave. Ces cordes, selon lui, vibrent et frémissent dans toute leur longueur, mais elles ne résonnent pas. Voilà, ce me semble, une singulière physique ; c'est comme si l'on disait que le soleil luit et qu'on ne voit rien.

Ces cordes plus longues, ne rendant que le son de la plus aiguë, parce qu'elles se divisent, vibrent, résonnent à son unisson, confondent leur son avec le sien, et paraissent n'en rendre aucun. L'erreur est d'avoir cru les voir vibrer dans toute leur longueur, et d'avoir mal observé les nœuds. Deux cordes sonores formant quelque intervalle harmonique peuvent faire entendre leur son fondamental au grave, même sans une troisième corde ; c'est l'expérience connue et confirmée de M. Tartini ; mais une corde seule n'a point d'autre son fondamental que le sien ; elle ne fait point résonner ni vibrer ses multiples, mais seulement son unisson et ses aliquotes. Comme le son n'a d'autre cause que les vibrations du corps sonore, et qu'où la cause agit librement l'effet suit toujours, séparer les vibrations de la résonance c'est dire une absurdité.

CHAPITRE XX

Rapport des langues aux gouvernements [94].

Ces progrès ne sont ni fortuits, ni arbitraires, ils tiennent aux vicissitudes des choses. Les langues se forment naturellement sur les besoins des hommes ; elles changent et s'altèrent selon les changements de ces mêmes besoins. Dans les anciens temps, où la persuasion tenait lieu de force publique, l'éloquence était nécessaire. A quoi servirait-elle aujourd'hui que la force publique supplée à la persuasion ? L'on n'a besoin ni d'art ni de figure pour dire *tel est mon plaisir*. Quels discours restent donc à faire au peuple assemblé ? Des sermons. Et qu'importe à ceux qui les font de persuader le peuple, puisque ce n'est pas lui qui nomme aux bénéfices ? Les langues populaires nous sont devenues aussi parfaitement inutiles que l'éloquence. Les sociétés ont pris leur dernière forme ; on n'y change plus rien qu'avec du canon et des écus, et comme on n'a plus rien à dire au peuple, sinon *donnez de l'argent,* on le dit avec des placards au coin des rues ou des soldats dans les maisons. Il ne faut assembler personne pour cela : au contraire, il faut tenir les sujets épars, c'est la première maxime de la politique moderne.

Il y a des langues favorables à la liberté, ce sont les langues sonores, prosodiques, harmonieuses, dont on distingue le discours de fort loin. Les nôtres sont faites pour le bourdonnement des divans. Nos prédicateurs se tourmentent, se mettent en sueur dans les temples, sans qu'on sache rien de ce qu'ils ont dit. Après s'être épuisés à crier pendant une heure, ils sortent de la chaire à demi morts. Assurément ce n'était pas la peine de prendre tant de fatigue.

Chez les anciens on se faisait entendre aisément au peuple sur la place publique ; on y parlait tout un jour sans s'incommoder. Les généraux haranguaient leurs troupes ; on les entendait, et ils ne s'épuisaient point. Les historiens modernes qui ont voulu mettre des harangues dans leurs histoires se sont fait moquer d'eux. Qu'on suppose un homme haranguant en français le peuple de Paris dans la place de Vendôme. Qu'il crie à pleine tête, on entendra qu'il crie, on ne distinguera pas un mot. Hérodote lisait son histoire aux peuples de la Grèce assemblés en plein air, et tout retentissait d'applaudissements. Aujourd'hui, l'académicien qui lit un mémoire un jour d'assemblée publique est à peine entendu au bout de la salle. Si les charlatans des places abondent moins en France qu'en Italie, ce n'est pas qu'en France ils soient moins écoutés, c'est seulement qu'on ne les entend pas si bien. M. d'Alembert croit qu'on pourrait débiter le récitatif français à l'italienne[95] ; il faudrait donc le débiter à l'oreille, autrement on n'entendrait rien du tout. Or, je dis que toute langue avec laquelle on ne peut pas se faire entendre au peuple assemblé est une langue servile ; il est impossible qu'un peuple demeure libre et qu'il parle cette langue-là.

Je finirai ces réflexions superficielles, mais qui peuvent en faire naître de plus profondes, par le passage qui me les a suggérées :

Ce serait la matière d'un examen assez philosophique, que d'observer dans le fait, et de montrer par des exemples combien le caractère, les mœurs et les intérêts d'un peuple influent sur sa langue*.

---

* *Remarques sur la Grammaire générale et raisonnée,* par M. Duclos, page 2.

LETTRE
SUR
LA MUSIQUE FRANÇAISE

INTRODUCTION

Ecrite en 1752 et publiée en novembre 1753 à Paris, la *Lettre sur la musique française,* selon l'expression de Denise Launay[1], ouvre « la seconde période de la Querelle des Bouffons ».

Précédée par la *Lettre sur Omphale* publiée en 1752 par Grimm à l'occasion de la reprise de la tragédie lyrique de Houdar de La Motte mise en musique par Destouches en 1701, la Querelle éclate lors d'une tournée à Paris de la troupe italienne des Bouffons. Entre août 1752 et 1754, c'est une succession de pamphlets où la musique française est tour à tour violemment attaquée et défendue.

La troupe des Bouffons, dirigée par Bambini, est spécialisée dans le genre des *intermèdes,* brèves pièces lyriques comiques jouées pendant les entractes des opera seria. Le 1er août 1752, ils donnent *La Serva padrona* de Pergolèse à l'Opéra, suivi bientôt d'autres intermèdes, qui connaissent un succès, et notamment : *Il maestro di musica, Il Giocatore, Tracollo* de Pergolèse ; *La Finta cameriera* de Latilla ; *La Donna superba* de Rinaldo di Capua ; *La Scaltra governatrice* de Cocchi ; *Gli Artigiani arrichiti* de Latilla ; *Il Cinese rimpatriato* de Selletti ; *La Zingara* de Rinaldo

1. *La Querelle des Bouffons,* textes des pamphlets recueillis et commentés par D. Launay, Genève, Minkoff, 1973, 3 volumes, introduction, vol. I, p. XVII.

di Capua ; *Il Paratojo* de Jomelli ; *I Viaggiatori* de Leo.

Parallèlement, Rousseau crée son *Devin du village* à Fontainebleau en octobre 1752, repris à l'Opéra en mars 1753.

Tout cela n'empêche pas l'Opéra de donner son répertoire habituel de tragédies, de ballets et de pastorales.

Parmi les créations, on note : *Les Amours de Tempé* (ballet de Cahusac, musique de Dauvergne, 1752) ; *Titon et l'Aurore* (pastorale héroïque, La Marre — Mondonville, 1753) ; *Daphnis et Alcimadure* (pastorale languedocienne, Mondonville, 1753) ; *Deucalion et Pirrha* (Saint-Foix — Giraud-Breton, 1753).

On reprend également des œuvres plus anciennes : *Aréthuse* (ballet, Danchet — Campra, 1700) ; *Acis et Galatée* (pastorale héroïque, Quinault — Lully, 1686) ; *Castor et Pollux* (tragédie lyrique, Bernard — Rameau, 1737) ; *Platée* (ballet bouffon, Autreau — Rameau, 1745) ; *Les Eléments* (ballet, Roy — Lalande et Destouches, 1725) ; *Les Fêtes de l'Hymen et de l'Amour* (ballet, Cahusac — Rameau, 1748) ; *Les Fêtes de Thalie* (ballet, La Font — Mouret, 1714) ; *Thésée* (tragédie lyrique, Quinault — Lully, 1675).

Les opinions se séparent et s'affrontent violemment autour de la comparaison entre opéra français et opéra italien : c'est la « Guerre des coins ». Le « coin de la Reine » regroupe, près de la loge de la Reine, les partisans de la musique italienne autour de Grimm, de d'Holbach et de Rousseau, tandis que le « coin du Roi » (et de Madame de Pompadour) réunit les défenseurs de la tragédie lyrique autour de Fréron, du père Castel, de Blainville et de Cazotte. La première période est dominée par les opuscules de D'Holbach (*Lettre d'une dame d'un certain âge sur l'état présent de l'opéra*, novembre 1752) et de Grimm (*Le Petit Prophète de Boehmischbroda*, janvier 1753). Rousseau relance les hostilités en portant la querelle sur le terrain général des conceptions esthétiques et philosophiques engagées par les questions musicales.

Au-delà de la violence polémique qui la traverse et qu'elle suscite (Rousseau fut brûlé en effigie), la *Lettre sur la musique française* énonce le noyau théorique de la pensée musicale et esthétique de Rousseau : en opposant la mélodicité de la musique italienne à la complexité harmonique de la musique française, elle caractérise l'opposition entre le modèle vocal, simple et naturel, propre à exprimer directement les émotions, et le modèle articulé, intellectuel et matériel, selon lequel les langues et la musique se sont peu à peu compliquées et dégradées. Cette opposition est la première occurrence d'une longue série qui scandera un peu plus tard l'*Essai sur l'origine des langues* autour cette fois d'un noyau philosophique opposant le monde physico-rationnel caractéristique de la pensée classique au monde « moral » du psychisme humain.

Si Rousseau prend la défense de la musique et de la langue italiennes, c'est parce qu'elles lui semblent significatives de l'idéal de naturel et de simplicité qui caractérisait, selon lui, la langue originaire, dominée par la vocalité et la mélodicité ; elles peuvent en suggérer l'idée. Au contraire, frappées par la segmentation sonore, l'articulation et la rationalité, la langue et la musique françaises représentent le *nec plus ultra* du mouvement de décomposition, qui est à la fois un progrès et une dégradation, à l'issue duquel langues et musique, en s'articulant, en s'harmonisant et en s'intellectualisant, finissent par se séparer dans un divorce qui est aussi une cacophonie.

L'*Essai* précisera les idées que la *Lettre* présente, la polémique aidant, de façon ramassée et quelque peu abrupte. Ainsi, au chapitre VII, Rousseau indique clairement que la langue italienne, comme toutes les langues modernes et dérivées, n'a pas de propriétés musicales « par elle-même », pas plus que la langue française : elle est seulement plus facile à mettre en musique. Aucune langue moderne ne peut prétendre représenter la langue originaire dont toutes sont également éloignées. Mais chaque langue se ressent plus ou moins de ses origines et conserve « encore quelque

chose de ces différences » qui divisèrent jadis le Nord
et le Midi. Parallèlement, l'harmonie fait l'objet, sinon
d'une réhabilitation, du moins d'un traitement moins
rude dans l'*Essai*, puisqu'elle se voit attribuer une
place au sein d'une musique moderne régénérée
— rôle secondaire bien modeste d'accompagnement
et de faire-valoir (chapitre XIV), à l'opposé du rôle
d'usurpation qu'elle s'arroge dans une musique dégé-
nérée.

Il n'y a rien là qui contredise la matrice initiale
énoncée dans la *Lettre* : le développement de la théorie
éclaire les points que l'ardeur de la querelle laissait
naturellement dans l'ombre.

La thèse fondamentale de la *Lettre* est donc déjà très
proche de celle de l'*Essai*, mais elle est à la fois souli-
gnée et occultée par sa thèse polémique, annoncée au
début de l'ouvrage et reprise violemment par la dernière phrase : « Je conclus que les Français n'ont point
de musique et n'en peuvent avoir ; ou que si jamais ils
en ont une ce sera tant pis pour eux. » Ce qui signifie
que la musique française a perdu les propriétés essentielles de la musique : vocalité et mélodicité ; elle les a
recouvertes et remplacées par des propriétés « supplémentaires » ou secondaires : harmonie et complexité ;
elle a mis en position dominante ce qui devrait rester
en position seconde ; en donnant un rôle essentiel à
l'harmonie, elle prend la conséquence pour le principe.

Cela ne signifie nullement qu'il n'y ait aucune
musique possible en France, mais seulement qu'il
n'est plus possible de réaliser dans de telles conditions
la finalité essentielle de la musique, qui se trouve dans
un idéal de fusion mélodique entre musique et langue
(« faire chanter la langue et faire parler la musique »).
C'est pourquoi Rousseau pense que la meilleure
forme lyrique doit être en France celle du mélodrame,
qui fait alterner les passages parlés et les passages sym-
phoniques.

Le lecteur de l'*Essai sur l'origine des langues* n'a donc
aucune difficulté à identifier rétrospectivement les

principales thèses de la *Lettre*. En imaginant une langue sourde, atone, consonantique, dénuée d'inflexions et en décrivant quelle musique discontinue, bruyante permettrait au mieux de la masquer, au pire d'en renforcer les effets dissonants, il est clair que Rousseau ne fait que construire une description philosophique de l'opéra français, emblématique de l'état de décomposition auquel sont parvenues une langue corrompue par la grammaire et les raisons et une musique défigurée par les « institutions harmoniques ».

Un peu plus loin, l'épisode du petit garçon accompagnant légèrement la musique italienne en ne remplissant pas ses accords est une féroce charge contre la thèse ramiste qui veut que « l'accompagnement représente le corps sonore » : pour Rameau, qui s'en expliquera en 1755 dans les *Erreurs sur la musique dans l'Encyclopédie*, la plénitude de l'harmonie fournit la vérité même du son musical en en faisant entendre la nature complexe et relative.

Il faut enfin remarquer que Rousseau utilise bien souvent, pour s'en prendre à la musique française trop harmonisée, trop intellectuelle et trop « bruyante », les arguments avancés vingt ans auparavant par les « Lullystes » adversaires de la musique de Rameau au moment de la création d'*Hippolyte et Aricie* en 1733. Un parallèle peut être suggéré, par exemple, avec l'ouvrage de Louis Bollioud de Mermet, *De la corruption du goût dans la musique française* (publié en 1746). Habileté perverse qui, durant une bonne partie de la lecture du texte, prend pour alliés ceux contre qui, finalement, le texte va se retourner cruellement. La fin du texte, par la célèbre analyse du monologue d'*Armide* de Lully (à laquelle Rameau répondra par une contre-analyse dans ses *Observations sur notre instinct pour la musique* de 1754), dissipe l'ambiguïté et rapatrie Lully en quelque sorte dans son lieu naturel.

C'est qu'aux yeux de Rousseau en effet, Lully et Rameau ne s'opposent que parce qu'ils ont épousé respectivement deux formes distinctes d'une même illusion, l'illusion mécaniste caractéristique de la

pensée classique française. Le premier a succombé à
la forme linguistique de l'illusion : il a pris pour
modèle la langue française et ses sonorités. Le second
a succombé à sa forme physique : il a cru que la
musique était épuisée par l'analyse matérielle et
rationnelle du corps sonore. Aucun des deux n'a vu
que la musique est de nature morale et qu'elle est un
phénomène parlant, tous deux en sont restés à un état
partiel de l'intelligibilité de la musique et des langues,
dont l'intégralité suppose le parcours théorique
ébauché dans cette *Lettre* et achevé par l'*Essai sur l'origine des langues.*

Considérée à la lumière des circonstances qui en
ont vu l'éclosion, la *Lettre sur la musique française* est
un pamphlet dont il convient de souligner l'aspect
polémique ; considérée rétrospectivement à la lumière
de ce qu'on pourrait appeler le cycle des écrits esthétiques de Rousseau (notamment l'*Essai sur l'origine des
langues,* la *Lettre à d'Alembert sur les spectacles* et le
Dictionnaire de musique), elle formule un noyau théorique qui ne bougera que très peu.

C. K.

AVERTISSEMENT À LA PREMIÈRE ÉDITION
(1753)

La querelle excitée l'année dernière à l'Opéra n'ayant abouti qu'à des injures, dites d'un côté avec beaucoup d'esprit, et de l'autre avec beaucoup d'animosité, je n'y voulus prendre aucune part, car cette espèce de guerre ne me convenait en aucun sens, et je sentais bien que ce n'était pas le temps de ne dire que des raisons. Maintenant que les Bouffons sont congédiés, ou près à l'être, et qu'il n'est plus question de cabales, je crois pouvoir hasarder mon sentiment, et je le dirai avec ma franchise ordinaire, sans craindre en cela d'offenser personne : il me semble même que, sur un pareil sujet, toute précaution serait injurieuse pour les lecteurs ; car j'avoue que j'aurais fort mauvaise opinion d'un peuple qui donnerait à des chansons une importance ridicule, qui ferait plus de cas de ses musiciens que de ses philosophes, et chez lequel il faudrait parler de musique avec plus de circonspection que des plus graves sujets de morale.

Cette Lettre, à peu de lignes près, est écrite depuis plus d'un an, et je la laisse aller pour écarter de mon portefeuille et de mes yeux tout ce qui tient au sujet qu'elle traite, et que je confesse avoir aimé avec trop de passion.

Arbitres de la musique et de l'opéra, hommes et femmes à la mode, je prends congé de vous pour jamais, et je me féliciterai tous les jours de ma vie d'avoir surmonté la tentation de vous ennuyer une seconde fois de mes amusements. Il est temps de renoncer tout de bon aux vers et à la musique, et d'employer le loisir qui peut me rester à des occupations plus utiles et plus satisfaisantes, sinon pour le public, au moins pour moi-même.

AVERTISSEMENT À LA SECONDE ÉDITION
(1753)

La querelle excitée l'année dernière à l'Opéra n'ayant abouti qu'à des injures, dites d'un côté avec beaucoup d'esprit, et de l'autre avec beaucoup d'animosité, je n'y voulus prendre aucune part, car cette espèce de guerre ne me convenait en aucun sens, et je sentais bien que ce n'était pas le temps de ne dire que des raisons. Maintenant que les Bouffons sont congédiés, ou près à l'être, et qu'il n'est plus question de cabales, je crois pouvoir hasarder mon sentiment, et je le dirai avec ma franchise ordinaire, sans craindre en cela d'offenser personne : il me semble même que, sur un pareil sujet, toute précaution serait injurieuse pour les lecteurs ; car j'avoue que j'aurais fort mauvaise opinion d'un peuple* qui donnerait à des chansons une importance ridicule, qui ferait plus de cas de ses musiciens que de ses philosophes, et chez lequel il faudrait parler de musique avec plus de circonspection que des plus graves sujets de morale.

C'est par la raison que je viens d'exposer que, quoique quelques-uns m'accusent, à ce qu'on dit, d'avoir manqué de respect à la musique française dans

* De peur que mes lecteurs ne prennent les dernières lignes de cet alinéa pour une satire ajoutée après coup, je dois les avertir qu'elles sont tirées exactement de la première édition de cette Lettre ; tout ce qui suit fut ajouté dans la seconde. [Edition de 1782].

ma première édition, le respect beaucoup plus grand
et l'estime que je dois à la nation m'empêchent de rien
changer à cet égard dans celle-ci.

Une chose presque incroyable, si elle regardait tout
autre que moi, c'est qu'on ose m'accuser d'avoir parlé
de la langue avec mépris dans un ouvrage où il n'en
peut être question que par rapport à la musique. Je
n'ai pas changé là-dessus un seul mot dans cette édition ; ainsi, en la parcourant de sens froid, le lecteur
pourra voir si cette accusation est juste. Il est vrai que,
quoique nous ayons eu d'excellents poètes, et même
quelques musiciens qui n'étaient pas sans génie, je
crois notre langue peu propre à la poésie, et point du
tout à la musique. Je ne crains pas de m'en rapporter
sur ce point aux poëtes mêmes ; car, quant aux musiciens, chacun sait qu'on peut se dispenser de les
consulter sur toute affaire de raisonnement. En
revanche, la langue française me paraît celle des philosophes et des sages* : elle semble faite pour être
l'organe de la vérité et de la raison. Malheur à quiconque offense l'une ou l'autre dans des écrits qui la
déshonorent ! Quant à moi, le plus digne hommage
que je croie pouvoir rendre à cette belle et sage
langue, dont j'ai le bonheur de faire usage, est de
tâcher de ne la point avilir.

Quoique je ne veuille et ne doive point changer de
ton avec le public, que je n'attende rien de lui, et que
je me soucie tout aussi peu de ses satires que de ses
éloges, je crois le respecter beaucoup plus que cette
foule d'écrivains mercenaires et dangereux qui le flat-
tent pour leur intérêt. Ce respect, il est vrai, ne
consiste pas dans de vains ménagements qui marquent
l'opinion qu'on a de la faiblesse de ses lecteurs, mais à
rendre hommage à leur jugement, en appuyant par
des raisons solides le sentiment qu'on leur propose ; et
c'est ce que je me suis toujours efforcé de faire. Ainsi,

---

* C'est le sentiment de l'auteur de la *Lettre sur les sourds et les
muets*, sentiment qu'il soutient très bien dans l'addition à cet
ouvrage, et qu'il prouve encore mieux par tous ses écrits. [2e éd.
1753]

de quelque sens qu'on veuille envisager les choses, en appréciant équitablement toutes les clameurs que cette lettre a excitées, j'ai bien peur qu'à la fin mon plus grand tort ne soit d'avoir raison ; car je sais trop que celui-là ne me sera jamais pardonné.

Sunt verba et voces, prœtereaque nihil[96].

Vous souvenez-vous, Monsieur, de l'histoire de cet enfant de Silésie dont parle M. de Fontenelle et qui était né avec une dent d'or ? Tous les docteurs de l'Allemagne s'épuisèrent d'abord en savantes dissertations pour expliquer comment on pouvait naître avec une dent d'or : la dernière chose dont on s'avisa fut de vérifier le fait, et il se trouva que la dent n'était pas d'or. Pour éviter un semblable inconvénient, avant que de parler de l'excellence de notre musique, il serait peut-être bon de s'assurer de son existence, et d'examiner d'abord, non pas si elle est d'or, mais si nous en avons une.

Les Allemands, les Espagnols et les Anglais ont longtemps prétendu posséder une musique propre à leur langue : en effet ils avaient des opéras nationaux qu'ils admiraient de très bonne foi, et ils étaient bien persuadés qu'il y allait de leur gloire à laisser abolir ces chefs-d'œuvre insupportables à toutes les oreilles, excepté les leurs. Enfin le plaisir l'a emporté chez eux sur la vanité, ou du moins ils s'en sont fait une mieux entendue de sacrifier au goût et à la raison des préjugés qui rendent souvent les nations ridicules par l'honneur même qu'elles y attachent.

Nous sommes encore en France, à l'égard de notre musique, dans les sentiments où ils étaient alors sur la leur ; mais qui nous assurera que, pour avoir été plus opiniâtres, notre entêtement en soit mieux fondé ?

Ignorons-nous combien l'habitude des plus mauvaises choses peut fasciner nos sens en leur faveur*, et combien le raisonnement et la réflexion sont nécessaires pour rectifier dans tous les beaux-arts l'approbation mal entendue que le peuple donne souvent aux productions du plus mauvais goût, et détruire le faux plaisir qu'il y prend[98] ? Ne serait-il donc point à

---

* Les curieux seront peut-être bien aises de trouver ici le passage suivant, tiré d'un ancien partisan du Coin de la reine, et que je m'abstiens de traduire pour de fort bonnes raisons[97] :

« *Et reversus est rex piissimus Carolus, et celebravit Romæ pascha cum domno apostolico. Ecce orta est contentio per dies festos paschæ inter cantores Romanorum et Gallorum : dicebant se Galli melius cantare et pulchrius quam Romani : dicebant se Romani doctissime cantilenas ecclesiasticas proferre, sicut docti fuerant a sancto Gregorio papa ; Gallos corrupte cantare, et cantilenam sanam destruendo dilacerare. Quæ contentio ante domnum regem Carolum pervenit. Galli vero, propter securitatem domni regis Caroli, valde exprobrabant cantoribus romanis. Romani vero, propter auctoritatem magnæ doctrinæ, eos stultos, rusticos et indoctos velut bruta animalia affirmabant, et doctrinam sancti Gregorii præferebant rusticitati eorum. Et cum altercatio de neutra parte finiret, ait domnus piissimus rex Carolus ad suos cantores : Dicite palam quis purior est et quis melior, aut fons vivus, aut rivuli ejus longe decurrentes. Responderunt omnes una voce, fontem, velut caput et originem, puriorem esse ; rivulos autem ejus quanto longius a fonte recesserint, tanto turbulentos et sordibus ac immunditiis corruptos. Et ait domnus rex Carolus : Revertimini vos ad fontem sancti Gregorii, quia manifeste corrupistis cantilenam ecclesiasticam. Mox petiit domnus rex Carolus ab Adriano papa cantores qui Franciam corrigerent de cantu. At ille dedit ei Theodorum et Benedictum, doctissimos cantores, qui a sancto Gregorio eruditi fuerant, tribuitque antiphonarios sancti Gregorii, quos ipse notaverat nota romana. Domnus vero rex Carolus revertens in Franciam misit unum cantorem in Metis civitate, alterum in Suessonis civitate, præcipiens de omnibus civitatibus Franciæ magistros scholæ antiphonarios eis ad corrigendum tradere, et ab eis discere cantare. Correcti sunt ergo antiphonarii Francorum, quos unusquisque pro suo arbitrio vitiaverat, addens vel minuens ; et omnes Franciæ cantores didicerunt notam romanam, quam nunc vocant notam franciscam ; excepto quod* tremulas et vinnulas, *sive collisibiles vel secabiles voces in cantu non poterant perfecte exprimere Franci, naturali voce barbarica frangentes in gutture voces, quam potius exprimentes. Majus autem magisterium cantandi in Metis remansit ; quantumque magisterium romanum superat metense in arte cantandi, tanto superat metensis cantilena cæteras scholas Gallorum. Similiter erudierunt romani cantores supradictos cantores Francorum in arte organandi. Et domnus rex Carolus iterum a Roma artis grammaticæ et computatoriæ magistros secum adduxit in Franciam, et ubique studium litterarum expandere jussit. Ante ipsum enim domnum regem Carolum, in Gallia nullum studium fuerat liberalium artium.* »

propos, pour bien juger de la musique française, indépendamment de ce qu'en pense la populace de tous les états, qu'on essayât une fois de la soumettre à la coupelle de la raison, et de voir si elle en soutiendra l'épreuve ? « *Concedo ipse hoc multis*, disait Platon, *voluptate musicam judicandam ; sed illam ferme musicam esse dico pulcherrimam, quæ optimos satisque eruditos delectet*[99]. »

Je n'ai pas dessein d'approfondir ici cet examen : ce n'est pas l'affaire d'une Lettre, ni peut-être la mienne. Je voudrais seulement tâcher d'établir quelques principes sur lesquels, en attendant qu'on en trouve de meilleurs, les maîtres de l'art, ou plutôt les philosophes, pussent diriger leurs recherches : car, disait autrefois un sage, c'est au poète à faire de la poésie et au musicien à faire de la musique, mais il n'appartient qu'au philosophe de bien parler de l'une et de l'autre.

Toute musique ne peut être composée que de ces trois choses : mélodie ou chant, harmonie ou accompagnement, mouvement ou mesure*.

Quoique le chant tire son principal caractère de la mesure, comme il naît immédiatement de l'harmonie, et qu'il assujettit toujours l'accompagnement à sa marche, j'unirai ces deux parties dans un même article ; puis je parlerai de la mesure séparément.

L'harmonie, ayant son principe dans la nature, est la même pour toutes les nations ; ou si elle a quelques différences, elles sont introduites par celle de la mélodie : ainsi c'est de la mélodie seulement qu'il faut tirer le caractère particulier d'une musique nationale, d'autant plus que ce caractère étant principalement donné par la langue, le chant proprement dit doit ressentir sa plus grande influence.

On peut concevoir des langues plus propres à la musique les unes que les autres ; on en peut concevoir

---

* Quoiqu'on entende par *mesure* la détermination du nombre et du rapport des temps, et par *mouvement* celle du degré de vitesse, j'ai cru pouvoir ici confondre ces choses sous l'idée générale de modification de la durée ou du temps.

qui ne le seraient point du tout. Telle en pourrait être
une qui ne serait composée que de sons mixtes, de
syllabes muettes, sourdes ou nasales, peu de voyelles
sonores, beaucoup de consonnes et d'articulations, et
qui manquerait encore d'autres conditions essentielles
dont je parlerai dans l'article de la mesure. Cherchons, par curiosité, ce qui résulterait de la musique
appliquée à une telle langue.

Premièrement, le défaut d'éclat dans le son des
voyelles obligerait d'en donner beaucoup à celui des
notes, et parce que la langue serait sourde, la
musique serait criarde. En second lieu, la dureté et
la fréquence des consonnes forceraient à exclure
beaucoup de mots, à ne procéder sur les autres que
par des intonations élémentaires, et la musique serait
insipide et monotone ; sa marche serait encore lente
et ennuyeuse par la même raison, et quand on voudrait presser un peu le mouvement, sa vitesse ressemblerait à celle d'un corps dur et anguleux qui
roule sur le pavé.

Comme une telle musique serait dénuée de toute
mélodie agréable, on tâcherait d'y suppléer par des
beautés factices et peu naturelles ; on la chargerait de
modulations fréquentes et régulières, mais froides,
sans grâces et sans expression. On inventerait des fredons, des cadences, des ports-de-voix et d'autres agré-
ments postiches qu'on prodiguerait dans le chant, et
qui ne feraient que le rendre plus ridicule sans le
rendre moins plat. La musique, avec toute cette maussade parure, resterait languissante et sans expression,
et ses images, dénuées de force et d'énergie, pein-
draient peu d'objets en beaucoup de notes, comme
ces écritures gothiques dont les lignes, remplies de
traits et de lettres figurées, ne contiennent que deux
ou trois mots, et qui renferment très peu de sens en
un grand espace.

L'impossibilité d'inventer des chants agréables obligerait les compositeurs à tourner tous leurs soins du
côté de l'harmonie, et faute de beautés réelles, ils y
introduiraient des beautés de convention, qui n'au-

raient presque d'autre mérite que la difficulté vaincue : au lieu d'une bonne musique, ils imagineraient une musique savante ; pour suppléer au chant, ils multiplieraient les accompagnements ; il leur en coûterait moins de placer beaucoup de mauvaises parties les unes au-dessus des autres que d'en faire une qui fût bonne. Pour ôter l'insipidité, ils augmenteraient la confusion ; ils croiraient faire de la musique, et ils ne feraient que du bruit.

Un autre effet qui résulterait du défaut de mélodie serait que les musiciens, n'en ayant qu'une fausse idée, trouveraient partout une mélodie à leur manière : n'ayant pas de véritable chant, les parties de chant ne leur coûteraient rien à multiplier, parce qu'ils donneraient hardiment ce nom à ce qui n'en serait pas ; même jusqu'à la basse continue, à l'unisson de laquelle ils feraient sans façon réciter les basses-tailles, sauf à couvrir le tout d'une sorte d'accompagnement dont la prétendue mélodie n'aurait aucun rapport à celle de la partie vocale. Partout où ils verraient des notes ils trouveraient du chant, attendu qu'en effet leur chant ne serait que des notes. *Voces, praetereaque nihil.*

Passons maintenant à la mesure, dans le sentiment de laquelle consiste en grande partie la beauté et l'expression du chant. La mesure est à peu près à la mélodie ce que la syntaxe est au discours : c'est elle qui fait l'enchaînement des mots, qui distingue les phrases et qui donne un sens, une liaison au tout. Toute musique dont on ne sent point la mesure ressemble, si la faute vient de celui qui l'exécute, à une écriture en chiffres dont il faut nécessairement trouver la clef pour en démêler le sens ; mais si en effet cette musique n'a pas de mesure sensible, ce n'est alors qu'une collection confuse de mots pris au hasard et écrits sans suite, auxquels le lecteur ne trouve aucun sens parce que l'auteur n'y en a point mis.

J'ai dit que toute musique nationale tire son principal caractère de la langue qui lui est propre, et je

dois ajouter que c'est principalement la prosodie de
la langue qui constitue ce caractère. Comme la
musique vocale a précédé de beaucoup l'instrumentale, celle-ci a toujours reçu de l'autre ses tours de
chant et sa mesure, et les diverses mesures de la
musique vocale n'ont pu naître que des diverses
manières dont on pouvait scander le discours et
placer les brèves et les longues les unes à l'égard des
autres ; ce qui est très évident dans la musique
grecque, dont toutes les mesures n'étaient que les
formules d'autant de rythmes fournis par tous les
arrangements des syllabes longues ou brèves, et des
pieds dont la langue et la poésie étaient susceptibles.
De sorte que, quoiqu'on puisse très bien distinguer
dans le rythme musical la mesure de la prosodie, la
mesure du vers et la mesure du chant, il ne faut pas
douter que la musique la plus agréable, ou du moins
la mieux cadencée, ne soit celle où ces trois mesures
concourent ensemble le plus parfaitement qu'il est
possible.

Après ces éclaircissements je reviens à mon hypothèse, et je suppose que la même langue dont je viens
de parler eût une mauvaise prosodie, peu marquée,
sans exactitude et sans précision ; que les longues et
les brèves n'eussent pas entre elles en durées et en
nombres des rapports simples et propres à rendre le
rythme agréable, exact, régulier ; qu'elle eût des longues plus ou moins longues les unes que les autres,
des brèves plus ou moins brèves, des syllabes ni
brèves ni longues, et que les différences des unes et
des autres fussent indéterminées et presque
incommensurables : il est clair que la musique nationale, étant contrainte de recevoir dans sa mesure les
irrégularités de la prosodie, n'en aurait qu'une fort
vague, inégale et très peu sensible ; que le récitatif se
sentirait surtout de cette irrégularité ; qu'on ne saurait presque comment y faire accorder les valeurs des
notes et celles des syllabes ; qu'on serait contraint d'y
changer de mesure à tout moment, et qu'on ne pourrait jamais y rendre les vers dans un rythme exact et

cadencé ; que, même dans les airs mesurés, tous les
mouvements seraient peu naturels et sans précision ;
que, pour peu de lenteur qu'on joignît à ce défaut,
l'idée de l'égalité des temps se perdrait entièrement
dans l'esprit du chanteur et de l'auditeur ; et
qu'enfin la mesure n'étant plus sensible, ni ses
retours égaux, elle ne serait assujettie qu'au caprice
du musicien, qui pourrait à chaque instant la presser
ou la ralentir à son gré, de sorte qu'il ne serait pas
possible dans un concert de se passer de quelqu'un
qui la marquât à tous, selon la fantaisie ou la
commodité d'un seul.

C'est ainsi que les acteurs contracteraient tellement
l'habitude de s'asservir la mesure, qu'on les entendrait
même l'altérer à dessein dans les morceaux où le
compositeur serait venu à bout de la rendre sensible.
Marquer la mesure serait une faute contre la composition, et la suivre en serait une contre le goût du
chant ; les défauts passeraient pour des beautés, et les
beautés pour des défauts ; les vices seraient établis en
règles, et pour faire de la musique au goût de la
nation, il ne faudrait que s'attacher avec soin à ce qui
déplaît à tous les autres.

Aussi, avec quelque art qu'on cherchât à couvrir
les défauts d'une pareille musique, il serait impossible
qu'elle plût jamais à d'autres oreilles qu'à celles des
naturels du pays où elle serait en usage : à force
d'essuyer des reproches sur leur mauvais goût, à
force d'entendre dans une langue plus favorable de
la véritable musique, ils chercheraient à en rapprocher la leur, et ne feraient que lui ôter son caractère
et la convenance qu'elle avait avec la langue pour
laquelle elle avait été faite. S'ils voulaient dénaturer
leur chant, ils le rendraient dur, baroque et presque
inchantable ; s'ils se contentaient de l'orner par d'autres accompagnements que ceux qui lui sont propres,
ils ne feraient que marquer mieux sa platitude par un
contraste inévitable ; ils ôteraient à leur musique la
seule beauté dont elle était susceptible, en ôtant à
toutes ses parties l'uniformité de caractère qui la fai-

sait être une ; et en accoutumant les oreilles à dédai-
gner le chant pour n'écouter que la symphonie, ils
parviendraient enfin à ne faire servir les voix que
d'accompagnement à l'accompagnement.

Voilà par quel moyen la musique d'une telle nation
se diviserait en musique vocale et musique instrumentale ; voilà comment, en donnant des caractères
différents à ces deux espèces, on en ferait un tout
monstrueux. La symphonie voudrait aller en mesure,
et le chant ne pouvant souffrir aucune gêne, on entendrait souvent dans les mêmes morceaux les acteurs et
l'orchestre se contrarier et se faire obstacle mutuellement. Cette incertitude et le mélange des deux
caractères introduiraient dans la manière d'accompagner une froideur et une lâcheté qui se tourneraient
tellement en habitude que les symphonistes ne
pourraient pas, même en exécutant de bonne
musique, lui laisser de la force et de l'énergie. En la
jouant comme la leur, ils l'énerveraient entièrement ;
ils feraient fort les *doux,* doux les *fort,* et ne connaî-
traient pas une des nuances de ces deux mots. Ces
autres mots, *rinforzando, dolce*, risoluto, con gusto, spi-
ritoso, sostenuto, con brio* n'auraient pas même de
synonymes dans leur langue, et celui d'*expression* n'y
aurait aucun sens. Ils substitueraient je ne sais
combien de petits ornements froids et maussades à la
vigueur du coup d'archet. Quelque nombreux que fût
l'orchestre il ne ferait aucun effet, ou n'en ferait qu'un
très désagréable. Comme l'exécution serait toujours
lâche, et que les symphonistes aimeraient mieux jouer
proprement que d'aller en mesure, ils ne seraient
jamais ensemble : ils ne pourraient venir à bout de
tirer un son net et juste, ni de rien exécuter dans son
caractère, et les étrangers seraient tout surpris qu'à
quelques-uns près, un orchestre vanté comme le premier du monde serait à peine digne des tréteaux d'une

---

* Il n'y a peut-être pas quatre symphonistes français qui sachent
la différence de *piano* et *dolce,* et c'est fort inutilement qu'ils la
sauraient, car qui d'entre eux serait en état de la rendre ?

guinguette*. Il devrait naturellement arriver que de tels musiciens prissent en haine la musique qui aurait mis leur honte en évidence, et bientôt, joignant la mauvaise volonté au mauvais goût, ils mettraient encore du dessein prémédité dans la ridicule exécution dont ils auraient bien pu se fier à leur maladresse.

D'après une autre supposition contraire à celle que je viens de faire, je pourrais déduire aisément toutes les qualités d'une véritable musique, faite pour émouvoir, pour imiter, pour plaire et pour porter au cœur les plus douces impressions de l'harmonie et du chant ; mais, comme ceci nous écarterait trop de notre sujet et surtout des idées qui nous sont connues, j'aime mieux me borner à quelques observations sur la musique italienne, qui puissent nous aider à mieux juger de la nôtre.

Si l'on demandait laquelle de toutes les langues doit avoir une meilleure grammaire, je répondrais que c'est celle du peuple qui raisonne le mieux ; et si l'on demandait lequel de tous les peuples doit avoir une meilleure musique, je dirais que c'est celui dont la langue y est le plus propre. C'est ce que j'ai déjà établi ci-devant, et que j'aurai occasion de confirmer dans la suite de cette Lettre. Or, s'il y a en Europe une langue propre à la musique, c'est certainement l'italienne ; car cette langue est douce, sonore, harmonieuse et accentuée plus qu'aucune autre, et ces quatre qualités sont précisément les plus convenables au chant.

Elle est douce, parce que les articulations y sont peu composées, que la rencontre des consonnes y est rare et sans rudesse, et qu'un très grand nombre de syllabes n'y étant formées que de voyelles, les fréquentes élisions en rendent la prononciation plus coulante ; elle est sonore, parce que la plupart des voyelles y sont éclatantes, qu'elle

---

* Comme on m'a assuré qu'il y avait parmi les symphonistes de l'Opéra non seulement de très bons violons, ce que je confesse qu'ils sont presque tous pris séparément, mais de véritablement honnêtes gens qui ne se prêtent point aux cabales de leurs confrères pour mal servir le public, je me hâte d'ajouter ici cette distinction, pour réparer, autant qu'il est en moi, le tort que je puis avoir vis-à-vis de ceux qui la méritent. [2ᵉ éd. 1753].

n'a pas de diphtongues composées, qu'elle a peu ou
point de voyelles nasales, et que les articulations rares et
faciles distinguent mieux le son des syllabes, qui en devient
plus net et plus plein. A l'égard de l'harmonie, qui dépend
du nombre et de la prosodie autant que des sons, l'avantage de la langue italienne est manifeste sur ce point :
car il faut remarquer que ce qui rend une langue harmonieuse et véritablement pittoresque dépend moins
de la force réelle de ses termes que de la distance qu'il y
a du doux au fort entre les sons qu'elle emploie, et du
choix qu'on en peut faire pour les tableaux qu'on a à
peindre. Ceci supposé, que ceux qui pensent que l'italien n'est que le langage de la douceur et de la tendresse
prennent la peine de comparer entre elles ces deux strophes du Tasse :

> Teneri sdegni, e placide e tranquille
> Repulse, e cari vezzi, e liete paci ;
> Sorrisi, parolette, e dolci stille
> Di pianto e sospir tronchi, e molli baci.
> Fuse tai cose tutte, e poscia unille,
> Ed al foco temprò di lente faci ;
> E ne formò quel sì mirabil cinto
> Di ch'ella aveva il bel fianco succinto.

> Chiama gli abitator dell' ombre eterne
> Il rauco suon della tartarea tromba :
> Treman le spaziose atre caverne,
> E l'aer cieco a quel romor rimbomba ;
> Nè sì stridendo mai da le superne
> Regioni del cielo il folgor piomba
> Nè sì scossa giamai trema la terra
> Quando i vapori in sen gravida serra[100].

Et s'ils désespèrent de rendre en français la douce
harmonie de l'une, qu'ils essaient d'exprimer la
rauque dureté de l'autre. Il n'est pas besoin, pour
juger de ceci, d'entendre la langue, il ne faut qu'avoir
des oreilles et de la bonne foi. Au reste, vous obser-
verez que cette dureté de la dernière strophe n'est
point sourde, mais très sonore, et qu'elle n'est que
pour l'oreille et non pour la prononciation : car la
langue n'articule pas moins facilement les *r* multipliées

qui font la rudesse de cette strophe, que les *l* qui rendent la première si coulante. Au contraire, toutes les fois que nous voulons donner de la dureté à l'harmonie de notre langue, nous sommes forcés d'entasser des consonnes de toute espèce qui forment des articulations difficiles et rudes, ce qui retarde la marche du chant et contraint souvent la musique d'aller plus lentement, précisément quand le sens des paroles exigerait le plus de vitesse.

Si je voulais m'étendre sur cet article, je pourrais peut-être vous faire voir encore que les inversions de la langue italienne sont beaucoup plus favorables à la bonne mélodie que l'ordre didactique de la nôtre, et qu'une phrase musicale se développe d'une manière plus agréable et plus intéressante quand le sens du discours, longtemps suspendu, se résout sur le verbe avec la cadence, que quand il se développe à mesure, et laisse affaiblir ou satisfaire ainsi par degrés le désir de l'esprit, tandis que celui de l'oreille augmente en raison contraire jusqu'à la fin de la phrase. Je vous prouverais encore que l'art des suspensions et des mots entrecoupés, que l'heureuse constitution de la langue rend si familier à la musique italienne, est entièrement inconnu dans la nôtre, et que nous n'avons d'autres moyens pour y suppléer que des silences qui ne sont jamais du chant et qui, dans ces occasions, montrent plutôt la pauvreté de la musique que les ressources du musicien.

Il me resterait à parler de l'accent, mais ce point important demande une si profonde discussion qu'il vaut mieux la réserver à une meilleure main : je vais donc passer aux choses plus essentielles à mon objet, et tâcher d'examiner notre musique en elle-même.

Les Italiens prétendent que notre mélodie est plate et sans aucun chant, et toutes les nations* neutres confirment unanimement leur jugement sur ce point ;

---

* Il a été un temps, dit milord Shaftesbury, où l'usage de parler français avait mis parmi nous la musique française à la mode. Mais bientôt la musique italienne, nous montrant la nature de plus près, nous dégoûta de l'autre, et nous la fit apercevoir aussi lourde, aussi plate et aussi maussade qu'elle l'est en effet.

de notre côté, nous accusons la leur d'être bizarre et baroque*. J'aime mieux croire que les uns ou les autres se trompent, que d'être réduit à dire que dans des contrées où les sciences et tous les arts sont parvenus à un si haut degré, la musique seule est encore à naître.

Les moins prévenus d'entre nous** se contentent de dire que la musique italienne et la française sont toutes deux bonnes, chacune dans son genre, chacune pour la langue qui lui est propre ; mais, outre que les autres nations ne conviennent pas de cette parité, il resterait toujours à savoir laquelle des deux langues peut comporter le meilleur genre de musique en soi. Question fort agitée en France, mais qui ne le sera jamais ailleurs ; question qui ne peut être décidée que par une oreille parfaitement neutre, et qui par conséquent devient tous les jours plus difficile à résoudre dans le seul pays où elle soit en problème. Voici sur ce sujet quelques expériences que chacun est maître de vérifier, et qui me paraissent pouvoir servir à cette solution, du moins quant à la mélodie, à laquelle seule se réduit presque toute la dispute.

J'ai pris dans les deux musiques des airs également estimés chacun dans son genre, et, les dépouillant les uns de leurs ports-de-voix et de leurs cadences éternelles, les autres des notes sous-entendues que le compositeur ne se donne point la peine d'écrire, et dont il se remet à l'intelligence du chanteur***, je les

---

* Il me semble qu'on n'ose plus tant faire ce reproche à la mélodie italienne, depuis qu'elle s'est fait entendre parmi nous : c'est ainsi que cette musique admirable n'a qu'à se montrer telle qu'elle est pour se justifier de tous les torts dont on l'accuse. [2ᵉ éd. 1753]

** Plusieurs condamnent l'exclusion totale que les amateurs de musique donnent sans balancer à la musique française ; ces modérés conciliateurs ne voudraient pas de goûts exclusifs, comme si l'amour des bonnes choses devait faire aimer les mauvaises.

*** C'est donner toute la faveur à la musique française que de s'y prendre ainsi ; car ces notes sous-entendues dans l'italienne ne sont pas moins de l'essence de la mélodie que celles qui sont sur le papier. Il s'agit moins de ce qui est écrit que de ce qui doit se chanter, et cette manière de noter doit seulement passer pour une sorte d'abréviation, au lieu que les cadences et les ports-de-voix du chant français sont bien, si l'on veut, exigés par le goût, mais ne

ai solfiés exactement sur la note, sans aucun ornement, et sans rien fournir de moi-même au sens ni à la liaison de la phrase. Je ne vous dirai point quel a été dans mon esprit le résultat de cette comparaison, parce que j'ai le droit de vous proposer mes raisons et non pas mon autorité : je vous rends compte seulement des moyens que j'ai pris pour me déterminer, afin que, si vous les trouvez bons, vous puissiez les employer à votre tour. Je dois vous avertir seulement que cette expérience demande bien plus de précaution qu'il ne semble. La première et la plus difficile de toutes est d'être de bonne foi et de se rendre également équitable dans le choix et dans le jugement. La seconde est que, pour tenter cet examen, il faut nécessairement être également versé dans les deux styles ; autrement, celui qui serait le plus familier se présenterait à chaque instant à l'esprit au préjudice de l'autre ; et cette deuxième condition n'est guère plus facile que la première, car de tous ceux qui connaissent bien l'une et l'autre musique, nul ne balance sur le choix, et l'on a pu voir par les plaisants barbouillages de ceux qui se sont mêlés d'attaquer l'italienne quelle connaissance ils avaient d'elle et de l'art en général.

Je dois ajouter qu'il est essentiel d'aller bien exactement en mesure ; mais je prévois que cet avertissement, superflu dans tout autre pays, sera fort inutile dans celui-ci, et cette seule omission entraîne nécessairement l'incompétence du jugement.

Avec toutes ces précautions, le caractère de chaque genre ne tarde pas à se déclarer, et alors il est bien difficile de ne pas revêtir les phrases des idées qui leur conviennent, et de n'y pas ajouter, du moins par l'esprit, les tours et les ornements qu'on a la force de leur refuser par le chant. Il ne faut pas non plus s'en tenir à une seule épreuve, car un air peut plaire plus qu'un autre, sans que cela décide de la préférence du genre ; et ce n'est qu'après un grand nombre d'essais qu'on peut établir un jugement raisonnable : d'ailleurs, en s'ôtant la connais-

---

constituent point la mélodie et ne sont pas de son essence : c'est pour elle une sorte de fard qui couvre sa laideur sans la détruire, et qui ne la rend que plus ridicule aux oreilles sensibles.

sance des paroles, on s'ôte celle de la partie la plus importante de la mélodie, qui est l'expression ; et tout ce qu'on peut décider par cette voie, c'est si la modulation est bonne et si le chant a du naturel et de la beauté. Tout cela nous montre combien il est difficile de prendre assez de précautions contre les préjugés, et combien le raisonnement nous est nécessaire pour nous mettre en état de juger sainement des choses de goût.

J'ai fait une autre épreuve qui demande moins de précautions, et qui vous paraîtra peut-être plus décisive. J'ai donné à chanter à des Italiens les plus beaux airs de Lully, et à des musiciens français des airs de Leo et du Pergolèse, et j'ai remarqué que, quoique ceux-ci fussent fort éloignés de saisir le vrai goût de ces morceaux, ils en sentaient pourtant la mélodie, et en tiraient à leur manière des phrases de musique chantantes, agréables et bien cadencées. Mais les Italiens, solfiant très exactement nos airs les plus pathétiques, n'ont jamais pu y reconnaître ni phrases ni chant ; ce n'était pas pour eux de la musique qui eût du sens, mais seulement des suites de notes placées sans choix, et comme au hasard ; ils les chantaient précisément comme vous liriez des mots arabes écrits en caractères français*.

Troisième expérience. J'ai vu à Venise un Arménien, homme d'esprit qui n'avait jamais entendu de musique, et devant lequel on exécuta dans un même concert un monologue français qui commence par ce vers :

Temple sacré, séjour tranquille...

et un air de Galuppi, qui commence par celui-ci :

Voi che languite senza speranza.

L'un et l'autre furent chantés, médiocrement pour le français et mal pour l'italien, par un homme accoutumé seulement à la musique française, et alors très enthou-

---

* Nos musiciens prétendent tirer un grand avantage de cette différence. *Nous exécutons la musique italienne*, disent-ils avec leur fierté accoutumée, *et les Italiens ne peuvent exécuter la nôtre ; donc notre musique vaut mieux que la leur.* Ils ne voient pas qu'ils devraient tirer une conséquence toute contraire et dire, *donc les Italiens ont une mélodie et nous n'en avons point.*

siaste de celle de M. Rameau. Je remarquai dans l'Arménien, durant tout le chant français, plus de surprise que de plaisir ; mais tout le monde observa, dès les premières mesures de l'air italien, que son visage et ses yeux s'adoucissaient ; il était enchanté, il prêtait son âme aux impressions de la musique, et quoiqu'il entendît peu la langue, les simples sons lui causaient un ravissement sensible. Dès ce moment on ne put plus lui faire écouter aucun air français.

Mais, sans chercher ailleurs des exemples, n'avons-nous pas même parmi nous plusieurs personnes qui, ne connaissant que notre opéra, croyaient de bonne foi n'avoir aucun goût pour le chant, et n'ont été désabusées que par les intermèdes italiens ? C'est précisément parce qu'ils n'aimaient que la véritable musique, qu'ils croyaient ne pas aimer la musique.

J'avoue que tant de faits m'ont rendu douteuse l'existence de notre mélodie, et m'ont fait soupçonner qu'elle pourrait bien n'être qu'une sorte de plain-chant modulé, qui n'a rien d'agréable en lui-même, qui ne plaît qu'à l'aide de quelques ornements arbitraires, et seulement à ceux qui sont convenus de les trouver beaux. Aussi à peine notre musique est-elle supportable à nos propres oreilles, lorsqu'elle est exécutée par des voix médiocres qui manquent d'art pour la faire valoir. Il faut des Fel et des Jelyotte pour chanter la musique française, mais toute voix est bonne pour l'italienne, parce que les beautés du chant italien sont dans la musique même, au lieu que celles du chant français, s'il en a, ne sont que dans l'art du chanteur*.

* Au reste, c'est une erreur de croire qu'en général les chanteurs italiens aient moins de voix que les français. Il faut, au contraire, qu'ils aient le timbre plus fort et plus harmonieux pour pouvoir se faire entendre sur les théâtres immenses de l'Italie sans cesser de ménager les sons, comme le veut la musique italienne. Le chant français exige tout l'effort des poumons, toute l'étendue de la voix. Plus fort, nous disent nos maîtres ; enflez les sons, ouvrez la bouche, donnez toute votre voix. Plus doux, disent les maîtres italiens ; ne forcez point, chantez sans gêne, rendez vos sons doux, flexibles et coulants, réservez les éclats pour ces moments rares et passagers où il faut surprendre et déchirer. Or il me paraît que, dans la nécessité de se faire entendre, celui-là doit avoir plus de voix, qui peut se passer de crier.

Trois choses me paraissent concourir à la perfection de la mélodie italienne. La première est la douceur de la langue qui, rendant toutes les inflexions faciles, laisse au goût du musicien la liberté d'en faire un choix plus exquis, de varier davantage les combinaisons, et de donner à chaque acteur un tour de chant particulier, de même que chaque homme a son geste et son ton qui lui sont propres et qui le distinguent d'un autre homme.

La deuxième est la hardiesse des modulations qui, quoique moins servilement préparées que les nôtres, se rendent plus agréables en se rendant plus sensibles et, sans donner de la dureté au chant, ajoutent une vive énergie à l'expression. C'est par elle que le musicien, passant brusquement d'un ton ou d'un mode à un autre, et supprimant quand il le faut les transitions intermédiaires et scolastiques, sait exprimer les réticences, les interruptions, les discours entrecoupés qui sont le langage des passions impétueuses que le bouillant Métastase a employés si souvent, que les Porpora, les Galuppi, les Cocchi, les Jommelli, les Perez, les Terradeglias ont su rendre avec succès, et que nos poètes lyriques connaissent aussi peu que nos musiciens.

Le troisième avantage, et celui qui prête à la mélodie son plus grand effet, est l'extrême précision de mesure qui s'y fait sentir dans les mouvements les plus lents ainsi que dans les plus gais ; précision qui rend le chant animé et intéressant, les accompagnements vifs et cadencés ; qui multiplie réellement les chants en faisant d'une même combinaison de sons autant de différentes mélodies qu'il y a de manières de les scander ; qui porte au cœur tous les sentiments et à l'esprit tous les tableaux ; qui donne au musicien le moyen de mettre en air tous les caractères de paroles imaginables, plusieurs dont nous n'avons pas même l'idée* ; et qui rend tous les mouvements propres à

---

* Pour ne pas sortir du genre comique, le seul connu à Paris, voyez les airs : *Quando sciolto avrò il contratto*, etc. *Io ò un vespajo*, etc. *O questo o quello t'ai a risolvere*, etc. *A un gusto da stordire*, etc. *Stizzoso mio, stizzoso*, etc. *Io sono una donzella*, etc. *Quanti maestri, quanti dottori*, etc. *I sbirri gia lo aspettano*, etc. *Ma dunque il testamento*, etc.

exprimer tous les caractères*, ou un seul mouvement propre à contraster et changer de caractère au gré du compositeur.

Voilà, ce me semble, les sources d'où le chant italien tire ses charmes et son énergie ; à quoi l'on peut ajouter une nouvelle et très forte preuve de l'avantage de sa mélodie, en ce qu'elle n'exige pas autant que la nôtre de ces fréquents renversements d'harmonie qui donnent à la basse continue le véritable chant d'un dessus. Ceux qui trouvent de si grandes beautés dans la mélodie française devraient bien nous dire à laquelle de ces choses elle en est redevable, ou nous montrer les avantages qu'elle a pour y suppléer.

Quand on commence à connaître la mélodie italienne, on ne lui trouve d'abord que des grâces, et on ne la croit propre qu'à exprimer des sentiments agréables ; mais pour peu qu'on étudie son caractère pathétique et tragique, on est bientôt surpris de la force que lui prête l'art des compositeurs dans les grands morceaux de musique. C'est à l'aide de ces modulations savantes, de cette harmonie simple et pure, de ces accompagnements vifs et brillants, que ces chants divins déchirent ou ravissent l'âme, mettent le spectateurs hors de lui-même et lui arrachent, dans ses transports des cris dont jamais nos tranquilles opéras ne furent honorés.

Comment le musicien vient-il à bout de produire ces grands effets ? Est-ce à force de contraster les mouvements, de multiplier les accords, les notes, les parties ? Est-ce à force d'entasser dessins sur dessins, instruments sur instruments ? Tout ce fatras, qui n'est qu'un mauvais supplément où le génie manque, étoufferait le chant loin de l'animer, et détruirait l'intérêt en partageant l'attention. Quelque harmonie que puissent faire

---

Senti me, se brami stare, o che risa ! che piacere, etc. ; tous caractères d'airs dont la musique française n'a pas les premiers éléments, et dont elle n'est pas en état d'exprimer un seul mot.

  * Je me contenterai d'en citer un seul exemple, mais très frappant ; c'est l'air *Se pur d'un infelice, etc.*, de *La Fausse Suivante*, air très pathétique, sur un mouvement très gai, auquel il n'a manqué qu'une voix pour le chanter, un orchestre pour l'accompagner, des oreilles pour l'entendre, et la seconde partie qu'il ne fallait pas supprimer.

ensemble plusieurs parties toutes bien chantantes, l'effet de ces beaux chants s'évanouit aussitôt qu'ils se font entendre à la fois, et il ne reste que celui d'une suite d'accords qui, quoi qu'on puisse dire, est toujours froide quand la mélodie ne l'anime pas ; de sorte que plus on entasse des chants mal à propos, et moins la musique est agréable et chantante, parce qu'il est impossible à l'oreille de se prêter au même instant à plusieurs mélodies, et que l'une effaçant l'impression de l'autre, il ne résulte du tout que de la confusion et du bruit. Pour qu'une musique devienne intéressante, pour qu'elle porte à l'âme les sentiments qu'on y veut exciter, il faut que toutes les parties concourent à fortifier l'expression du sujet ; que l'harmonie ne serve qu'à le rendre plus énergique ; que l'accompagnement l'embellisse sans le couvrir ni le défigurer ; que la basse, par une marche uniforme et simple, guide en quelque sorte celui qui chante et celui qui écoute, sans que ni l'un ni l'autre s'en aperçoive ; il faut, en un mot, que le tout ensemble ne porte à la fois qu'une mélodie à l'oreille et qu'une idée à l'esprit.

Cette unité de mélodie me paraît une règle indispensable et non moins importante en musique que l'unité d'action dans une tragédie ; car elle est fondée sur le même principe et dirigée vers le même objet. Aussi tous les bons compositeurs italiens s'y conforment-ils avec un soin qui dégénère quelquefois en affectation ; et pour peu qu'on y réfléchisse, on sent bientôt que c'est d'elle que leur musique tire son principal effet. C'est dans cette grande règle qu'il faut chercher la cause des fréquents accompagnements à l'unisson qu'on remarque dans la musique italienne et qui, fortifiant l'idée du chant, en rendent en même temps les sons plus moelleux, plus doux et moins fatigants pour la voix. Ces unissons ne sont point praticables dans notre musique, si ce n'est sur quelques caractères d'airs choisis et tournés exprès pour cela ; jamais un air pathétique français ne serait supportable accompagné de cette manière, parce que la musique vocale et l'instrumentale ayant parmi nous des caractères différents, on ne peut, sans pécher contre la mélodie et le goût, appliquer à l'une les mêmes tours qui conviennent à l'autre, sans compter que la mesure étant toujours vague et indéterminée, surtout dans les airs lents, les instruments et la voix ne pourraient jamais s'accorder, et ne marcheraient point assez de concert pour produire ensemble un effet agréable. Une beauté qui résulte encore de ces unissons, c'est de donner une expression plus sensible à la mélodie, tantôt en renforçant tout d'un coup les instruments sur un passage, tantôt en les radoucissant, tantôt en leur donnant un trait de chant énergique et saillant que la voix n'aurait pu faire et que l'auditeur, adroitement trompé, ne laisse pas de lui attribuer quand l'orchestre sait le faire sortir à propos. De là naît encore cette parfaite correspondance de la symphonie et du chant, qui fait que tous les traits qu'on admire dans l'une ne sont que des développements de l'autre, de sorte que c'est toujours dans la partie vocale qu'il faut chercher la source de toutes les beautés de l'accompagnement. Cet accompagnement est si bien un avec le chant, et si exactement relatif aux paroles, qu'il semble souvent déterminer le jeu et dicter à l'acteur le geste qu'il doit faire*, et tel qui n'aurait pu jouer le rôle sur les paroles seules le jouera très juste sur la musique, parce qu'elle fait bien sa fonction d'interprète.

Au reste, il s'en faut beaucoup que les accompagnements italiens soient toujours à l'unisson de la voix. Il y a deux cas assez fréquents où le musicien les en sépare : l'un quand la voix, roulant avec légèreté sur des cordes d'harmonie, fixe assez l'attention pour que l'accompagnement ne puisse la partager, encore alors donne-t-on tant de simplicité à cet accompagnement que l'oreille, affectée seulement d'accords agréables, n'y sent aucun chant qui puisse la distraire. L'autre cas demande un peu plus de soin pour le faire entendre.

* On en trouve des exemples fréquents dans les intermèdes qui nous ont été donnés cette année, entre autres dans l'air *A un gusto da stordire*, du *Maître de musique* ; dans celui de *Son padrone*, de *La Femme orgueilleuse*, dans celui *Vi sto ben*, du *Tracollo*, dans celui *Tu non pensi, no, signora*, de *La Bohémienne*, et dans presque tous ceux qui demandent du jeu.

« Quand le musicien saura son art, dit l'auteur de la
Lettre sur les sourds et les muets, les parties d'accompagnement concourront ou à fortifier l'expression de la
partie chantante, ou à ajouter de nouvelles idées que
le sujet demandait, et que la partie chantante n'aura
pu rendre. » Ce passage me paraît renfermer un pré-
cepte très utile, et voici comment je pense qu'on doit
l'entendre.

Si le chant est de nature à exiger quelques additions, ou, comme disaient nos anciens musiciens,
quelques *diminutions** qui ajoutent à l'expression ou à
l'agrément sans détruire en cela l'unité de mélodie, de
sorte que l'oreille, qui blâmerait peut-être ces additions faites par la voix, les approuve dans l'accompagnement et s'en laisse doucement affecter sans cesser
pour cela d'être attentive au chant, alors l'habile musicien, en les ménageant à propos et les employant avec
goût, embellira son sujet et le rendra plus expressif
sans le rendre moins un ; et quoique l'accompagnement n'y soit pas exactement semblable à la partie
chantante, l'un et l'autre ne feront pourtant qu'un
chant et qu'une mélodie. Que si le sens des paroles
comporte une idée accessoire que le chant n'aura pas
pu rendre, le musicien l'enchâssera dans des silences
ou dans des tenues, de manière qu'il puisse la présenter à l'auditeur sans le détourner de celle du chant.
L'avantage serait encore plus grand si cette idée accessoire pouvait être rendue par un accompagnement
contraint et continu, qui fît plutôt un léger murmure
qu'un véritable chant, comme serait le bruit d'une
rivière ou le gazouillement des oiseaux : car alors le
compositeur pourrait séparer tout à fait le chant de
l'accompagnement ; et, destinant uniquement ce dernier à rendre l'idée accessoire, il disposera son chant
de manière à donner des jours fréquents à l'orchestre,
en observant avec soin que la symphonie soit toujours
dominée par la partie chantante, ce qui dépend encore

---

* On trouvera le mot « Diminution » dans le quatrième volume
de l'*Encyclopédie*.

plus de l'art du compositeur que de l'exécution des instruments : mais ceci demande une expérience consommée, pour éviter la duplicité de mélodie.

Voilà tout ce que la règle de l'unité peut accorder au goût du musicien pour parer le chant ou le rendre plus expressif, soit en embellissant le sujet principal, soit en y en ajoutant un autre qui lui reste assujetti. Mais de faire chanter à part des violons d'un côté, de l'autre des flûtes, de l'autre des bassons, chacun sur un dessin particulier et presque sans rapport entre eux, et d'appeler tout ce chaos de la musique, c'est insulter également l'oreille et le jugement des auditeurs.

Une autre chose qui n'est pas moins contraire que la multiplication des parties à la règle que je viens d'établir, c'est l'abus ou plutôt l'usage des fugues, imitations, doubles dessins et autres beautés arbitraires et de pure convention, qui n'ont presque de mérite que la difficulté vaincue, et qui toutes ont été inventées dans la naissance de l'art pour faire briller le savoir, en attendant qu'il fût question du génie. Je ne dis pas qu'il soit tout à fait impossible de conserver l'unité de mélodie dans une fugue, en conduisant habilement l'attention de l'auditeur d'une partie à l'autre à mesure que le sujet y passe ; mais ce travail est si pénible que presque personne n'y réussit, et si ingrat qu'à peine le succès peut-il dédommager de la fatigue d'un tel ouvrage. Tout cela n'aboutissant qu'à faire du bruit, ainsi que la plupart de nos chœurs si admirés*, est également indigne d'occuper la plume d'un homme de génie et l'attention d'un homme de

* Les Italiens ne sont pas eux-mêmes tout à fait revenus de ce préjugé barbare. Ils se piquent encore d'avoir dans leurs églises de la musique bruyante ; ils ont souvent des messes et des motets à quatre chœurs, chacun sur un dessin différent ; mais les grands maîtres ne font que rire de tout ce fatras. Je me souviens que Terradeglias, me parlant de plusieurs motets de sa composition, où il avait mis les chœurs, travaillés avec un grand soin, était honteux d'en avoir fait de si beaux, et s'en excusait sur sa jeunesse ; autrefois, disait-il, j'aimais à faire du bruit, à présent je tâche de faire de la musique.

goût. A l'égard des contre-fugues, doubles fugues, fugues renversées, basses contraintes, et autres sottises difficiles que l'oreille ne peut souffrir et que la raison ne peut justifier, ce sont évidemment des restes de barbarie et de mauvais goût qui ne subsistent, comme les portails de nos églises gothiques, que pour la honte de ceux qui ont eu la patience de les faire.

Il a été un temps où l'Italie était barbare, et même après la renaissance des autres arts que l'Europe lui doit tous, la musique plus tardive n'y a point pris aisément cette pureté de goût qu'on y voit briller aujourd'hui, et l'on ne peut guère donner une plus mauvaise idée de ce qu'elle était alors qu'en remarquant qu'il n'y a eu pendant longtemps qu'une même musique en France et en Italie*, et que les musiciens des deux contrées communiquaient familièrement entre eux, non pourtant sans qu'on pût remarquer déjà dans les nôtres le germe de cette jalousie qui est inséparable de l'infériorité. Lully même, alarmé de l'arrivée de Corelli, se hâta de le faire chasser de France ; ce qui lui fut d'autant plus aisé que Corelli était plus grand homme, et par conséquent moins courtisan que lui. Dans ces temps où la musique naissait à peine, elle avait en Italie cette ridicule emphase de science harmonique, ces pédantesques prétentions de doctrine qu'elle a chèrement conservées parmi nous, et par lesquelles on distingue aujourd'hui cette musique méthodique, compassée, mais sans génie, sans invention et sans goût, qu'on appelle à Paris *musique écrite* par excel-

* L'abbé du Bos se tourmente beaucoup pour faire honneur aux Pays-Bas du renouvellement de la musique, et cela pourrait s'admettre si l'on donnait le nom de *musique* à un continuel remplissage d'accords ; mais si l'harmonie n'est que la base commune et que la mélodie seule constitue le caractère, non seulement la musique moderne est née en Italie, mais il y a quelque apparence que, dans toutes nos langues vivantes, la musique italienne est la seule qui puisse réellement exister. Du temps d'Orlande et de Goudimel, on faisait de l'harmonie et des sons ; Lully y a joint un peu de cadence ; Corelli, Buononcini, Vinci et Pergolèse sont les premiers qui aient fait de la musique.

lence et qui tout au plus n'est bonne, en effet, qu'à écrire et jamais à exécuter.

Depuis même que les Italiens ont rendu l'harmonie plus pure, plus simple et donné tous leurs soins à la perfection de la mélodie, je ne nie pas qu'il ne soit encore demeuré parmi eux quelques légères traces des fugues et dessins gothiques, et quelquefois de doubles et triples mélodies. C'est de quoi je pourrais citer plusieurs exemples dans les intermèdes qui nous sont connus, et entre autres le mauvais quatuor qui est à la fin de *La Femme orgueilleuse*. Mais, outre que ces choses sortent du caractère établi, outre qu'on ne trouve jamais rien de semblable dans les tragédies, et qu'il n'est pas plus juste de juger de l'opéra italien sur ces farces que de juger notre théâtre français sur *L'Impromptu de campagne* ou *Le Baron de la Crasse*, il faut aussi rendre justice à l'art avec lequel les compositeurs ont souvent évité, dans ces intermèdes, les pièges qui leur étaient tendus par les poètes, et ont fait tourner au profit de la règle des situations qui semblaient les forcer à l'enfreindre.

De toutes les parties de la musique, la plus difficile à traiter sans sortir de l'unité de mélodie est le duo, et cet article mérite de nous arrêter un moment. L'auteur de la *Lettre sur Omphale* a déjà remarqué que les duos sont hors de la nature ; car rien n'est moins naturel que de voir deux personnes se parler à la fois durant un certain temps, soit pour dire la même chose, soit pour se contredire, sans jamais s'écouter ni se répondre. Et quand cette supposition pourrait s'admettre en certain cas, il est bien certain que ce ne serait jamais dans la tragédie, où cette indécence n'est convenable ni à la dignité des personnages qu'on y fait parler, ni à l'éducation qu'on leur suppose. Or, le meilleur moyen de sauver cette absurdité c'est de traiter le plus qu'il est possible le duo en dialogue, et ce premier soin regarde le poète ; ce qui regarde le musicien c'est de trouver un chant convenable au sujet et distribué de telle sorte que, chacun des interlocuteurs parlant alternativement, toute la suite du

dialogue ne forme qu'une mélodie qui, sans changer
de sujet, ou du moins sans altérer le mouvement,
passe dans son progrès d'une partie à l'autre sans
cesser d'être une et sans enjamber. Quand on joint
ensemble les deux parties, ce qui doit se faire rarement et durer peu, il faut trouver un chant susceptible
d'une marche par tierces ou par sixtes dans lequel la
seconde partie fasse son effet sans distraire l'oreille de
la première. Il faut garder la dureté des dissonances,
les sons perçants et renforcés, le *fortissimo* de l'orchestre pour des instants de désordre et de transport
où les acteurs, semblant s'oublier eux-mêmes, portent
leur égarement dans l'âme de tout spectateur sensible,
et lui font éprouver le pouvoir de l'harmonie sobre-
ment ménagée. Mais ces instants doivent être rares et
amenés avec art. Il faut, par une musique douce et
affectueuse, avoir déjà disposé l'oreille et le cœur à
l'émotion pour que l'un et l'autre se prêtent à ces
ébranlements violents, et il faut qu'ils passent avec la
rapidité qui convient à notre faiblesse ; car quand
l'agitation est trop forte elle ne saurait durer, et tout
ce qui est au-delà de la nature ne touche plus.

En disant ce que les duo doivent être, j'ai dit précisément ce qu'ils sont dans les opéras italiens. Si
quelqu'un a pu entendre sur un théâtre d'Italie un
duo tragique chanté par deux bons acteurs et
accompagné par un véritable orchestre sans en être
attendri ; s'il a pu d'un œil sec assister aux adieux de
Mandane et d'Arbace, je le tiens digne de pleurer à
ceux de Libye et d'Épaphus.

Mais sans insister sur les duos tragiques, genre de
musique dont on n'a pas même l'idée à Paris, je puis
vous citer un duo comique qui est connu de tout le
monde, et je le citerai hardiment comme un modèle
de chant, d'unité de mélodie, de dialogue et de goût,
auquel, selon moi, rien ne manquera quand il sera
bien exécuté que des auditeurs qui sachent l'entendre : c'est celui du premier acte de la *Serva
Padrona, Lo conosco a quegl' occhietti*, etc. J'avoue que
peu de musiciens français sont en état d'en sentir les

beautés, et je dirais volontiers du Pergolèse, comme Cicéron disoit d'Homère, que c'est avoir déjà fait beaucoup de progrès dans l'art que de se plaire à sa lecture.

J'espère, Monsieur, que vous me pardonnerez la longueur de cet article en faveur de sa nouveauté et de l'importance de son objet. J'ai cru devoir m'étendre un peu sur une règle aussi essentielle que celle de l'unité de mélodie ; règle dont aucun théoricien, que je sache, n'a parlé jusqu'à ce jour, que les compositeurs italiens ont seuls sentie et pratiquée, sans se douter peut-être de son existence, et de laquelle dépendent la douceur du chant, la force de l'expression et presque tout le charme de la bonne musique. Avant que de quitter ce sujet, il me reste à vous montrer qu'il en résulte de nouveaux avantages pour l'harmonie même, aux dépens de laquelle je semblais accorder tout l'avantage à la mélodie, et que l'expression du chant donne lieu à celle des accords en forçant le compositeur à les ménager.

Vous ressouvenez-vous, monsieur, d'avoir entendu quelquefois, dans les intermèdes qu'on nous a donnés cette année, le fils de l'entrepreneur italien, jeune enfant de dix ans au plus, accompagner quelquefois à l'Opéra ? Nous fûmes frappés, dès le premier jour, de l'effet que produisait sous ses petits doigts l'accompagnement du clavecin ; et tout le spectacle s'aperçut à son jeu précis et brillant que ce n'était pas l'accompagnateur ordinaire. Je cherchai aussitôt les raisons de cette différence, car je ne doutais pas que le sieur Noblet ne fût bon harmoniste et n'accompagnât très exactement ; mais quelle fut ma surprise, en observant les mains du petit bonhomme, de voir qu'il ne remplissait presque jamais les accords, qu'il supprimait beaucoup de sons et n'employait très souvent que deux doigts, dont l'un sonnait presque toujours l'octave de la basse ! Quoi ! disais-je en moi-même, l'harmonie complète fait moins d'effet que l'harmonie mutilée, et nos accompagnateurs, en rendant tous les accords pleins, ne font qu'un bruit confus, tandis que celui-ci avec moins de sons fait plus d'harmonie, ou du moins rend son accompagnement plus sensible et plus agréable ! Ceci fut pour moi un problème inquiétant, et j'en compris encore mieux toute l'importance quand, après d'autres observations, je vis que les Italiens accompagnaient tous de la même manière que le petit bambin, et que, par conséquent, cette épargne dans leur accompagnement devait tenir au même principe que celle qu'ils affectent dans leurs partitions.

Je comprenais bien que la basse, étant le fondement de toute l'harmonie, doit toujours dominer sur le reste, et que quand les autres parties l'étouffent ou la couvrent, il en résulte une confusion qui peut rendre l'harmonie plus sourde ; et je m'expliquais ainsi pourquoi les Italiens, si économes de leur main droite dans l'accompagnement, redoublent ordinairement à la gauche l'octave de la basse, pourquoi ils mettent tant de contre-basses dans leurs orchestres, et pourquoi ils font si souvent marcher leurs quintes* avec la basse, au lieu de leur donner une autre partie, comme les Français ne manquent jamais de faire. Mais ceci, qui pouvait rendre raison de la netteté des accords, n'en rendait pas de leur énergie, et je vis bientôt qu'il devait y avoir quelque principe plus caché et plus fin de l'expression que je remarquais dans la simplicité de l'harmonie italienne, tandis que je trouvais la nôtre si composée, si froide et si languissante.

Je me souvins alors d'avoir lu dans quelque ouvrage de M. Rameau que chaque consonance a son caractère particulier, c'est-à-dire une manière d'affecter l'âme qui lui est propre ; que l'effet de la tierce n'est point le même que celui de la quinte, ni l'effet de la quarte le même que celui de la sixte. De même les tierces et les sixtes mineures doivent produire des

---

* On peut remarquer à l'orchestre de notre Opéra que, dans la musique italienne, les quintes ne jouent presque jamais leur partie quand elle est à l'octave de la basse ; peut-être ne daigne-t-on pas même la copier en pareil cas. Ceux qui conduisent l'orchestre ignoreraient-ils que ce défaut de liaison entre la basse et le dessus rend l'harmonie trop sèche ?

affections différentes de celles que produisent les tierces et les sixtes majeures ; et ces faits une fois accordés, il s'ensuit assez évidemment que les dissonances et tous les intervalles possibles seront aussi dans le même cas. Expérience que la raison confirme, puisque toutes les fois que les rapports sont différents, l'impression ne saurait être la même.

Or, me disais-je à moi-même en raisonnant d'après cette supposition, je vois clairement que deux consonances ajoutées l'une à l'autre mal à propos, quoique selon les règles des accords, pourront, même en augmentant l'harmonie, affaiblir mutuellement leur effet, le combattre ou le partager. Si tout l'effet d'une quinte m'est nécessaire pour l'expression dont j'ai besoin, je peux risquer d'affaiblir cette expression par un troisième son qui, divisant cette quinte en deux autres intervalles, en modifiera nécessairement l'effet par celui des deux tierces dans lesquelles je la résous ; et ces tierces mêmes, quoique le tout ensemble fasse une fort bonne harmonie, étant de différente espèce, peuvent encore nuire mutuellement à l'impression l'une de l'autre. De même si l'impression simultanée de la quinte et des deux tierces m'était nécessaire, j'affaiblirais et j'altérerais mal à propos cette impression en retranchant un des trois sons qui en forment l'accord. Ce raisonnement devient encore plus sensible appliqué à la dissonance. Supposons que j'aie besoin de toute la dureté du triton, ou de toute la fadeur de la fausse quinte ; opposition, pour le dire en passant, qui prouve combien les divers renversements des accords en peuvent changer l'effet ; si, dans une telle circonstance, au lieu de porter à l'oreille les deux uniques sons qui forment la dissonance, je m'avise de remplir l'accord de tous ceux qui lui conviennent, alors j'ajoute au triton la seconde et la sixte, et à la fausse quinte la sixte et la tierce, c'est-à-dire qu'introduisant dans chacun de ces accords une nouvelle dissonance, j'y introduis en même temps trois consonances qui doivent nécessairement en tempérer et affaiblir l'effet, en rendant un de ces accords moins fade et l'autre moins dur. C'est donc un principe certain et fondé dans la nature, que toute musique où l'harmonie est scrupuleusement remplie, tout accompagnement où tous les accords sont complets, doit faire beaucoup de bruit, mais avoir très peu d'expression : ce qui est précisément le caractère de la musique française. Il est vrai qu'en ménageant les accords et les parties, le choix devient difficile et demande beaucoup d'expérience et de goût pour le faire toujours à propos : mais s'il y a une règle pour aider au compositeur à se bien conduire en pareille occasion, c'est certainement celle de l'unité de mélodie que j'ai tâché d'établir, ce qui se rapporte au caractère de la musique italienne, et rend raison de la douceur du chant jointe à la force d'expression qui y règne.

Il suit de tout ceci qu'après avoir bien étudié les règles élémentaires de l'harmonie, le musicien ne doit point se hâter de la prodiguer inconsidérément, ni se croire en état de composer parce qu'il sait remplir des accords, mais qu'il doit, avant que de mettre la main à l'œuvre, s'appliquer à l'étude beaucoup plus longue et plus difficile des impressions diverses que les consonances, les dissonances et tous les accords font sur les oreilles sensibles, et se dire souvent à lui-même que le grand art du compositeur ne consiste pas moins à savoir discerner dans l'occasion les sons qu'on doit supprimer, que ceux dont il faut faire usage. C'est en étudiant et feuilletant sans cesse les chefs-d'œuvre de l'Italie qu'il apprendra à faire ce choix exquis, si la nature lui a donné assez de génie et de goût pour en sentir la nécessité ; car les difficultés de l'art ne se laissent apercevoir qu'à ceux qui sont faits pour les vaincre : et ceux-là ne s'aviseront pas de compter avec mépris les portées vides d'une partition, mais, voyant la facilité qu'un écolier aurait eue à les remplir, ils soupçonneront et chercheront les raisons de cette simplicité trompeuse, d'autant plus admirable qu'elle cache des prodiges sous une feinte négligence, et que l'*arte che tutto fa nulla si scopre*[101].

Voilà, à ce qu'il me semble, la cause des effets surprenants que produit l'harmonie de la musique italienne, quoique beaucoup moins chargée que la nôtre, qui en produit si peu. Ce qui ne signifie pas qu'il ne faille jamais remplir l'harmonie, mais qu'il ne faut la remplir qu'avec choix et discernement. Ce n'est pas non plus à dire que pour ce choix le musicien soit obligé de faire tous ces raisonnements, mais qu'il en doit sentir le résultat. C'est à lui d'avoir du génie et du goût pour trouver les choses d'effet ; c'est au théoricien à en chercher les causes, et à dire pourquoi ce sont des choses d'effet.

Si vous jetez les yeux sur nos compositions modernes, surtout si vous les écoutez, vous reconnaîtrez bientôt que nos musiciens ont si mal compris tout ceci que, s'efforçant d'arriver au même but, ils ont directement suivi la route opposée ; et, s'il m'est permis de vous dire naturellement ma pensée, je trouve que plus notre musique se perfectionne en apparence, et plus elle se gâte en effet. Il était peut-être nécessaire qu'elle vînt au point où elle est pour accoutumer insensiblement nos oreilles à rejeter les préjugés de l'habitude et à goûter d'autres airs que ceux dont nos nourrices nous ont endormis ; mais je prévois que pour la porter au très médiocre degré de bonté dont elle est susceptible, il faudra tôt ou tard commencer par redescendre ou remonter au point où Lully l'avait mise. Convenons que l'harmonie de ce célèbre musicien est plus pure et moins renversée, que ses basses sont plus naturelles et marchent plus rondement, que son chant est mieux suivi, que ses accompagnements, moins chargés, naissent mieux du sujet et en sortent moins, que son récitatif est beaucoup moins maniéré et par conséquent beaucoup meilleur que le nôtre ; ce qui se confirme par le goût de l'exécution, car l'ancien récitatif était rendu par les acteurs de ce temps-là tout autrement que nous ne faisons aujourd'hui ; il était plus vif et moins traînant,

on le chantait moins, et on le déclamait davantage*.
Les cadences, les ports-de-voix se sont multipliés dans
le nôtre ; et il est devenu encore plus languissant, et
l'on n'y trouve presque plus rien qui le distingue de ce
qu'il nous plaît d'appeler *air*.

Puisqu'il est question d'airs et de récitatifs, vous
voulez bien, monsieur, que je termine cette Lettre par
quelques observations sur l'un et sur l'autre, qui
deviendront peut-être des éclaircissements utiles à la
solution du problème dont il s'agit.

On peut juger de l'idée de nos musiciens sur la
constitution d'un opéra par la singularité de leur
nomenclature. Ces grands morceaux de musique italienne qui ravissent, ces chefs-d'œuvre de génie qui
arrachent des larmes, qui offrent les tableaux les plus
frappants, qui peignent les situations les plus vives et
portent dans l'âme toutes les passions qu'ils expriment, les Français les appellent des *ariettes*. Ils donnent le nom d'*airs* à ces insipides chansonnettes dont
ils entremêlent les scènes de leurs opéras, et réservent
celui de monologues par excellence à ces traînantes et
ennuyeuses lamentations à qui il ne manque pour
assoupir tout le monde que d'être chantées juste et
sans cris.

Dans les opéras italiens tous les airs sont en situation et font partie des scènes. Tantôt c'est un père
désespéré qui croit voir l'ombre d'un fils qu'il a fait
mourir injustement lui reprocher sa cruauté ; tantôt
c'est un prince débonnaire qui, forcé de donner un
exemple de sévérité, demande aux dieux de lui ôter
l'empire, ou de lui donner un cœur moins sensible. Ici
c'est une mère tendre qui verse des larmes en retrouvant son fils qu'elle croyait mort. Là c'est le langage
de l'amour, non rempli de ce fade et puéril galimatias
de *flammes* et de *chaînes*, mais tragique, vif, bouillant,

---

* Cela se prouve par la durée des opéras de Lully, beaucoup plus
grande aujourd'hui que de son temps, selon le rapport unanime de
tous ceux qui les ont vus anciennement. Aussi toutes les fois qu'on
redonne ces opéras est-on obligé d'y faire des retranchements consi-
dérables.

entrecoupé, et tel qu'il convient aux passions impétueuses. C'est sur de telles paroles qu'il sied bien de déployer toutes les richesses d'une musique pleine de force et d'expression, et de renchérir sur l'énergie de la poésie par celle de l'harmonie et du chant. Au contraire, les paroles de nos ariettes, toujours détachées du sujet, ne sont qu'un misérable jargon emmiellé qu'on est trop heureux de ne pas entendre ; c'est une collection faite au hasard du très petit nombre de mots sonores que notre langue peut fournir, tournés et retournés de toutes les manières, excepté de celle qui pourrait leur donner du sens. C'est sur ces impertinents amphigouris que nos musiciens épuisent leur goût et leur savoir, et nos acteurs leurs gestes et leurs poumons ; c'est à ces morceaux extravagants que nos femmes se pâment d'admiration ; et la preuve la plus marquée que la musique française ne sait ni peindre ni parler, c'est qu'elle ne peut développer le peu de beautés dont elle est susceptible que sur des paroles qui ne signifient rien. Cependant, à entendre les Français parler de musique, on croirait que c'est dans leurs opéras qu'elle peint de grands tableaux et de grandes passions, et qu'on ne trouve que des ariettes dans les opéras italiens, où le nom même d'ariette et la ridicule chose qu'il exprime sont également inconnus. Il ne faut pas être surpris de la grossièreté de ces préjugés : la musique italienne n'a d'ennemis, même parmi nous, que ceux qui n'y connaissent rien ; et tous les Français qui ont tenté de l'étudier dans le seul dessein de la critiquer en connaissance de cause ont bientôt été ses plus zélés admirateurs*.

Après les ariettes, qui font à Paris le triomphe du goût moderne, viennent les fameux monologues qu'on admire dans nos anciens opéras : sur quoi l'on doit remarquer que nos plus beaux airs sont toujours dans

---

* C'est un préjugé peu favorable à la musique française que ceux qui la méprisent le plus soient précisément ceux qui la connaissent le mieux, car elle est aussi ridicule quand on l'examine qu'insupportable quand on l'écoute.

les monologues et jamais dans les scènes, parce que
nos acteurs n'ayant aucun jeu muet, et la musique
n'indiquant aucun geste et ne peignant aucune situation, celui qui garde le silence ne sait que faire de sa
personne pendant que l'autre chante.

Le caractère traînant de la langue, le peu de flexibilité de nos voix, et le ton lamentable qui règne per-
pétuellement dans notre opéra mettent presque tous
les monologues français sur un mouvement lent, et
comme la mesure ne s'y fait sentir ni dans le chant, ni
dans la basse, ni dans l'accompagnement, rien n'est si
traînant, si lâche, si languissant que ces beaux monologues que tout le monde admire en bâillant : ils voudraient être tristes et ne sont qu'ennuyeux ; ils voudraient toucher le cœur et ne font qu'affliger les
oreilles.

Les Italiens sont plus adroits dans leurs *adagio* ; car
lorsque le chant est si lent qu'il serait à craindre qu'il
ne laissât affaiblir l'idée de la mesure, ils font marcher
la basse par notes égales qui marquent le mouvement,
et l'accompagnement le marque aussi par des subdi-
visions de notes qui, soutenant la voix et l'oreille en
mesure, ne rendent le chant que plus agréable et surtout plus énergique par cette précision. Mais la nature
du chant français interdit cette ressource à nos
compositeurs ; car dès que l'acteur serait forcé d'aller
en mesure, il ne pourrait plus développer sa voix ni
son jeu, traîner son chant, renfler, prolonger ses sons,
ni crier à pleine tête, et par conséquent il ne serait plus
applaudi.

Mais ce qui prévient encore plus efficacement la
monotonie et l'ennui dans les tragédies italiennes,
c'est l'avantage de pouvoir exprimer tous les sentiments et peindre tous les caractères avec telle mesure
et tel mouvement qu'il plaît au compositeur. Notre
mélodie, qui ne dit rien par elle-même, tire toute son
expression du mouvement qu'on lui donne ; elle est
forcément triste sur une mesure lente, furieuse ou
gaie sur un mouvement vif, grave sur un mouvement
modéré ; le chant n'y fait presque rien, la mesure

seule, ou pour parler plus juste, le seul degré de vitesse détermine le caractère. Mais la mélodie italienne trouve dans chaque mouvement des expressions pour tous les caractères, des tableaux pour tous les objets. Elle est, quand il plaît au musicien, triste sur un mouvement vif, gaie sur un mouvement lent et, comme je l'ai déjà dit, elle change sur le même mouvement de caractère au gré du compositeur ; ce qui lui donne la facilité des contrastes, sans dépendre en cela du poète, et sans s'exposer à des contresens.

Voilà la source de cette prodigieuse variété que les grands maîtres d'Italie savent répandre dans leurs opéras sans jamais sortir de la nature : variété qui prévient la monotonie, la langueur et l'ennui, et que les musiciens français ne peuvent imiter, parce que leurs mouvements sont donnés par le sens des paroles, et qu'ils sont forcés de s'y tenir s'ils ne veulent tomber dans des contresens ridicules.

A l'égard du récitatif, dont il me reste à parler, il me semble que, pour en bien juger, il faudrait une fois savoir précisément ce que c'est ; car jusqu'ici je ne sache pas que, de tous ceux qui en ont disputé, personne se soit avisé de le définir. Je ne sais, Monsieur, quelle idée vous pouvez avoir de ce mot ; quant à moi, j'appelle récitatif une déclamation harmonieuse, c'est-à-dire une déclamation dont toutes les inflexions se font par intervalles harmoniques. D'où il suit que, comme chaque langue a une déclamation qui lui est propre, chaque langue doit aussi avoir son récitatif particulier ; ce qui n'empêche pas qu'on ne puisse très bien comparer un récitatif à un autre pour savoir lequel des deux est le meilleur, ou celui qui se rapporte le mieux à son objet.

Le récitatif est nécessaire dans les drames lyriques, 1⁰ pour lier l'action et rendre le spectacle un ; 2⁰ pour faire valoir les airs dont la continuité deviendrait insupportable ; 3⁰ pour exprimer une multitude de choses qui ne peuvent ou ne doivent point être exprimées par la musique chantante et cadencée. La simple déclamation ne pouvait convenir à tout cela dans un ouvrage lyrique, parce que la transition de la parole au chant, et surtout du chant à la parole, a une dureté à laquelle l'oreille se prête difficilement, et forme un contraste choquant qui détruit toute l'illusion et par conséquent l'intérêt ; car il y a une sorte de vraisemblance qu'il faut conserver, même à l'Opéra, en rendant le discours tellement uniforme que le tout puisse être pris au moins pour une langue hypothétique. Joignez à cela que le secours des accords augmente l'énergie de la déclamation harmonieuse et dédommage avantageusement de ce qu'elle a de moins naturel dans les intonations.

Il est évident, d'après ces idées, que le meilleur récitatif, dans quelque langue que ce soit, si elle a d'ailleurs les conditions nécessaires, est celui qui approche le plus de la parole ; s'il y en avait un qui en approchât tellement, en conservant l'harmonie qui lui convient, que l'oreille ou l'esprit pût s'y tromper, on devrait prononcer hardiment que celui-là aurait atteint toute la perfection dont aucun récitatif puisse être susceptible.

Examinons maintenant sur cette règle ce qu'on appelle en France *récitatif* et dites-moi, je vous prie, quel rapport vous pouvez trouver entre ce récitatif et notre déclamation. Comment concevrez-vous jamais que la langue française, dont l'accent est si uni, si simple, si modeste, si peu chantant, soit bien rendue par les bruyantes et criardes intonations de ce récitatif, et qu'il y ait quelque rapport entre les douces inflexions de la parole et ces sons soutenus et renflés, ou plutôt ces cris éternels qui font le tissu de cette partie de notre musique encore plus même que des airs ? Faites, par exemple, réciter à quelqu'un qui sache lire les quatre premiers vers de la fameuse reconnaissance d'Iphigénie. A peine reconnaîtrez-vous quelques légères inégalités, quelques faibles inflexions de voix dans un récit tranquille qui n'a rien de vif ni de passionné, rien qui doive engager celle qui le fait à élever ou à baisser la voix. Faites ensuite réciter par une de nos actrices ces mêmes vers sur la note du musicien et tâchez, si vous le pouvez, de supporter cette extravagante criaillerie qui passe à chaque instant de bas en haut et de haut en bas, parcourt sans sujet toute l'étendue de la voix et suspend le récit hors de propos pour *filer de beaux sons* sur des syllabes qui ne signifient rien et qui ne forment aucun repos dans le sens !

Qu'on joigne à cela les fredons, les cadences, les ports-de-voix qui reviennent à chaque instant, et qu'on me dise quelle analogie il peut y avoir entre la parole et toute cette maussade pretintaille, entre la déclamation et ce prétendu récitatif. Qu'on me montre au moins quelque côté par lequel on puisse raisonnablement vanter ce merveilleux récitatif français dont l'invention fait la gloire de Lully.

C'est une chose assez plaisante que d'entendre les partisans de la musique française se retrancher dans le caractère de la langue, et rejeter sur elle des défauts dont ils n'osent accuser leur idole, tandis qu'il est de toute évidence que le meilleur récitatif qui peut convenir à la langue française doit être opposé presque en tout à celui qui y est en usage ; qu'il doit rouler entre de fort petits intervalles, n'élever ni n'abaisser beaucoup la voix ; peu de sons soutenus, jamais d'éclats, encore moins de cris, rien surtout qui ressemble au chant, peu d'inégalité dans la durée ou valeur des notes ainsi que dans leurs degrés. En un mot le vrai récitatif français, s'il peut y en avoir un, ne se trouvera que dans une route directement contraire à celle de Lully et de ses successeurs, dans quelque route nouvelle qu'assurément les compositeurs français, si fiers de leur faux savoir, et par conséquent si éloignés de sentir et d'aimer le véritable, ne s'aviseront pas de chercher si tôt et que probablement ils ne trouveront jamais.

Ce serait ici le lieu de vous montrer, par l'exemple du récitatif italien, que toutes les conditions que j'ai supposées dans un bon récitatif peuvent en effet s'y trouver ; qu'il peut avoir à la fois toute la vivacité de

la déclamation et toute l'énergie de l'harmonie ; qu'il
peut marcher aussi rapidement que la parole et être
aussi mélodieux qu'un véritable chant ; qu'il peut
marquer toutes les inflexions dont les passions les
plus véhémentes animent le discours, sans forcer la
voix du chanteur ni étourdir les oreilles de ceux qui
écoutent. Je pourrais vous montrer comment, à l'aide
d'une marche fondamentale particulière, on peut
multiplier les modulations du récitatif d'une manière
qui lui soit propre et qui contribue à le distinguer des
airs où, pour conserver les grâces de la mélodie, il
faut changer de ton moins fréquemment ; comment
surtout, quand on veut donner à la passion le temps
de déployer tous ses mouvements, on peut, à l'aide
d'une symphonie habilement ménagée, faire exprimer
à l'orchestre par des chants pathétiques et variés ce
que l'acteur ne doit que réciter : chef-d'œuvre de
l'art du musicien par lequel il sait, dans un récitatif
obligé*, joindre la mélodie la plus touchante à toute
la véhémence de la déclamation, sans jamais
confondre l'une avec l'autre ; je pourrais vous
déployer les beautés sans nombre de cet admirable
récitatif dont on fait en France tant de contes aussi
absurdes que les jugements qu'on s'y mêle d'en
porter, comme si quelqu'un pouvait prononcer sur
un récitatif sans connaître à fond la langue à laquelle
il est propre. Mais pour entrer dans ces détails, il
faudrait, pour ainsi dire, créer un nouveau dictionnaire, inventer à chaque instant des termes pour
offrir aux lecteurs français des idées inconnues parmi
eux, et leur tenir des discours qui leur paraîtraient du
galimatias. En un mot, pour en être compris, il faudrait leur parler un langage qu'ils entendissent, et par
conséquent de sciences et d'arts de tout genre,

---

   * J'avais espéré que le sieur Caffarelli nous donnerait, au Concert
Spirituel, quelque morceau de grand récitatif et de chant pathétique, pour faire entendre une fois aux prétendus connaisseurs ce
qu'ils jugent depuis si longtemps ; mais, sur ses raisons pour n'en
rien faire, j'ai trouvé qu'il connaissait encore mieux que moi la
portée de ses auditeurs.

excepté la seule musique. Je n'entrerai donc point sur cette matière dans un détail affecté qui ne servirait de rien pour l'instruction des lecteurs, et sur lequel ils pourraient présumer que je ne dois qu'à leur ignorance en cette partie la force apparente de mes preuves.

Par la même raison je ne tenterai pas non plus le parallèle qui a été proposé cet hiver, dans un écrit adressé au petit Prophète et à ses adversaires, de deux morceaux de musique, l'un italien et l'autre français, qui y sont indiqués. La scène italienne, confondue en Italie avec mille autres chefs-d'œuvre égaux ou supérieurs, étant peu connue à Paris, peu de gens pourraient suivre la comparaison, et il se trouverait que je n'aurais parlé que pour le petit nombre de ceux qui savaient déjà ce que j'avais à leur dire. Mais quant à la scène française, j'en crayonnerai volontiers l'analyse avec d'autant plus de plaisir, qu'étant le morceau consacré dans la nation par les plus unanimes suffrages, je n'aurai pas à craindre qu'on m'accuse d'avoir mis de la partialité dans le choix, ni d'avoir voulu soustraire mon jugement à celui des lecteurs par un sujet peu connu.

Au reste, comme je ne puis examiner ce morceau sans en adopter le genre, au moins par hypothèse, c'est rendre à la musique française tout l'avantage que la raison m'a forcé de lui ôter dans le cours de cette Lettre ; c'est la juger sur ses propres règles ; de sorte que, quand cette scène serait aussi parfaite qu'on le prétend, on n'en pourrait conclure autre chose, sinon que c'est de la musique française bien faite, ce qui n'empêcherait pas que le genre étant démontré mauvais, ce ne fût absolument de mauvaise musique. Il ne s'agit donc ici que de voir si l'on peut l'admettre pour bonne, au moins dans son genre.

Je vais pour cela tâcher d'analyser en peu de mots ce célèbre monologue d'Armide *Enfin il est en ma puissance,* qui passe pour un chef-d'œuvre de déclamation, et que les maîtres donnent eux-mêmes pour le modèle le plus parfait du vrai récitatif français.

Je remarque d'abord que M. Rameau l'a cité avec raison en exemple d'une modulation exacte et très bien liée : mais cet éloge, appliqué au morceau dont il s'agit, devient une véritable satire, et M. Rameau lui-même se serait bien gardé de mériter une semblable louange en pareil cas ; car que peut-on penser de plus mal conçu que cette régularité scolastique dans une scène où l'emportement, la tendresse et le contraste des passions opposées mettent l'actrice et les spectateurs dans la plus vive agitation ? Armide furieuse vient poignarder son ennemi. A son aspect, elle hésite, elle se laisse attendrir, le poignard lui tombe des mains ; elle oublie tous ses projets de vengeance, et n'oublie pas un seul instant sa modulation. Les réticences, les interruptions, les transitions intellectuelles que le poète offrait au musicien n'ont pas été une seule fois saisies par celui-ci. L'héroïne finit par adorer celui qu'elle voulait égorger au commencement ; le musicien finit en *E si mi*, comme il avait commencé, sans avoir jamais quitté les cordes les plus analogues au ton principal, sans avoir mis une seule fois dans la déclamation de l'actrice la moindre inflexion extraordinaire qui fît foi de l'agitation de son âme, sans avoir donné la moindre expression à l'harmonie : et je défie qui que ce soit d'assigner par la musique seule, soit dans le ton, soit dans la mélodie, soit dans la déclamation, soit dans l'accompagnement, aucune différence sensible entre le commencement et la fin de cette scène, par où le spectateur puisse juger du changement prodigieux qui s'est fait dans le cœur d'Armide.

Observez cette basse continue : que de croches, que de petites notes passagères pour courir après la succession harmonique ! Est-ce ainsi que marche la basse d'un bon récitatif, où l'on ne doit entendre que de grosses notes, de loin en loin, le plus rarement qu'il est possible, et seulement pour empêcher la voix du récitant et l'oreille du spectateur de s'égarer ?

Mais voyons comment sont rendus les beaux vers de ce monologue, qui peut passer en effet pour un chef-d'œuvre de poésie :

Enfin il est en ma puissance...

Voilà un *trille* * et, qui pis est, un repos absolu dès le premier vers, tandis que le sens n'est achevé qu'au second. J'avoue que le poète eût peut-être mieux fait d'omettre ce second vers, et de laisser aux spectateurs le plaisir d'en lire le sens dans l'âme de l'actrice, mais puisqu'il l'a employé, c'était au musicien de le rendre.

Ce fatal ennemi, ce superbe vainqueur !

Je pardonnerais peut-être au musicien d'avoir mis ce second vers dans un autre ton que le premier, s'il se permettait un peu plus d'en changer dans les occasions nécessaires.

Le charme du sommeil le livre à ma vengeance.

Les mots de *charme* et de *sommeil* ont été pour le musicien un piège inévitable ; il a oublié la fureur d'Armide, pour faire ici un petit somme dont il se réveillera au mot *percer*. Si vous croyez que c'est par hasard qu'il a employé des sons doux sur le premier hémistiche, vous n'avez qu'à écouter la basse : Lully n'étoit pas homme à employer de ces dièses pour rien.

Je vais percer son invincible cœur.

Que cette cadence finale est ridicule dans un mouvement aussi impétueux ! Que ce trille est froid et de mauvaise grâce ! Qu'il est mal placé sur une syllabe brève, dans un récitatif qui devrait voler et au milieu d'un transport violent !

Par lui tous mes captifs sont sortis d'esclavage :
Qu'il éprouve toute ma rage.

On voit qu'il y a ici une adroite réticence du poète. Armide, après avoir dit qu'elle va percer l'invincible cœur de Renaud, sent dans le sien les premiers mouvements de la pitié, ou plutôt de l'amour ; elle

---

* Je suis contraint de franciser ce mot, pour exprimer le battement de gosier que les Italiens appellent ainsi, parce que, me trouvant à chaque instant dans la nécessité de me servir du mot de *cadence* dans une autre acception, il ne m'était pas possible d'éviter autrement des équivoques continuelles.

cherche des raisons pour se raffermir, et cette transition intellectuelle amène fort bien ces deux vers, qui
sans cela se lieraient mal avec les précédents
et deviendraient une répétition tout à fait superflue
de ce qui n'est ignoré ni de l'actrice ni des spectateurs.

Voyons maintenant comment le musicien a exprimé
cette marche secrète du cœur d'Armide. Il a bien vu
qu'il fallait mettre un intervalle entre ces deux vers et les
précédents, et il a fait un silence qu'il n'a rempli de rien,
dans un moment où Armide avait tant de choses à
sentir, et par conséquent l'orchestre à exprimer. Après
cette pause, il recommence exactement dans le même
ton, sur le même accord, sur la même note par où il
vient de finir, passe successivement par tous les sons de
l'accord durant une mesure entière, et quitte enfin avec
peine, et dans un moment où cela n'est plus nécessaire,
le ton autour duquel il vient de tourner si mal à propos.

    Quel trouble me saisit ? Qui me fait hésiter ?

Autre silence, et puis c'est tout. Ce vers est dans le
même ton, presque dans le même accord que le précédent. Pas une altération qui puisse indiquer le changement prodigieux qui se fait dans l'âme et dans les
discours d'Armide. La tonique, il est vrai, devient
dominante pour un mouvement de basse. Eh dieux ! il
est bien question de tonique et de dominante dans un
instant où toute liaison harmonique doit être inter-
rompue, où tout doit peindre le désordre et l'agitation ! D'ailleurs, une légère altération qui n'est que
dans la basse peut donner plus d'énergie aux
inflexions de la voix, mais jamais y suppléer. Dans ce
vers, le cœur, les yeux, le visage, le geste d'Armide,
tout est changé, hormis sa voix : elle parle plus bas,
mais elle garde le même ton.

    Qu'est-ce qu'en sa faveur la pitié me veut dire ?
    Frappons.

Comme ce vers peut être pris en deux sens différents, je ne veux pas chicaner Lully pour n'avoir pas

préféré celui que j'aurais choisi. Cependant il est incomparablement plus vif, plus animé, et fait mieux valoir ce qui suit. Armide, comme Lully la fait parler, continue à s'attendrir en s'en demandant la cause à elle-même :

Qu'est-ce qu'en sa faveur la pitié me veut dire ?

Puis tout d'un coup elle revient à sa fureur par ce seul mot :

Frappons.

Armide indignée, comme je la conçois, après avoir hésité, rejette avec précipitation sa vaine pitié, et prononce vivement et tout d'une haleine en levant le poignard :

Qu'est-ce qu'en sa faveur la pitié me veut dire ?
Frappons.

Peut-être Lully lui-même a-t-il entendu ainsi ce vers, quoiqu'il l'ait rendu autrement : car sa note décide si peu de la déclamation, qu'on lui peut donner sans risque le sens que l'on aime mieux.

....................................Ciel ! qui peut m'arrêter ?
Achevons... Je frémis. Vengeons-nous... Je soupire.

Voilà certainement le moment le plus violent de toute la scène. C'est ici que se fait le plus grand combat dans le cœur d'Armide. Qui croirait que le musicien a laissé toute cette agitation dans le même ton, sans la moindre transition intellectuelle, sans le moindre écart harmonique, d'une manière si insipide, avec une mélodie si peu caractérisée et une si inconcevable maladresse, qu'au lieu du dernier vers que dit le poète,

Achevons... Je frémis. Vengeons-nous... Je soupire.

le musicien dit exactement celui-ci,

Achevons, achevons. Vengeons-nous, vengeons-nous.

Les *trilles* font surtout un bel effet sur de telles paroles, et c'est une chose bien trouvée que la cadence parfaite sur le mot *soupire* !

> Est-ce ainsi que je dois me venger aujourd'hui ?
> Ma colère s'éteint quand j'approche de lui.

Ces deux vers seraient bien déclamés s'il y avait plus d'intervalle entre eux, et que le second ne finît pas par une cadence parfaite. Ces cadences parfaites sont toujours la mort de l'expression, surtout dans le récitatif français où elles tombent si lourdement.

> Plus je le vois, plus ma vengeance est vaine.

Toute personne qui sentira la véritable déclamation de ce vers jugera que le second hémistiche est à contresens ; la voix doit s'élever sur *ma vengeance*, et retomber doucement sur *vaine*.

> Mon bras tremblant se refuse à ma haine.

Mauvaise cadence parfaite ! D'autant plus qu'elle est accompagnée d'un trille.

> Ah ! quelle cruauté de lui ravir le jour !

Faites déclamer ces vers à mademoiselle Dumesnil, et vous trouverez que le mot *cruauté* sera le plus élevé, et que la voix ira toujours en baissant jusqu'à la fin du vers. Mais le moyen de ne pas faire poindre *le jour* ! Je reconnais là le musicien.

Je passe, pour abréger, le reste de cette scène, qui n'a plus rien d'intéressant ni de remarquable que les contresens ordinaires et des trilles continuels, et je finis par le vers qui la termine.

> Que, s'il se peut, je le haïsse.

Cette parenthèse, *s'il se peut,* me semble une épreuve suffisante du talent du musicien ; quand on la trouve sur le même ton, sur les mêmes notes que *je le haïsse,* il est bien difficile de ne pas sentir combien Lully était peu capable de mettre de la musique sur les paroles du grand homme qu'il tenait à ses gages.

A l'égard du petit air de guinguette qui est à la fin de ce monologue, je veux bien consentir à n'en rien dire, et s'il y a quelques amateurs de la musique française qui connaissent la scène italienne qu'on a mise en parallèle avec celle-ci, et surtout l'air impétueux, pathétique et tragique qui la termine, ils me sauront gré sans doute de ce silence.

Pour résumer en peu de mots mon sentiment sur le célèbre monologue, je dis que si on l'envisage comme du chant, on n'y trouve ni mesure, ni caractère, ni mélodie ; si l'on veut que ce soit du récitatif, on n'y trouve ni naturel, ni expression ; quelque nom qu'on veuille lui donner, on le trouve rempli de sons filés, de trilles et autres ornements du chant bien plus ridicules encore dans une pareille situation qu'ils ne le sont communément dans la musique française. La modulation en est régulière, mais puérile par cela même, scolastique, sans énergie, sans affection sensible. L'accompagnement s'y borne à la basse-continue, dans une situation où toutes les puissances de la musique doivent être déployées ; et cette basse est plutôt celle qu'on ferait mettre à un écolier sous sa leçon de musique que l'accompagnement d'une vive scène d'opéra, dont l'harmonie doit être choisie et appliquée avec un discernement exquis pour rendre la déclamation plus sensible et l'expression plus vive. En un mot, si l'on s'avisait d'exécuter la musique de cette scène sans y joindre les paroles, sans crier ni gesticuler, il ne serait pas possible d'y rien démêler d'analogue à la situation qu'elle veut peindre et aux sentiments qu'elle veut exprimer, et tout cela ne paraîtrait qu'une ennuyeuse suite de sons, modulée au hasard et seulement pour la faire durer.

Cependant ce monologue a toujours fait, et je ne doute pas qu'il ne fît encore un grand effet au théâtre, parce que les vers en sont admirables et la situation vive et intéressante. Mais sans les bras et le jeu de l'actrice, je suis persuadé que personne n'en pourrait souffrir le récitatif, et qu'une pareille musique a grand besoin du secours des yeux pour être supportable aux oreilles.

Je crois avoir fait voir qu'il n'y a ni mesure ni mélodie dans la musique française parce que la langue n'en est pas susceptible ; que le chant français n'est

qu'un aboiement continuel, insupportable à toute
oreille non prévenue ; que l'harmonie en est brute,
sans expression, et sentant uniquement son remplissage d'écolier ; que les airs français ne sont point des
airs ; que le récitatif français n'est point du récitatif.
D'où je conclus que les Français n'ont point de
musique et n'en peuvent avoir*, ou que si jamais ils en
ont une, ce sera tant pis pour eux.

Je suis, etc.

---

* Je n'appelle pas avoir une musique que d'emprunter celle
d'une autre langue pour tâcher de l'appliquer à la sienne, et j'aime-
rais mieux que nous gardassions notre maussade et ridicule chant
que d'associer encore plus ridiculement la mélodie italienne à la
langue française. Ce dégoûtant assemblage, qui peut-être fera désormais l'étude de nos musiciens, est trop monstrueux pour être
admis, et le caractère de notre langue ne s'y prêtera jamais. Tout au
plus quelques pièces comiques pourront-elles passer en faveur de la
symphonie ; mais je prédis hardiment que le genre tragique ne sera
pas même tenté. On a applaudi, cet été à l'Opéra-Comique, l'ouvrage d'un homme de talent, qui paraît avoir écouté la bonne
musique avec de bonnes oreilles, et qui en a traduit le genre en
français d'aussi près qu'il était possible. Ses accompagnements sont
bien imités sans être copiés, et s'il n'a point fait de chant, c'est qu'il
n'est pas possible d'en faire. Jeunes musiciens qui vous sentez du
talent, continuez de mépriser en public la musique italienne, je sens
bien que votre intérêt présent l'exige, mais hâtez-vous d'étudier en
particulier cette langue et cette musique si vous voulez pouvoir
tourner un jour contre vos camarades le dédain que vous affectez
aujourd'hui contre vos maîtres.

EXAMEN DE DEUX PRINCIPES AVANCÉS PAR M. RAMEAU

INTRODUCTION

L'*Examen de deux principes avancés par M. Rameau* n'a pas été publié du vivant de Rousseau. Ecrit en 1755, c'est une réponse à l'opuscule de Rameau paru la même année, *Erreurs sur la musique dans l'Encyclopédie*, où les articles « Accompagnement », « Accord », « Cadence », « Chromatique », « Dissonance » sont âprement critiqués. Les relations entre ce texte et celui de l'*Essai* sont étroites (voir l'introduction générale, pp. 8-9).

En réalité, l'ouvrage prend place dans un ensemble polémique complexe qui opposa Rameau, d'une part à Rousseau, d'autre part (mais dans une moindre mesure) à d'Alembert. Dans cette discussion, on peut distinguer trois enjeux.

1° Un enjeu de théorie musicale : la question de la nature de la musique. Rameau soutient que l'*harmonie* en est la clef de voûte (l'analyse physique et mathématique du son en éléments permet de fonder la musique comme science et comme art). Il soutient en outre que l'harmonie est *naturelle,* entièrement dérivable du phénomène de la résonance par une sorte de déduction. Tel est le sens des « deux principes » que Rousseau attaque dans l'*Examen* (1° l'harmonie est l'unique fondement de la musique, 2° l'accompagnement « représente le corps sonore »). Pour Rousseau, non seulement l'harmonie

ne fournit pas l'essence de la musique — qui est
essentiellement voix et chant — , mais encore elle est
un élément surajouté, de convention, entièrement dû
à l'artifice.

2° Ce premier point très spécialisé entraîne un enjeu
esthétique autour de la conception de la composition
et du goût en musique. La querelle théorique se
double d'une querelle esthétique qui commence avec
la *Lettre sur la musique française*. L'opposition entre
harmonie et mélodie se déchiffre conséquemment en
termes d'opposition entre musique française et
musique italienne, entre deux conceptions du
« naturel » en musique. Cela permet une lecture plus
philosophique de l'*Examen* (qui, ne l'oublions pas, est
issu d'un texte qui comprenait l'ébauche de l'*Essai sur
l'origine des langues*[1]). Se demander si l'harmonie fonde
la musique et si « l'accompagnement représente le
corps sonore », ce n'est pas seulement s'interroger sur
un problème technique, c'est aussi se demander si la
conception physico-rationnelle de la musique doit pré-
valoir sur la conception « morale ».

3° Enfin, la discussion se déroule sur un terrain
épistémologique et métaphysique, non seulement
parce que les enjeux esthétiques renvoient indirectement à des conceptions du monde, mais aussi de
façon directe à cause des ambitions intellectuelles de
Rameau lui-même, qui lui valurent d'abord l'admiration et le soutien, ensuite la méfiance et l'hostilité de
D'Alembert. Après avoir écrit ses deux grands traités,
Rameau présenta les conclusions de ses travaux en
1749 à l'Académie des Sciences qui les reçut favorablement. D'Alembert salua en lui « le Descartes de la
musique » et écrivit les *Eléments de musique... suivant
les principes de M. Rameau* (1752). Mais, rapidement,
Rameau développa une conception dans laquelle la
musique devenait non seulement le modèle de tous les
arts, mais encore celui de toutes les sciences. Cet

---

1. Voir la question de la genèse de l'*Essai* dans notre présentation, p. 5 à 12.

extravagant itinéraire finit dans une sorte de panthéisme musical : le corps sonore devait renfermer le
principe de toute existence et de toute intelligibilité.
La réaction de D'Alembert fut sévère. Dans la réédition de ses *Eléments de musique* en 1762, il inséra un
Discours préliminaire où il administre une magistrale
leçon d'épistémologie à Rameau. En effet, ce dernier
confond les champs scientifiques entre eux (il ne voit
pas la différence entre une science démonstrative et
une science conjecturale), mais, ce qui est pis, il
confond l'usage scientifique et l'usage métaphysique
de la raison.

   Rameau, Rousseau, d'Alembert : l'obstination des
trois grandes figures qui menèrent le débat musical
dans la France des Lumières montre que les questions
techniques et les problèmes ponctuels ne peuvent être
éclairés que si l'on consent à aller jusqu'au comble de
la pensée.

                                                   C.K.

Encyclopédie. Rousseau. D'Alembert	Rameau
	1750 : *Démonstration du principe de l'harmonie* (publication du Mémoire présenté à l'Académie des Sciences).
1751 : *Encyclopédie*, vol. 1 et 2.	
1752 : d'Alembert, *Eléments de musique suivant les principes de M. Rameau*.	
1753 : *Encyclopédie*, vol. 3. Rousseau, *Lettre sur la musique française*.	1754 : *Observations sur notre instinct pour la musique* (réponse à la *Lettre sur la musique française*).
1754 : *Encyclopédie*, vol. 4.	
1755 : Rousseau, *Examen de deux principes avancés par M. Rameau* (non publié). *Encyclopédie*, vol. 5.	1755 : *Erreurs sur la musique dans l'*Encyclopédie.
1756 : *Encyclopédie*, vol. 6, l'Avertissement contient une réponse à Rameau.	1756 : *Suite des Erreurs sur la musique*.
1757 : *Encyclopédie*, vol. 7 (articles "Fondamental" et "Gamme" de d'Alembert).	1757 : *Réponse à MM. les éditeurs de l'Encyclopédie*.
	1760 : *Lettre à M. d'Alembert sur ses opinions en musique. Nouvelles réflexions sur le principe sonore* (ajoutées à la fin du *Code de musique pratique*).
1762 : nouvelle édition des *Eléments de musique* de d'Alembert avec un Discours préliminaire.	1762 : *Origine des sciences*.
	1764 : *Vérités intéressantes tirées du sein de la nature* (Rameau maintient sa "métaphysique" ; publié en 1986).

Le débat avec Rameau : repères chronologiques

AVERTISSEMENT

Je jetai cet écrit sur le papier en 1755, lorsque parut la brochure de M. Rameau, et après avoir déclaré publiquement, sur la grande querelle que j'avais eue à soutenir, que je ne répondrais plus à mes adversaires. Content même d'avoir fait note de mes observations sur l'écrit de M. Rameau, je ne les publiai point, et je ne les joins maintenant ici que parce qu'elles servent à l'éclaircissement de quelques articles de mon Dictionnaire, où la forme de l'ouvrage ne me permettait pas d'entrer dans de plus longues discussions.

EXAMEN
DE DEUX PRINCIPES

AVANCÉS PAR M. RAMEAU,
DANS SA BROCHURE INTITULÉE
ERREURS SUR LA MUSIQUE DANS L'ENCYCLOPÉDIE.

C'est toujours avec plaisir que je vois paraître de nouveaux écrits de M. Rameau : de quelque manière qu'ils soient accueillis du public, ils sont précieux aux amateurs de l'art, et je me fais honneur d'être de ceux qui tâchent d'en profiter. Quand cet illustre artiste relève mes fautes, il m'instruit, il m'honore, je lui dois des remerciements ; et comme en renonçant aux querelles qui peuvent troubler ma tranquillité, je ne m'interdis point celles de pur amusement, je discuterai par occasion quelques points qu'il décide, bien sûr d'avoir toujours fait une chose utile, s'il en peut résulter de sa part de nouveaux éclaircissements. C'est même entrer en cela dans les vues de ce grand musicien, qui dit qu'on ne peut contester les propositions qu'il avance que pour lui fournir les moyens de les mettre dans un plus grand jour ; d'où je conclus qu'il est bon qu'on les conteste.

Je suis au reste fort éloigné de vouloir défendre mes articles de l'*Encyclopédie* ; personne à la vérité n'en devrait être plus content que M. Rameau qui les attaque ; mais personne au monde n'en est plus

mécontent que moi. Cependant, quand on sera instruit du temps où ils ont été faits, de celui que j'eus
pour les faire, et de l'impuissance où j'ai toujours été
de reprendre un travail une fois fini, quand on saura
de plus que je n'eus point la présomption de me proposer pour celui-ci ; mais que ce fut, pour ainsi dire,
une tâche imposée par l'amitié, on lira peut-être avec
quelque indulgence des articles que j'eus à peine le
temps d'écrire dans l'espace qui m'était donné pour
les méditer, et que je n'aurais point entrepris si je
n'avais consulté que le temps et mes forces.

Mais ceci est une justification envers le public, et
pour un autre lieu. Revenons à M. Rameau, que j'ai
beaucoup loué, et qui me fait un crime de ne l'avoir
pas loué davantage. Si les lecteurs veulent bien jeter
les yeux sur les articles qu'il attaque, tels que CHIF-
FRER, ACCORD, ACCOMPAGNEMENT, etc., s'ils distinguent les vrais éloges que l'équité mesure aux talents
du vil encens que l'adulation prodigue à tout le
monde ; enfin s'ils sont instruits du poids que les procédés de M. Rameau vis-à-vis de moi ajoutent à la
justice que j'aime à lui rendre, j'espère qu'en blâmant
les fautes que j'ai pu faire dans l'exposition de ses
principes, ils seront contents au moins des hommages
que j'ai rendus à l'auteur.

Je ne feindrai pas d'avouer que l'écrit intitulé
Erreurs sur la musique me paraît en effet fourmiller
d'erreurs, et que je n'y vois rien de plus juste que le
titre. Mais ces erreurs ne sont point dans les lumières
de M. Rameau, elles n'ont leur source que dans son
cœur ; et quand la passion ne l'aveuglera pas, il jugera
mieux que personne des bonnes règles de son art. Je
ne m'attacherai donc point à relever un nombre de
petites fautes qui disparaîtront avec sa haine, encore
moins défendrai-je celles dont il m'accuse, et dont
plusieurs en effet ne sauraient être niées. Il me fait un
crime, par exemple, d'écrire pour être entendu ; c'est
un défaut qu'il impute à mon ignorance, et dont je
suis peu tenté de la justifier. J'avoue avec plaisir que,
faute de choses savantes, je suis réduit à n'en dire que

de raisonnables, et je n'envie à personne le profond savoir qui n'engendre que des écrits inintelligibles.

Encore un coup, ce n'est point pour ma justification que j'écris, c'est pour le bien de la chose. Laissons toutes ces disputes personnelles qui ne font rien au progrès de l'art, ni à l'instruction du public. Il faut abandonner ces petites chicanes aux commençants qui veulent se faire un nom aux dépens des noms déjà connus, et qui, pour une erreur qu'ils corrigent, ne craignent pas d'en commettre cent. Mais ce qu'on ne saurait examiner avec trop de soin, ce sont les principes de l'art même dans lesquels la moindre erreur est une source d'égarements, et où l'artiste ne peut se tromper en rien, que tous les efforts qu'il fait pour perfectionner l'art n'en éloignent la perfection.

Je remarque dans les *Erreurs sur la musique* deux de ces principes importants. Le premier, qui a guidé M. Rameau dans tous ses écrits, et qui pis est dans toute sa musique, est que l'harmonie est l'unique fondement de l'art, que la mélodie en dérive, et que tous les grands effets de la musique naissent de la seule harmonie.

L'autre principe, nouvellement avancé par M. Rameau, et qu'il me reproche de n'avoir pas ajouté à ma définition de l'accompagnement, est que cet *accompagnement représente le corps sonore*. J'examinerai séparément ces deux principes. Commençons par le premier et le plus important, dont la vérité ou la fausseté démontrée doit servir en quelque manière de base à tout l'art musical.

Il faut d'abord remarquer que M. Rameau fait dériver toute l'harmonie de la résonance du corps sonore. Et il est certain que tout son est accompagné de trois autres sons harmoniques concomitants ou accessoires, qui forment avec lui un accord parfait, tierce majeure. En ce sens, l'harmonie est naturelle et inséparable de la mélodie et du chant, tel qu'il puisse être, puisque tout son porte avec lui son accord parfait. Mais, outre ces trois sons harmoniques, chaque son principal en donne beaucoup d'autres qui ne sont

point harmoniques et n'entrent point dans l'accord
parfait. Telles sont toutes les aliquotes non réductibles
par leurs octaves à quelqu'une de ces trois premières.
Or, il y a une infinité de ces aliquotes qui peuvent
échapper à nos sens, mais dont la résonance est
démontrée par induction, et n'est pas impossible à
confirmer par expérience. L'art les a rejetées de l'harmonie, et voilà où il a commencé à substituer ses
règles à celles de la nature.

Veut-on donner aux trois sons qui constituent l'accord parfait une prérogative particulière, parce qu'ils
forment entre eux une sorte de proportion qu'il a plu
aux anciens d'appeler harmonique, quoiqu'elle n'ait
qu'une propriété de calcul ? Je dis que cette propriété
se trouve dans des rapports de sons qui ne sont nullement harmoniques. Si les trois sons représentés par
les chiffres $1\frac{1}{3}\frac{1}{5}$, lesquels sont en proportion harmonique, forment un accord consonant, les trois sons
représentés par ces autres chiffres $\frac{1}{5}\frac{1}{6}\frac{1}{7}$ sont de même
en proportion harmonique, et ne forment qu'un
accord discordant. Vous pouvez diviser harmoniquement une tierce majeure, une tierce mineure, un ton
majeur, un ton mineur, etc., et jamais les sons donnés
par ces divisions ne feront des accords consonants. Ce
n'est donc ni parce que les sons qui composent l'accord parfait résonnent avec le son principal, ni parce
qu'ils répondent aux aliquotes de la corde entière, ni
parce qu'ils sont en proportion harmonique qu'ils ont
été choisis exclusivement pour composer l'accord parfait, mais seulement parce que, dans l'ordre des intervalles, ils offrent les rapports les plus simples. Or,
cette simplicité des rapports est une règle commune à
l'harmonie et à la mélodie ; règle dont celle-ci s'écarte
pourtant en certains cas, jusqu'à rendre toute harmonie impraticable ; ce qui prouve que la mélodie n'a
point reçu la loi d'elle et ne lui est point naturellement
subordonnée.

Je n'ai parlé que de l'accord parfait majeur. Que
sera-ce quand il faudra montrer la génération du
mode mineur, de la dissonance, et les règles de la

modulation ? A l'instant je perds la nature de vue,
l'arbitraire perce de toutes parts, le plaisir même de
l'oreille est l'ouvrage de l'habitude. Et de quel droit
l'harmonie, qui ne peut se donner à elle-même un
fondement naturel, voudrait-elle être celui de la
mélodie, qui fit des prodiges deux mille ans avant qu'il
fût question d'harmonie et d'accords ?

Qu'une marche consonante et régulière de basse-
fondamentale engendre des harmoniques qui procè-
dent diatoniquement et forment entre eux une sorte
de chant, cela se connaît et peut s'admettre. On pourrait même renverser cette génération ; et comme,
selon M. Rameau, chaque son n'a pas seulement la
puissance d'ébranler ses aliquotes en dessus, mais ses
multiples en dessous, le simple chant pourrait engen-
drer une sorte de basse, comme la basse engendre une
sorte de chant, et cette génération serait aussi naturelle que celle du mode mineur. Mais je voudrais
demander à M. Rameau deux choses : l'une, si ces
sons ainsi engendrés sont ce qu'il appelle mélodie ; et
l'autre, si c'est ainsi qu'il trouve la sienne, ou s'il
pense même que jamais personne en ait trouvé de
cette manière. Puissions-nous préserver nos oreilles de
toute musique dont l'auteur commencera par établir
une belle basse-fondamentale et, pour nous mener
savamment de dissonance en dissonance, changera de
ton ou de mode à chaque note, entassera sans cesse
accords sur accords, sans songer aux accents d'une
mélodie simple, naturelle et passionnée, qui ne tire
pas son expression des progressions de la basse, mais
des inflexions que le sentiment donne à la voix !

Non, ce n'est point là sans doute ce que
M. Rameau veut qu'on fasse, encore moins ce qu'il
fait lui-même. Il entend seulement que l'harmonie
guide l'artiste, sans qu'il y songe, dans l'invention de
sa mélodie et que toutes les fois qu'il fait un beau
chant, il suit une harmonie régulière ; ce qui doit être
vrai, par la liaison que l'art a mise entre ces deux
parties dans tous les pays où l'harmonie a dirigé la
marche des sons, les règles du chant et l'accent musi-

cal ; car ce qu'on appelle chant prend alors une beauté
de convention, laquelle n'est point absolue, mais relative au système harmonique, et à ce que, dans ce système, on estime plus que le chant.

Mais si la longue routine de nos successions harmoniques guide l'homme exercé et le compositeur de
profession, quel fut le guide de ces ignorants qui
n'avaient jamais entendu d'harmonie dans ces chants
que la nature a dictés longtemps avant l'invention de
l'art ? Avaient-ils donc un sentiment d'harmonie antérieur à l'expérience ? Et si quelqu'un leur eût fait
entendre la basse-fondamentale de l'air qu'ils avaient
composé, pense-t-on qu'aucun d'eux eût reconnu là
son guide, et qu'il eût trouvé le moindre rapport entre
cette basse et cet air ?

Je dirai plus. A juger de la mélodie des Grecs par les
trois ou quatre airs qui nous en restent, comme il est
impossible d'ajuster sous ces airs une bonne basse-
fondamentale, il est impossible aussi que le sentiment
de cette basse, d'autant plus régulière qu'elle est plus
naturelle, leur ait suggéré ces mêmes airs. Cependant
cette mélodie qui les transportait était excellente à
leurs oreilles, et l'on ne peut douter que la nôtre ne
leur eût paru d'une barbarie insupportable. Donc ils
en jugeaient sur un autre principe que nous.

Les Grecs n'ont reconnu pour consonances que
celles que nous appelons consonances parfaites ; ils
ont rejeté de ce nombre les tierces et les sixtes. Pourquoi cela ? C'est que l'intervalle du ton mineur étant
ignoré d'eux ou du moins proscrit de la pratique, et
leurs consonances n'étant point tempérées, toutes
leurs tierces majeures étaient trop fortes d'un comma,
et leurs tierces mineures trop faibles d'autant, et par
conséquent leurs sixtes majeures et mineures altérées
de même. Qu'on pense maintenant quelles notions
d'harmonie on peut avoir, et quels modes harmoniques on peut établir en bannissant les tierces et les
sixtes du nombre des consonances ! Si les consonances mêmes qu'ils admettaient leur eussent été
connues par un vrai sentiment d'harmonie, ils les eus-

sent dû sentir ailleurs que dans la mélodie ; ils les
auraient, pour ainsi dire, sous-entendues au-dessous
de leurs chants ; la consonance tacite des marches fondamentales leur eût fait donner ce nom aux marches
diatoniques qu'elles engendraient ; loin d'avoir eu
moins de consonances que nous, ils en auraient eu
davantage, et préoccupés, par exemple, de la basse
tacite *ut sol,* ils eussent donné le nom de consonance à
l'intervalle mélodieux d'*ut* à *ré.*

« Quoique l'auteur d'un chant, dit M. Rameau, ne
connaisse pas les sons fondamentaux dont ce chant
dérive, il ne puise pas moins dans cette source unique
de toutes nos productions en musique. » Cette doctrine est sans doute fort savante, car il m'est impossible de l'entendre. Tâchons, s'il se peut, de m'expliquer ceci.

La plupart des hommes qui ne savent pas la
musique, et qui n'ont pas appris combien il est beau
de faire grand bruit, prennent tous leurs chants dans
le *medium* de leur voix, et son diapason ne s'étend pas
communément jusqu'à pouvoir en entonner la basse-
fondamentale, quand même ils la sauraient. Ainsi, non
seulement cet ignorant qui compose un air n'a nulle
notion de la basse-fondamentale de cet air, il est
même également hors d'état et d'exécuter cette basse
lui-même, et de la reconnaître lorsqu'un autre l'exécute. Mais cette basse-fondamentale qui lui a suggéré
son chant, et qui n'est ni dans son entendement, ni
dans son organe, ni dans sa mémoire, où est-elle
donc ?

M. Rameau prétend qu'un ignorant entonnera
naturellement les sons fondamentaux les plus sensibles, comme, par exemple, dans le ton d'*ut,* un *sol*
sous un *ré,* et un *ut* sous un *mi.* Puisqu'il dit en avoir
fait l'expérience, je ne veux pas en ceci rejeter son
autorité. Mais quels sujets a-t-il pris pour cette
épreuve ? Des gens qui, sans savoir la musique,
avaient cent fois entendu de l'harmonie et des
accords ; de sorte que l'impression des intervalles harmoniques et du progrès correspondant des parties

dans les passages les plus fréquents était restée dans leur oreille, et se transmettait à leur voix sans même qu'ils s'en doutassent. Le jeu des racleurs de guinguettes suffit seul pour exercer le peuple des environs de Paris à l'intonation des tierces et des quintes. J'ai fait ces mêmes expériences sur des hommes plus rustiques et dont l'oreille était juste ; elles ne m'ont jamais rien donné de semblable. Ils n'ont entendu la basse qu'autant que je la leur soufflais ; encore souvent ne pouvaient-ils la saisir ; ils n'apercevaient jamais le moindre rapport entre deux sons différents entendus à la fois : cet ensemble même leur déplaisait toujours, quelque juste que fût l'intervalle ; leur oreille était choquée d'une tierce comme la nôtre l'est d'une dissonance, et je puis assurer qu'il n'y en avait pas un pour qui la cadence rompue n'eût pu terminer un air tout aussi bien que la cadence parfaite, si l'unisson s'y fût trouvé de même.

Quoique le principe de l'harmonie soit naturel, comme il ne s'offre au sens que sous l'apparence de l'unisson, le sentiment qui le développe est acquis et factice, comme la plupart de ceux qu'on attribue à la nature, et c'est surtout en cette partie de la musique qu'il y a, comme dit très bien M. d'Alembert, un art d'entendre comme un art d'exécuter. J'avoue que ces observations, quoique justes, rendent à Paris les expériences difficiles, car les oreilles ne s'y préviennent guère moins vite que les esprits : mais c'est un inconvénient inséparable des grandes villes, qu'il y faut toujours chercher la nature au loin.

Un autre exemple dont M. Rameau *attend tout,* et qui me semble à moi ne prouver rien, c'est l'intervalle des deux notes *ut fa* dièse, sous lequel, appliquant différentes basses qui marquent différentes transitions harmoniques, il prétend montrer, par les diverses affections qui en naissent, que la force de ces affections dépend de l'harmonie et non du chant. Comment M. Rameau a-t-il pu se laisser abuser par ses yeux, par ses préjugés, au point de prendre tous ces divers passages pour un même chant, parce que

c'est le même intervalle apparent, sans songer qu'un
intervalle ne doit être censé le même, et surtout en
mélodie, qu'autant qu'il a le même rapport au mode,
ce qui n'a lieu dans aucun des passages qu'il cite ? Ce
sont bien sur le clavier les mêmes touches, et voilà ce
qui trompe M. Rameau, mais ce sont réellement
autant de mélodies différentes ; car, non seulement
elles se présentent toutes à l'oreille sous des idées
diverses, mais même leurs intervalles exacts diffèrent
presque tous les uns des autres. Quel est le musicien
qui dira qu'un triton et une fausse-quinte, une sep-
tième diminuée et une sixte majeure, une tierce
mineure et une seconde superflue forment la même
mélodie, parce que les intervalles qui les donnent sont
les mêmes sur le clavier ? Comme si l'oreille n'appré-
ciait pas toujours les intervalles selon leur justesse
dans le mode, et ne corrigeait pas les erreurs du tempérament sur les rapports de la modulation ! Quoique
la basse détermine quelquefois avec plus de prompti-
tude et d'énergie les changements de ton, ces changements ne laisseraient pourtant pas de se faire sans elle,
et je n'ai jamais prétendu que l'accompagnement fût
inutile à la mélodie, mais seulement qu'il lui devait
être subordonné. Quand tous ces passages de l'*ut* au
fa dièse seraient exactement le même intervalle,
employés dans leurs différentes places, ils n'en
seraient pas moins autant de chants différents, étant
pris ou supposés sur différentes cordes du mode et
composés de plus ou moins de degrés. Leur variété ne
vient donc pas de l'harmonie, mais seulement de la
modulation qui appartient incontestablement à la
mélodie.

Nous ne parlons ici que de deux notes d'une durée
indéterminée ; mais deux notes d'une durée indéterminée ne suffisent pas pour constituer un chant, puisqu'elles ne marquent ni mode ni phrase, ni commencement ni fin. Qui est-ce qui peut imaginer un chant
dépourvu de tout cela ? A quoi pense M. Rameau, de
nous donner pour des accessoires de la mélodie la
mesure, la différence du haut ou du bas, du doux ou

du fort, du vite et du lent, tandis que toutes ces choses
ne sont que la mélodie elle-même, et que si on les en
séparait elle n'existerait plus ? La mélodie est un langage comme la parole ; tout chant qui ne dit rien n'est
rien, et celui-là seul peut dépendre de l'harmonie. Les
sons aigus ou graves représentent les accents semblables dans le discours ; les brèves et les longues, les
quantités semblables dans la prosodie ; la mesure
égale et constante, le rythme et les pieds des vers ; les
doux et les forts, la voix rémisse ou véhémente de
l'orateur. Y a-t-il un homme au monde assez froid,
assez dépourvu de sentiment pour dire ou lire des
choses passionnées sans jamais adoucir ni renforcer la
voix ? M. Rameau, pour comparer la mélodie à l'harmonie, commence par dépouiller la première de tout
ce qui, lui étant propre, ne peut convenir à l'autre : il
ne considère pas la mélodie comme un chant, mais
comme un remplissage ; il dit que ce remplissage naît
de l'harmonie et il a raison.

   Qu'est-ce qu'une suite de sons indéterminés quant
à la durée ? Des sons isolés et dépourvus de tout effet
commun qu'on entend, qu'on saisit séparément les
uns des autres, et qui, bien qu'engendrés par une
succession harmonique, n'offrent aucun ensemble à
l'oreille et attendent, pour former une phrase et dire
quelque chose, la liaison que la mesure leur donne.
Qu'on présente au musicien une suite de notes de
valeur indéterminée, il en va faire cinquante mélodies
entièrement différentes seulement par les diverses
manières de les scander, d'en combiner et varier les
mouvements ; preuve invincible que c'est à la mesure
qu'il appartient de fixer toute mélodie. Que si la
diversité d'harmonie qu'on peut donner à ces suites
varie aussi leurs effets, c'est qu'elle en fait réellement
encore autant de mélodies différentes, en donnant
aux mêmes intervalles divers emplacements dans
l'échelle du mode ; ce qui, comme je l'ai déjà dit,
change entièrement les rapports des sons et le sens
des phrases.

   La raison pourquoi les anciens n'avaient point de

musique purement instrumentale, c'est qu'ils n'avaient pas l'idée d'un chant sans mesure, ni d'une autre mesure que celle de la poésie ; et la raison pourquoi les vers se chantaient toujours et jamais la prose, c'est que la prose n'avait que la partie du chant qui dépend de l'intonation, au lieu que les vers avaient encore l'autre partie constitutive de la mélodie, savoir le rythme.

Jamais personne, pas même M. Rameau, n'a divisé la musique en mélodie, harmonie et mesure, mais en harmonie et mélodie ; après quoi l'une et l'autre se considère par les sons et par les temps.

M. Rameau prétend que tout le charme, toute l'énergie de la musique est dans l'harmonie, que la mélodie n'y a qu'une part subordonnée et ne donne à l'oreille qu'un léger et stérile agrément. Il faut l'entendre raisonner lui-même. Ses preuves perdraient trop à être rendues par un autre que lui.

Tout chœur de musique, dit-il, *qui est lent et dont la succession harmonique est bonne, plaît toujours sans le secours d'aucun dessin, ni d'une mélodie qui puisse affecter d'elle-même ; et ce plaisir est tout autre que celui qu'on éprouve ordinairement d'un chant agréable ou simplement vif et gai.* (Ce parallèle d'un chœur lent et d'un air vif et gai me paraît assez plaisant.) *L'un se rapporte directement à l'âme* (notez bien que c'est le grand chœur à quatre parties), *l'autre ne passe pas le canal de l'oreille.* (C'est le chant, selon M. Rameau.) *J'en appelle encore à* L'Amour triomphe[102], *déjà cité plus d'une fois.* (Cela est vrai.) *Que l'on compare le plaisir qu'on éprouve à celui que cause un air, soit vocal, soit instrumental.* J'y consens. Qu'on me laisse choisir la voix et l'air sans me restreindre au seul mouvement vif et gai, car cela n'est pas juste, et que M. Rameau vienne de son côté avec son chœur *L'Amour triomphe,* et tout ce terrible appareil d'instruments et de voix : il aura beau se choisir des juges qu'on n'affecte qu'à force de bruit, et qui sont plus touchés d'un tambour que du rossignol, ils seront hommes enfin. Je n'en veux pas davantage pour leur faire sentir que les sons les plus capables d'affecter l'âme ne sont point ceux d'un chœur de musique.

L'harmonie est une cause purement physique ; l'impression qu'elle produit reste dans le même ordre ; des accords ne peuvent qu'imprimer aux nerfs un ébranlement passager et stérile ; ils donneraient plutôt des vapeurs que des passions. Le plaisir qu'on prend à entendre un chœur lent, dépourvu de mélodie, est purement de sensation et tournerait bientôt à l'ennui si l'on n'avait soin de faire ce chœur très court, surtout lorsqu'on y met toutes les voix dans leur *medium*. Mais si les voix sont rémisses et basses, il peut affecter l'âme sans le secours de l'harmonie ; car une voix rémisse et lente est une expression naturelle de tristesse ; un chœur à l'unisson pourrait faire le même effet.

Les plus beaux accords, ainsi que les plus belles couleurs, peuvent porter aux sens une impression agréable et rien de plus. Mais les accents de la voix passent jusqu'à l'âme, car ils sont l'expression naturelle des passions et, en les peignant, il les excitent. C'est par eux que la musique devient oratoire, éloquente, imitative, ils en forment le langage ; c'est par eux qu'elle peint à l'imagination les objets, qu'elle porte au cœur les sentiments. La mélodie est dans la musique ce qu'est le dessin dans la peinture, l'harmonie n'y fait que l'effet des couleurs. C'est par le chant, non par les accords, que les sons ont de l'expression, du feu, de la vie ; c'est le chant seul qui leur donne les effets moraux qui font toute l'énergie de la musique. En un mot, le seul physique de l'art se réduit à bien peu de chose, et l'harmonie ne passe pas au-delà.

Que s'il y a quelques mouvements de l'âme qui semblent excités par la seule harmonie, comme l'ardeur des soldats par les instruments militaires, c'est que tout grand bruit, tout bruit éclatant peut être bon pour cela, parce qu'il n'est question que d'une certaine agitation qui se transmet de l'oreille au cerveau et que l'imagination, ébranlée ainsi, fait le reste.

Encore cet effet dépend-il moins de l'harmonie que du rythme ou de la mesure, qui est une des parties constitutives de la mélodie, comme je l'ai fait voir ci-dessus.

Je ne suivrai point M. Rameau dans les exemples qu'il tire de ses ouvrages pour illustrer son principe. J'avoue qu'il ne lui est pas difficile de montrer par cette voie l'infériorité de la mélodie ; mais j'ai parlé de la musique et non de sa musique. Sans vouloir démentir les éloges qu'il se donne, je puis n'être pas de son avis sur tel ou tel morceau ; et tous ces jugements particuliers, pour ou contre, ne sont pas d'un grand avantage au progrès de l'art.

Après avoir établi, comme on a vu, le fait, vrai par rapport à nous, mais très faux généralement parlant, que l'harmonie engendre la mélodie, M. Rameau finit sa dissertation dans ces termes : *Ainsi, toute musique étant comprise dans l'harmonie, on en doit conclure que ce n'est qu'à cette seule harmonie qu'on doit comparer quelque science que ce soit.* (page 64.) J'avoue que je ne vois rien à répondre à cette merveilleuse conclusion.

Le second principe avancé par M. Rameau, et duquel il me reste à parler, est que *l'harmonie représente le corps sonore.* Il me reproche de n'avoir pas ajouté cette idée dans la définition de l'accompagnement. Il est à croire que si je l'y eusse ajoutée, il me l'eût reproché davantage, ou du moins avec plus de raison. Ce n'est pas sans répugnance que j'entre dans l'examen de cette addition qu'il exige : car, quoique le principe que je viens d'examiner ne soit pas en lui-même plus vrai que celui-ci, l'on doit beaucoup l'en distinguer, en ce que si c'est une erreur, c'est au moins l'erreur d'un grand musicien qui s'égare à force de science. Mais ici je ne vois que des mots vides de sens, et je ne puis pas même supposer de la bonne foi dans l'auteur qui les ose donner au public comme un principe de l'art qu'il professe.

L'harmonie représente le corps sonore ! Ce mot de *corps sonore* a un certain éclat scientifique, il annonce un physicien dans celui qui l'emploie : mais en musique que signifie-t-il ? Le musicien ne considère pas le corps sonore en lui-même, il ne le considère qu'en action. Or, qu'est-ce que le corps sonore en action ? C'est le son : l'harmonie représente donc le son. Mais l'harmonie accompagne le son. Le son n'a donc pas besoin qu'on le représente, puisqu'il est là. Si ce galimatias paraît risible, ce n'est pas ma faute assurément.

Mais ce n'est peut-être pas le son mélodieux que l'harmonie représente, c'est la collection des sons harmoniques qui l'accompagnent. Mais ces sons ne sont que l'harmonie elle-même : l'harmonie représente donc l'harmonie, et l'accompagnement l'accompagnement.

Si l'harmonie ne représente ni le son mélodieux ni ses harmoniques, que représente-t-elle donc ? Le son fondamental et ses harmoniques, dans lesquels est compris le son mélodieux. Le son fondamental et ses harmoniques sont donc ce que M. Rameau appelle le corps sonore. Soit ; mais voyons.

Si l'harmonie doit représenter le corps sonore, la basse ne doit jamais contenir que des sons fondamentaux ; car, à chaque renversement, le corps sonore ne rend point sur la basse l'harmonie renversée du son fondamental, mais l'harmonie directe du son renversé qui est à la basse, et qui, dans le corps sonore, devient ainsi fondamentale. Que M. Rameau prenne la peine de répondre à cette seule objection, mais qu'il y réponde clairement, et je lui donne gain de cause.

Jamais le son fondamental ni ses harmoniques, pris pour le corps sonore, ne donnent d'accord mineur ; jamais ils ne donnent la dissonance ; je parle dans le système de M. Rameau. L'harmonie et l'accompagnement sont pleins de tout cela, principalement dans sa pratique : donc l'harmonie et l'accompagnement ne peuvent représenter le corps sonore.

Il faut qu'il y ait une différence inconcevable entre la manière de raisonner de cet auteur et la mienne ; car voici les premières conséquences que son principe, admis par supposition, me suggère.

Si l'accompagnement représente le corps sonore, il ne doit rendre que les sons rendus par le corps sonore. Or, ces sons ne forment que des accords parfaits. Pourquoi donc hérisser l'accompagnement de dissonances ?

Selon M. Rameau, les sons concomitants rendus par le corps sonore se bornent à deux, savoir la tierce majeure et la quinte. Si l'accompagnement représente le corps sonore, il faut donc le simplifier.

L'instrument dont on accompagne est un corps sonore lui-même, dont chaque son est toujours accompagné de ses harmoniques naturels. Si donc l'accompagnement représente le corps sonore, on ne doit frapper que des unissons ; car les harmoniques des harmoniques ne se trouvent point dans le corps sonore. En vérité, si ce principe que je combats m'était venu, et que je l'eusse trouvé solide, je m'en serais servi contre le système de M. Rameau, et je l'aurais cru renversé.

Mais donnons, s'il se peut, de la précision à ses idées ; nous pourrons mieux en sentir la justesse ou la fausseté.

Pour concevoir son principe, il faut entendre que le corps sonore est représenté par la basse et son accompagnement, de façon que la basse fondamentale représente le son générateur, et l'accompagnement ses productions harmoniques. Or, comme les sons harmoniques sont produits par la basse fondamentale, la basse fondamentale, à son tour, est produite par le concours des sons harmoniques. Ceci n'est pas un principe de système, c'est un fait d'expérience connu dans l'Italie depuis longtemps.

Il ne s'agit donc plus que de voir quelles conditions sont requises dans l'accompagnement pour représenter exactement les productions harmoniques du corps sonore, et fournir par leur concours la basse fondamentale qui leur convient.

Il est évident que la première et la plus essentielle de ces conditions est de produire à chaque accord un son fondamental unique ; car si vous produisez deux

sons fondamentaux, vous représentez deux corps
sonores au lieu d'un, et vous avez duplicité d'harmonie, comme il a déjà été observé par M. Serre[103].

Or, l'accord parfait, tierce majeure, est le seul qui
ne donne qu'un son fondamental ; tout autre accord
le multiplie. Ceci n'a besoin de démonstration pour
aucun théoricien, et je me contenterai d'un exemple si
simple que, sans figure ni note, il puisse être entendu
des lecteurs les moins versés en musique, pourvu que
les termes leur en soient connus.

Dans l'expérience dont je viens de parler, on trouve
que la tierce majeure produit pour son fondamental
l'octave du son grave, et que la tierce mineure produit
la dixième majeure ; c'est-à-dire que cette tierce
majeure *ut mi* vous donnera l'octave de l'*ut* pour son
fondamental, et que cette tierce mineure *mi sol* vous
donnera encore le même *ut* pour son fondamental.
Ainsi, tout cet accord entier *ut mi sol* ne vous donne
qu'un son fondamental ; car la quinte *ut sol*, qui
donne l'unisson de sa note grave, peut être censée en
donner l'octave, ou bien, en descendant ce *sol* à son
octave, l'accord est un à la dernière rigueur ; car le son
fondamental de la sixte majeure *sol mi* est à la quinte
du grave, et le son fondamental de la quarte *sol ut* est
encore à la quinte du grave. De cette manière, l'harmonie est bien ordonnée et représente exactement le
corps sonore. Mais au lieu de diviser harmoniquement
la quinte en mettant la tierce majeure au grave et la
mineure à l'aigu, transposons cet ordre en la divisant
arithmétiquement, nous aurons cet accord parfait
tierce mineure, *ut mi* bémol *sol,* et, prenant d'autres
notes pour plus de commodité, cet accord semblable,
la ut mi.

Alors on trouve la dixième *fa* pour son fondamental
de la tierce mineure *la ut,* et l'octave *ut* pour son fondamental de la tierce majeure *ut mi.* On ne saurait
donc frapper cet accord complet sans produire à la
fois deux sons fondamentaux. Il y a pis encore, c'est
qu'aucun de ces deux sons fondamentaux n'étant le
vrai fondement de l'accord et du mode, il nous faut

une troisième basse *la* qui donne ce fondement. Alors il est manifeste que l'accompagnement ne peut représenter le corps sonore qu'en prenant seulement les notes deux à deux ; auquel cas on aura *la* pour basse engendrée sous la quinte *la mi, fa* sous la tierce mineure *la ut,* et *ut* sous la tierce majeure *ut mi.* Sitôt donc que vous ajouterez un troisième son, ou vous ferez un accord parfait majeur, ou vous aurez deux sons fondamentaux et par conséquent la représentation du corps sonore disparaîtra.

Ce que je dis ici de l'accord parfait mineur doit s'entendre à plus forte raison de tout accord dissonant complet, où les sons fondamentaux se multiplient par la composition de l'accord ; et l'on ne doit pas oublier que tout cela n'est déduit que du principe même de M. Rameau, adopté par supposition. Si l'accompagnement devait représenter le corps sonore, combien donc n'y devrait-on pas être circonspect dans le choix des sons et des dissonances, quoique régulières et bien sauvées ! Voilà la première conséquence qu'il faudrait tirer de ce principe supposé vrai. La raison, l'oreille, l'expérience, la pratique de tous les peuples qui ont le plus de justesse et de sensibilité dans l'organe, tout suggérait cette conséquence à M. Rameau. Il en tire pourtant une toute contraire, et pour l'établir, il réclame les droits de la nature, mots qu'en qualité d'artiste il ne devrait jamais prononcer.

Il me fait un grand crime d'avoir dit qu'il fallait retrancher quelquefois des sons dans l'accompagnement, et un bien plus grand encore d'avoir compté la quinte parmi ces sons qu'il fallait retrancher dans l'occasion. *La quinte,* dit-il, *qui est l'arc-boutant de l'harmonie, et qu'on doit par conséquent préférer partout où elle doit être employée.* A la bonne heure, qu'on la préfère quand elle doit être employée : mais cela ne prouve pas qu'elle doive toujours l'être ; au contraire, c'est justement parce qu'elle est trop harmonieuse et sonore qu'il la faut souvent retrancher, surtout dans les accords trop éloignés des cordes principales, de peur que l'idée du ton ne s'éloigne et ne s'éteigne, de peur que l'oreille incertaine ne partage son attention entre les deux sons qui forment la quinte, ou ne la donne précisément à celui qui est étranger à la mélodie, et qu'on doit le moins écouter. L'ellipse n'a pas moins d'usage dans l'harmonie que dans la grammaire ; il ne s'agit pas toujours de tout dire, mais de se faire entendre suffisamment. Celui qui, dans un accompagnement écrit, voudrait sonner la quinte dans chaque accord où elle entre, ferait une harmonie insupportable, et M. Rameau lui-même s'est bien gardé d'en user ainsi.

Pour revenir au clavecin, j'interpelle tout homme dont une habitude invétérée n'a pas corrompu les organes ; qu'il écoute, s'il peut, l'étrange et barbare accompagnement prescrit par M. Rameau, qu'il le compare avec l'accompagnement simple et harmonieux des Italiens, et s'il refuse de juger par la raison, qu'il juge au moins par le sentiment entre eux et lui. Comment un homme de goût a-t-il pu jamais imaginer qu'il fallût remplir tous les accords pour représenter le corps sonore, qu'il fallût employer toutes les dissonances qu'on peut employer ? Comment a-t-il pu faire un crime à Corelli de n'avoir pas chiffré toutes celles qui pouvaient entrer dans son accompagnement ? Comment la plume ne lui tombait-elle pas des mains à chaque faute qu'il reprochait à ce grand harmoniste de n'avoir pas faite ? Comment n'a-t-il pas senti que la confusion n'a jamais rien produit d'agréable, qu'une harmonie trop chargée est la mort de toute expression, et que c'est par cette raison que toute la musique sortie de son école n'est que du bruit sans effet ? Comment ne se reproche-t-il pas lui-même d'avoir fait hérisser les basses françaises de ces forêts de chiffres qui font mal aux oreilles seulement à les voir ? Comment la force des beaux chants qu'on trouve quelquefois dans sa musique n'a-t-elle pas désarmé sa main paternelle quand il les gâtait sur son clavecin ?

Son système ne me paraît guère mieux fondé dans les principes de théorie que dans ceux de pratique.

Toute sa génération harmonique se borne à des progressions d'accords parfaits majeurs ; on n'y
comprend plus rien sitôt qu'il s'agit du mode mineur
et de la dissonance ; et les vertus des nombres de
Pythagore ne sont pas plus ténébreuses que les propriétés physiques qu'il prétend donner à de simples
rapports.

M. Rameau dit que la résonance d'une corde
sonore met en mouvement une autre corde sonore
triple ou quintuple de la première et la fait frémir
sensiblement dans sa totalité, quoiqu'elle ne résonne
point. Voilà le fait sur lequel il établit les calculs qui
lui servent à la production de la dissonance et du
mode mineur. Examinons.

Qu'une corde vibrante, se divisant en ses aliquotes,
les fasse vibrer et résonner chacune en particulier, de
sorte que les vibrations plus fortes de la corde en produisent de plus faibles dans ses parties, ce phénomènes se conçoit et n'a rien de contradictoire. Mais
qu'une aliquote puisse émouvoir son tout en lui donnant des vibrations plus lentes, et conséquemment
plus fortes* ; qu'une force quelconque en produise
une autre triple et une autre quintuple d'elle-même,
c'est ce que l'observation dément et que la raison ne
peut admettre[104]. Si l'expérience de M. Rameau est
vraie, il faut nécessairement que celle de M. Sauveur
soit fausse. Car si une corde résonnante fait vibrer son
triple et son quintuple, il s'ensuit que les nœuds de
M. Sauveur ne pouvaient exister, que sur la résonance
d'une partie la corde entière ne pouvait frémir, que les
papiers blancs et rouges devaient également tomber,
et qu'il faut rejeter sur ce fait le témoignage de toute
l'Académie.

Que M. Rameau prenne la peine de nous expliquer
ce que c'est qu'une corde sonore qui vibre et ne
résonne pas. Voici certainement une nouvelle physique. Ce ne sont donc plus les vibrations du corps

---

* Ce qui rend les vibrations plus lentes, c'est, ou plus de matière
à mouvoir dans la corde, ou son plus grand écart de la ligne de
repos.

sonore qui produisent le son, et nous n'avons qu'à chercher une autre cause.

Au reste, je n'accuse point ici M. Rameau de mauvaise foi ; je conjecture même comment il a pu se tromper. Premièrement, dans une expérience fine et délicate, un homme à système voit souvent ce qu'il a envie de voir. De plus, la grande corde se divisant en parties égales entre elles et à la petite, on a vu frémir à la fois toutes ses parties, et l'on a pris cela pour le frémissement de la corde entière. On n'a point entendu le son, cela est encore fort naturel. Au lieu du son de la corde entière qu'on attendait, on n'a eu que l'unisson de la plus petite partie, et on ne l'a pas distingué. Le fait important dont il fallait s'assurer, et dont dépendait tout le reste, était qu'il n'existait point de nœuds immobiles et que, tandis qu'on n'entendait que le son d'une partie, on voyait frémir la corde dans la totalité ; ce qui est faux.

Quand cette expérience serait vraie, les origines qu'en déduit M. Rameau ne seraient pas plus réelles : car l'harmonie ne consiste pas dans les rapports de vibrations, mais dans le concours des sons qui en résultent ; et si ces sons sont nuls, comment toutes les proportions du monde leur donneraient-elles une existence qu'ils n'ont pas ?

Il est temps de m'arrêter. Voilà jusqu'où l'examen des erreurs de M. Rameau peut importer à la science harmonique. Le reste n'intéresse ni les lecteurs, ni moi-même. Armé par le droit d'une juste défense, j'avais à combattre deux principes de cet auteur, dont l'un a produit toute la mauvaise musique dont son école inonde le public depuis nombre d'années, l'autre le mauvais accompagnement qu'on apprend par sa méthode. J'avais à montrer que son système harmonique est insuffisant, mal prouvé, fondé sur une fausse expérience. J'ai cru ces recherches intéressantes. J'ai dit mes raisons, M. Rameau a dit ou dira les siennes ; le public nous jugera. Si je finis si tôt cet écrit, ce n'est pas que la matière ne manque, mais j'en ai dit assez pour l'utilité de l'art et pour l'honneur de la vérité ; je ne crois pas avoir à défendre le mien contre les outrages de M. Rameau. Tant qu'il m'attaque en artiste, je me fais un devoir de lui répondre, et discute avec lui volontiers les points contestés. Sitôt que l'homme se montre et m'attaque personnellement, je n'ai plus rien à lui dire et ne vois en lui que le musicien.

NOTES

Essai sur l'origine des langues

CHAPITRE I

1. Après avoir annoncé les grandes lignes de la première partie de l'*Essai* (chapitre I à VII : théorie des « langues primitives », établissement de la relation entre l'existence du langage humain et les passions ; chapitres VIII à XI : théorie de la différenciation entre langues du Midi et langues du Nord), Rousseau souligne le statut ambivalent du langage humain, à la fois issu de la nature et « première institution sociale », condition de possibilité de toute autre institution.

Le langage se situe à l'articulation et à la césure entre la nature au sens physique, galiléo-cartésien et newtonien (l'ensemble des phénomènes soumis à des lois nécessaires), et la nature de l'homme, nature *morale* ou psychique. Cette dernière ne peut être pensée que dans une sorte d'arrachement par rapport à la première, elle donne à l'humain sa spécificité, une sorte de destinée en forme de progrès (qui peut aussi bien prendre les formes d'une dégradation), ainsi que le rappelle la fin de ce chapitre premier. L'existence même du langage humain, irréductible à ce que nous appellerions un code animal, témoigne de cette position ambivalente ; elle est le symptôme du moment d'instabilité (le « second état de nature ») qui lui donne naissance et qui, en même temps, entraîne l'humanité sans retour possible dans sa propre histoire. L'ambition de l'auteur est de rendre compte de l'irréductibilité du langage humain à l'ordre pur et simple de la nature physique : sa contingence, l'ambivalence de son statut, exigent une explication plus que physique — une explication méta-physique ou encore morale : c'est la thèse de l'origine passionnelle.

On notera que Rousseau identifie ici le concept même de

langage humain, pris dans sa spécificité, et « la parole ». Il a raison, puisque, comme l'a montré ultérieurement la linguistique, toute langue est essentiellement parlée, découpée dans l'étoffe sonore.

La *forme* de la parole est due à des « causes naturelles ». Forme signifie ici apparence matérielle. Rousseau veut dire que le langage, dont l'existence ne peut être réduite à une intelligibilité relevant de la nature physique, doit cependant prendre physiquement forme sensible et s'appuyer sur des éléments matériels qui lui préexistent dans l'équipement sensoriel humain, éléments préalablement donnés par une nature muette, silencieuse et dépourvue de signification. Le langage s'empare de ces éléments et les utilise en leur insufflant de la signification. Ces instruments sont par la suite dénombrés ; il ne peut y en avoir que deux : la vue et l'ouïe. Le chapitre I s'efforce d'établir en quoi le matériel sonore est privilégié.

2. Il y a indifférenciation de principe entre les deux instruments possibles de matérialisation du langage, la vue et l'ouïe, puisque tous deux sont *également* donnés par l'équipement sensoriel humain. Une telle indifférenciation est *naturelle* en ce sens qu'elle dérive de la nature au sens physique du terme. D'où Rousseau pourra conclure, à la fin de ce chapitre, que si nous étions entièrement réductibles au règne de la législation naturelle, nous aurions pu ne jamais parler. On pourrait ajouter : si les langues relevaient de l'ordre physique de la nature, elles ne seraient pas toutes des langues parlées. Que toutes les langues soient parlées, c'est justement ce dont on ne peut pas rendre compte si l'on s'en tient à une hypothèse physique : il faut donc recourir à une autre hypothèse, celle de la « moralité ».

La première démarche de l'*Essai* consiste à introduire entre ces deux instruments « également » donnés par la nature physique une inégalité fondamentale, relevant d'une autre « nature » que celle des physiciens, inégalité qui doit rendre intelligible le phénomène de la parole, le privilège du sonore sur le visuel, de la voix sur le geste : la dimension visuelle est plus proche de la nécessité naturelle alors que la dimension sonore relève plus des conventions, elle se prête plus volontiers à l'investissement par le psychisme.

3. Pline l'Ancien, *Histoire naturelle*, livre XXXV, 43, Paris, Les Belles Lettres, 1985, texte établi et traduit par Jean-Michel Croisille, p. 101 :

> « en utilisant lui aussi la terre, le potier Butadès de Sicyone découvrit le premier l'art de modeler des portraits en argile ; cela se passait à Corinthe et il dut son

invention à sa fille, qui était amoureuse d'un jeune homme ; celui-ci partant pour l'étranger, elle entoura d'une ligne l'ombre de son visage projetée sur le mur par la lumière d'une lanterne ; son père appliqua de l'argile sur l'esquisse, en fit un relief qu'il mit à durcir au feu avec le reste de ses poteries, après l'avoir fait sécher ».

4. Mise au point destinée à prévenir un contresens sur le terme « geste ». Il ne faut pas confondre le « geste », qui désigne un phénomène de condensation de sens, une globalité non analysable, une sorte de raccourci signifiant, et la « gesticulation » qui au contraire se déploie longuement. Le geste est synthèse, la gesticulation est explication et fragmentation. Elle s'oppose au geste comme le grammatical (segmentation de la langue en unités rationnelles distinctes) s'oppose au hiéroglyphique (concentration du sens en un seul signe).

5. Tite-Live, *Histoire romaine*, I, 54 :

[Sextus, le fils de Tarquin, envoie un messager à son père pour lui demander conseil] « Le messager ne parut sans doute pas sûr au roi, car il ne lui fit pas de réponse verbale ; feignant d'être perplexe, il passe dans le jardin du palais, suivi du messager de son fils, et là, tout en se promenant sans mot dire, il décapitait, dit-on, avec une baguette les pavots les plus élevés. Fatigué de l'interroger et d'attendre une réponse, le messager croit sa mission manquée et s'en retourne à Gabies. [...] Sextus, devinant les intentions et les ordres de son père sous ce silence énigmatique, fit périr les premiers de la cité. »

6. Hérodote, *Histoires*, V, 92 (trad. Ph. E. Legrand, Paris, Les Belles Lettres, 1946) :

« Périandre [...] avait envoyé un héraut à Thrasybule, tyran de Milet, et lui avait fait demander quel état politique il devait établir pour avoir le plus de sécurité et maintenir le mieux la cité sous ses lois. Thrasybule mena hors la ville l'émissaire de Périandre et entra dans un champ ensemencé ; en parcourant les blés, il questionnait et requestionnait le héraut au sujet de sa venue de Corinthe ; et, en même temps, il coupait tous les épis qu'il voyait dépasser des autres, et, coupés, il les jetait à terre, jusqu'à ce que, ce faisant, il eut détruit ce qu'il y avait de plus beau et de plus haut dans ce blé. Le champ parcouru, sans donner un mot de conseil, il congédia le héraut. [...] Périandre comprit le sens de cette action : il saisit que le conseil était de mettre à mort les citoyens qui dépassaient les autres. »

7. Plutarque, *Vie d'Alexandre*, 39, 8 (*Vies*, Paris, Les Belles Lettres, 1975, trad. Robert Flacelière et Emile Chambry, p. 82) :

> « Olympias lui écrivait souvent de telles lettres ; il les gardait secrètes, sauf une fois où Héphestion lisait avec lui, comme il en avait l'habitude, une lettre qui était décachetée ; Alexandre ne l'en empêcha pas, mais retira l'anneau de son doigt et lui en appliqua le sceau sur la bouche. »

8. Il s'agit de Diogène le Cynique et des paradoxes éléates : « Un jour où quelqu'un niait le mouvement, il se leva et se mit à marcher. » (Diogène Laerce, *Vies, doctrines et sentences des philosophes illustres*, VI, GF-Flammarion, II, p. 20).

9. Hérodote, *Histoires*, IV, 131.

10. Ancien Testament, *Juges*, 19 (27-30).

11. Ancien Testament, *Samuel*, I, XI (7).

12. Athénée, *Deipnosophistes*, XIII, 590e, cité par Montaigne, *Essais*, III, 12 : « Phryné perdait sa cause entre les mains d'un excellent avocat si, ouvrant sa robe, elle n'eût corrompu ses juges par l'éclat de sa beauté. »

13. Horace, *Art poétique*, vers 180-183 (trad. de François Villeneuve, Paris, Les Belles Lettres, 1978, p. 212) :

> « L'esprit est moins vivement touché de ce qui lui est transmis par l'oreille que des tableaux offerts au rapport fidèle des yeux et perçus sans intermédiaire par le spectateur. »

14. Point de basculement du chapitre : c'est à présent que Rousseau va faire pencher la balance en faveur de la dimension sonore, privilégiée pour rendre l'ordre passionnel du psychisme, ou « moralité ». Toute l'argumentation qui précède apparaît comme un développement rhétorique conforme à l'art de la dissertation : il convient en effet de soutenir d'abord la thèse que l'on se propose d'écarter afin de mieux mettre en valeur celle qu'on veut retenir. Bien que cet aspect rhétorique soit indéniable, on a pu cependant voir se mettre en place, pendant toute la première partie du chapitre, plus problématique que thématique, les lignes directrices qui préparent et permettent la seconde thèse. Celle-ci ne fait du reste pas l'objet d'une argumentation directe fort développée, car Rousseau conclut très vite, avant de passer au deux remarques supplémentaires « Ceci me fait penser » (p. 58) et « Il paraît encore » (p. 59) qui terminent le cha-

pitre. La force de la thèse du privilège moral du son est
établie indirectement, parce qu'elle répond à un problème
(comment expliquer la prééminence de la *parole* ?).

15. *Lettre à d'Alembert sur les spectacles* :

« Si, selon la remarque de Diogène Laërce, le cœur
s'attendrit plus volontiers à des maux feints qu'à des
maux véritables ; si les imitations du théâtre nous arrachent quelquefois plus de pleurs que ne ferait la présence même des objets imités, c'est moins, comme le
pense l'abbé Du Bos, parce que les émotions sont plus
faibles et ne vont pas jusqu'à la douleur, que parce
qu'elles sont pures et sans mélange d'inquiétude pour
nous-mêmes. En donnant des pleurs à ces fictions,
nous avons satisfait à tous les droits de l'humanité, sans
avoir plus rien à mettre du nôtre... » (éd. Garnier-
Flammarion, pp. 78-79)

16. Conclusion apparente du chapitre. Le vocabulaire
employé par Rousseau anticipe sur la seconde partie de l'*Essai*
et annonce celui du *Dictionnaire de musique*. L'« imitation
exacte » relève d'une position matérialiste, et, bien qu'elle
s'empare plus volontiers d'un matériau visuel, elle peut prendre
des formes sonores : il s'agit de rendre de la matière par de la
matière, ce que font, pour Rousseau, les musiciens français
(ils « peignent » la tempête par un mouvement tumultueux et
agité ; ils croient « parler » alors qu'ils ne font que du « bruit »).
« Exciter l'intérêt » suppose qu'on s'adresse, non pas à un
organe dans ce qu'il a de mécanique, mais au psychisme par
des moyens matériels qui s'effacent devant la signification passionnelle. Ainsi, la meilleure musique n'est pas celle qui décrit,
mais celle qui réactive les sentiments.

17. Première remarque en forme de digression : elle
contient en réalité un argument décisif en faveur d'une des
thèses centrales du traité. Si « nous » étions réductibles à
l'ordre de la nature tel que le conçoivent les physiciens, le
monde humain ne se distinguerait pas du monde animal : ce
serait un monde de silence, ou du moins un monde éternellement codifié. On débouche donc sur un problème, qui par
lui-même forme argument : l'ordre du besoin, celui du
monde physique, avec ses lois et sa nécessité, est insuffisant
pour expliquer le phénomène humain du langage. La forme
sonore que prend celui-ci apparaît comme une énigme : du
point de vue de la stricte nature physique, elle est contin-
gente, et même superflue.

Il faut donc lui attribuer une autre origine que celle du
besoin et de la nécessité. Cette origine devra être en mesure

d'expliquer la forme vocale : l'hypothèse « morale » s'impose. *Les passions expliquent pourquoi il y a du langage humain et pourquoi celui-ci est de préférence vocal.* Ainsi est mise en place la première thèse stratégique de l'*Essai* (voir présentation, p. 40) : Rousseau lie le moral de l'homme à la voix et à l'oreille.

18. Rodrigo Pereira présenta ses travaux consacrés à la rééducation des sourds-muets à l'Académie des sciences en 1749 ; il est cité par Rousseau à l'article « Chant » du *Dictionnaire de musique*. On connaît aussi les travaux de l'abbé de L'Epée, *Institution des sourds et muets par la voie des signes méthodiques*, Paris, Nyon l'Aîné, 1776.

19. *Voyage de Monsieur le Chevalier Chardin en Perse et autres lieux de l'Orient*, Amsterdam, 1711. *Les Voyages de Jean Chardin, racontés par lui-même*, Paris, M. Dreyfous, 1850 (collationné sur l'édition originale, réduit et annoté par George Mantoux), volume II, p. 172-173 :

> « Après avoir bien raisonné et discouru en présence du vendeur, et d'ordinaire dans sa maison, ils font le prix avec les doigts. Ils se tiennent par la main droite, couverte de leur manteau ou de leur mouchoir, et s'entre-parlent de cette façon. Le doigt étendu vaut dix, le doigt plié cinq, le bout du doigt un, la main entière cent, la main pliée mille. Ils marquent ainsi livres, sous et deniers, en se maniant la main. Pendant qu'ils traitent, ils ont le visage rassis et immobile, à un point qu'il est impossible d'y connaître aucunement, ni ce qu'ils pensent, ni ce qu'ils disent. »

20. Cette seconde remarque réaffirme la fixité du code animal, lié à l'ordre de la nécessité naturelle physique en lui opposant la variabilité et la contingence des langues humaines. Mais elle vient compliquer le raisonnement du chapitre en introduisant une contradiction. En effet, Rousseau affirme ici la contingence radicale de tous les moyens matériels pour l'expression d'un noyau linguistique profond qu'il faut attribuer à l'espèce humaine. Si les organes de l'homme avaient été autres, les moyens utilisés par les langues seraient différents. Comment accorder cette position avec la thèse du lien privilégié entre passion et vocalité ? En réalité, il s'agit d'une apparente contradiction qui renforce la thèse de Rousseau en lui donnant une orientation précise. C'est que le lien entre moralité et vocalité n'est pas un lien d'équivalence et de nécessité, c'est plutôt une relation d'élection ou encore d'investissement. Les organes « sonores » (glotte, gosier et oreille) ne s'imposent pas par

eux-mêmes de façon nécessaire et en vertu de leurs propriétés physiques : c'est au contraire l'ordre psychique qui
les élit entre tous les autres organes. Ce n'est pas parce qu'il
a une voix et des oreilles que l'homme est un être parlant,
c'est parce que sa nature est parlante et passionnée, en un
mot morale, qu'elle jette son dévolu sur la voix et sur
l'oreille, lesquelles se prêtent mieux que d'autres organes à
l'expression des passions.

On a donc affaire ici à une logique de l'investissement :
le moral s'investit dans le physique selon les voies matérielles les plus aisées, mais celles-ci auraient pu être autres.
On osera une comparaison avec la théorie freudienne de la
libido : celle-ci, « libre », se fixe et s'étaye sur certaines
zones du corps (bouche, anus, zone génitale) en s'y inves-
tissant : les zones sont l'objet de l'investissement, elles en
expliquent certaines propriétés, mais elles n'en sont pas la
cause efficiente complète.

CHAPITRE II

21. C'est la conclusion réelle du chapitre précédent,
énoncé de la première thèse stratégique du traité : l'origine des
langues demeure inexplicable si on s'en tient au monde mécanique et physique du besoin pour lequel le geste suffirait. Il
faut donc se tourner vers l'hypothèse du psychisme ou de la
moralité.

22. Rousseau s'oppose aux théoriciens matérialistes de
l'origine des langues, pour qui le sens propre et concret a dû
précéder logiquement et chronologiquement les emplois
figurés.

Voir Condillac, *Essai sur l'origine des connaissances
humaines*, Amsterdam, P. Mortier, 1746, II, 1 ; Maupertuis,
*Réflexions philosophiques sur l'origine des langues et la significa-
tion des mots*, s.l.n.d., [1748] ; Beauzée, article « Langue » de
l'*Encyclopédie*.

23. Rousseau utilise ici sa propre théorie dite « des deux
états de nature » pour avancer un argument en faveur de
l'origine passionnelle des langues humaines. Les langues
sont issues du « dernier terme de l'état de nature ». Le premier état de nature est un état de dispersion et d'ignorance,
le second est un moment de rapprochement, où, sous l'effet
conjugué des contraintes naturelles, « obstacles » qu'il faut
surmonter, et des techniques et des lumières naissantes, les
hommes se regroupent, nouent commerce, se saisissent
comme humanité, mais aussi commencent bientôt à s'op-

poser. Aux besoins « physiques » qui règnent dans le premier stade succèdent des besoins « moraux » dans le second. Argument de plus pour récuser l'origine physique des langues : le besoin physique n'inclut aucun rassemblement durable.

24. La thèse de l'origine passionnelle des langues prend une orientation plus nette : le privilège du sonore se précise en ce sens qu'il s'agit plutôt d'un privilège du *vocalique* (objet sonore certes, mais objet qui suppose une source précise, la voix humaine inarticulée et modulée en hauteur, durée et intensité). Cette restriction au sein de l'univers sonore permet à Rousseau d'introduire l'adjectif « chantant » comme équivalent de « sonore » et de « passionné ». Or cette équivalence n'est nullement indifférente, car on pourrait aussi bien s'attendre, en ce point du traité, à l'apparition d'autres sonorités que « vocaliques » : les passions brutales (haine et colère) sont génératrices, de l'aveu même de l'auteur (chap. X), de sons « sourds », consonantiques et articulés. En énonçant ce parallèle entre « chantant » et « passionné », Rousseau fait déjà pencher la balance d'un côté : il indique que la vocalité et l'inarticulation sont des phénomènes premiers.

CHAPITRE III

25. Trope : figure de déplacement (métaphore, métonymie, etc.). Définition par Bernard Lamy, *La Rhétorique ou l'art de parler,* Paris, Pralard, 1675. Livre II, chap. I, p. 48.

> « Quand on se sert pour signifier une chose d'un mot qui ne lui est pas propre, et que l'usage avait appliqué à un autre sujet, cette manière de s'expliquer est figurée ; et ces mots qu'on transporte de la chose qu'ils signifient proprement, pour les appliquer à une autre qu'ils ne signifient qu'indirectement, sont appelés Tropes, c'est-à-dire termes dont on change et renverse l'usage ; comme leur nom qui est grec le fait assez connaître [...]. Les Tropes ne signifient les choses auxquelles on les applique, qu'à cause de la liaison et du rapport que ces choses ont avec celles dont ils sont le propre nom ; c'est pourquoi on pourrait compter autant d'espèces de tropes que l'on peut marquer de différents rapports ; mais il a plu aux premiers maîtres de l'art de n'en établir qu'un petit nombre. »

Voir aussi Du Marsais, *Traité des tropes,* Paris, David, 1757.

Ce chapitre est un développement et un commentaire de la première partie du chapitre II : Rousseau s'explique plus longuement sur son opposition avec les théoriciens matérialistes.

Le même genre de problème d'antériorité (faut-il raisonner en termes logiques d'intelligibilité, comme le font les théoriciens mécanistes, ou en termes généalogiques d'apparition, comme le fait ici Rousseau ?) s'est posé au XVIIIe siècle s'agissant de la Querelle de l'inversion. D'Alembert aborde la question dans ses *Eléments de philosophie,* chap. XIII, et dans ses *Eclaircissements sur les Eléments de philosophie,* éclaircissement X (Paris : Fayard, 1986, pp. 99 et 295). Voir à ce sujet : Marc Dominicy, « La Querelle des Inversions », *Dix-Huitième Siècle,* n° spécial D'Alembert, Paris : PUF, 1984, pp. 109-121.

L'intérêt philosophique de cette argumentation dans l'*Essai* est d'introduire le caractère tardif de l'usage propre des mots, qui est un usage « éclairé », supposant des hommes suffisamment savants pour se déprendre de l'anthropomorphisme. La rationalité est donc, comme la matérialité à laquelle elle est ici liée, un phénomène second.

CHAPITRE IV

26. Le chapitre IV argumente et développe en la précisant la seconde partie du chapitre II : il y a primauté de la *vocalité* au sein du matériel sonore exprimant les passions. L'argument présenté est d'ordre mécanique : les sons vocaliques et inarticulés, infléchis en hauteur et en intensité (c'est-à-dire *accentués*), sont plus aisés à produire que les sons sourds et consonantiques. Donc, ils sont primitifs et la première langue doit être « chantante ». Il s'agit ici de parcourir les propriétés (philosophiquement reconstituées, induites) d'une première langue : Rousseau trace les caractéristiques d'un archétype (sur la question du mode d'existence de cette langue archétype, voir ci-dessous le commentaire du chapitre VII).

Il faut aussi voir dans ce passage une mise au point terminologique très précieuse, puisqu'il s'agit maintenant pour l'auteur de faire en quelque sorte le tri entre ce qui relève du vocalique strict, qu'on pourrait appeler la ligne mélodique de la langue (« simples sons », « simples voix », « cris », « gémissements », « exclamations », « accents », « voix naturelles »), d'une part, et d'autre part ce qui relève de la segmentation de la chaîne vocalique, les sonorités consonantiques, les « articulations ». Ce dernier domaine est considéré par Rousseau comme plus tardif, car il suppose un usage des organes « sourds » (palais et langue) qui réclame une éducation. Or, on sait aujourd'hui que le nourrisson émet tous les sons possibles et que son spectre sonore couvre largement les besoins phonétiques de toutes les langues : l'apprentissage de la langue maternelle opère comme un filtre phonétique éliminant un certain nombre d'émissions qui sont « oubliées » et considérées ensuite comme imprononçables ou du moins comme plus difficiles à prononcer. La question n'est pas en réalité de savoir si Rousseau se trompe, mais de voir comment il dispose ses arguments afin de rabattre la langue archétype sur la vocalité, pour en déduire la primauté de la mélodicité.

La terminologie se précise à la faveur de ce resserrement sur la vocalité et on peut comprendre assez clairement le terme d'*accent*, si fréquemment employé dans l'*Essai*. L'*accentuation* est le principe de modification de la « simple voix », modification purement vocalique que Rousseau distingue évidemment des modifications consonantiques mais aussi du « nombre » (longueur et rythme) : il ne reste donc que les modifications en hauteur et en expressivité. C'est pourquoi Rousseau esquisse ici un parallèle entre ces accents et les notes de la musique, qui représentent la hauteur relative des sons musicaux. Ce parallèle prépare la seconde partie de l'*Essai* en introduisant une fois de plus l'analogie entre parole et chant. Introduction subreptice : car il faudrait, pour qu'elle soit acceptable, montrer qu'il y a continuité entre l'émission parlée et l'émission chantée. Toute l'argumentation repose sur l'unité primitive de la voix, ainsi que le montre l'article « Voix » du *Dictionnaire de musique* qui réduit la différence entre les deux émissions à une différence de degré (voir présentation, p. 44).

Le dualisme de l'*Essai*, qui distingue le monde physico-rationnel et le monde moral, est presque entièrement parcouru de façon synoptique dans ce chapitre (dont le répondant dans la seconde partie de l'*Essai* est le chapitre XII, décrivant la reconstitution philosophique d'une « première musique »). Non seulement les deux composantes auditives des langues y sont distinguées, mais elles sont rapportées :

1° A des temps différents. Une histoire philosophique de leur apparition est possible, qui retrace à la fois les progrès et les dégradations dus au développement des conventions introduisant l'articulation.

2° A des sources anatomiques différentes. La bipartition

marque le corps humain dont certains organes et certaines manifestations sont élus par l'immatériel : le « gosier », la « glotte », les « simples voix », l'oreille, mais aussi les soupirs, les larmes. On a ainsi un ensemble de phénomènes pneumatiques investis par le psychisme.

3° A des productions et à des facultés différentes. Du côté passionnel les figures, les sentences, les périodes, l'euphonie, la persuasion, la « peinture » ; du côté rationnel la grammaire, les mots abstraits, les arguments, la force de conviction, les raisonnements.

4° A une répartition géographique qui privilégie un Midi philosophique, représentatif de l'énergie vocale (ce sont les exemples des langues chinoise, grecque, arabe), par opposition au Nord philosophique envahi d'articulations sourdes.

Les divers éléments de cette remarquable synopsis sont déployés ou énoncés à un moment ou à un autre de l'*Essai*. Le chapitre IX, que Rousseau qualifie lui-même de « longue digression » en raconte le *roman*, narration philosophique qui en retrace l'histoire « vraie » (telle qu'elle a dû être) sinon réelle, et qui place cette histoire dans les lieux d'une hyper-géographie plus significative que la géographie réelle et actuelle.

CHAPITRE V

27. C'est la mise en place de l'intellectualité dans le dualisme de l'*Essai*. Rationalité, intellectualisme, calcul, sont des phénomènes tardifs qui introduisent la dimension articulatoire, consonantique, sourde et conventionnelle dans les langues primitives. L'épaisseur de la matière et la clarté-distinction des raisons sont désormais liées et situées dans l'ordre du monde tel que le conçoivent les physiciens. Aux yeux de Rousseau, ce phénomène résulte d'un processus de progrès-dégradation maintes fois décrit par lui et maintes fois commenté. C'est l'*industrie* (ingéniosité, habileté, sciences, arts et techniques, tous éléments relevant du raffinement intellectuel) et le *commerce* (échange, circulation, entraide mais aussi dépendance ou domination économiques) et leur développement inévitable qui ont à la fois « perdu » et « civilisé » le genre humain. Dans le domaine des langues, ce processus se manifeste par une matérialisation et une intellectualisation croissantes. Dans celui de la musique, il apparaît par l'*harmonisation,* qui désigne à la fois un processus rationnel de décomposition analytique permettant l'écriture et un accroissement du volume sonore (instrumen-

talisation de la musique) au détriment de la ligne mélodique d'origine vocale.

Il n'est donc guère étonnant que l'écriture soit le siège privilégié et le symptôme de ce moment critique.

Trois stades dans l'évolution de l'écriture sont distingués par Rousseau.

1° Un stade global. « Peindre la parole » signifie ici représenter les choses désignées ou les notions de façon directe, sans passer par le relais d'une représentation de la chaîne sonore. C'est le pictogramme et l'idéogramme, états « sauvages » de l'écriture. Exemple : les éléments descriptifs des hiéroglyphes.

2° Un stade intermédiaire. « Peindre la parole » signifie alors s'efforcer de représenter des séquences phoniquement isolables dans la chaîne sonore et signifiantes par elles-mêmes (par exemple, « les mots », « les propositions »). On peut imaginer que si Rousseau avait connu la linguistique structurale du XXe siècle, il aurait peut-être inclus dans ce stade « barbare » de l'écriture la représentation des éléments de première articulation. C'est le phonogramme de la première génération ; Rousseau donne l'exemple de l'écriture chinoise, on pourrait ajouter celui des syllabaires (écritures sémitiques) ou celui des éléments phoniques des hiéroglyphes, qui ont permis à Champollion de commencer le déchiffrement.

3° Stade ultime. Ce n'est plus une « peinture », mais une analyse supposant un exercice aigu de la pensée abstraite. Ce qui est alors représenté de la chaîne sonore, ce ne sont plus des séquences phoniquement indépendantes et significatives par elles-mêmes, mais des sons totalement abstraits dont un grand nombre sont imprononçables isolément (ils ne peuvent être émis que pris dans des combinaisons), et n'ayant par eux-mêmes aucune signification. C'est le phonogramme « élémentaire » de la seconde génération, les alphabets au sens strict du terme.

Rousseau connaît très probablement les théories de l'écriture qui lui sont contemporaines, notamment chez Lamy (*La Rhétorique ou l'Art de parler*, Livre I, chap. 5, 4e éd. 1701) et Condillac (*Essai sur l'origine des connaissances humaines*) voir sur ce point : M. V. David, *Le Débat sur les écritures et l'hiéroglyphe aux XVIIe et XVIIIe siècles*, Paris, SEVPEN, 1965. Il faut souligner, en outre, que son analyse ne serait pas démenti par les spécialistes actuels de l'écriture alphabétique (voir par exemple Eric Havelock, *Aux origines de la civilisation écrite en Occident*, Paris : Maspero, 1981).

28. Ancien nom de Persépolis. Une ectype est une empreinte ou une sorte de moulage.

29. Rousseau ne veut pas dire que l'écriture n'est jamais liée à la chaîne sonore (ce qui contredirait sa théorie de l'alphabet), mais que l'écriture répond à une fonction autre que celle de la parole. Cette fonction est introduite par les besoins « tardifs » de l'*industrie* et du *commerce* (voir note 27 pour l'explication de ces termes).

30. Pline l'Ancien, *Histoire naturelle,* VII, LVI, 192 ; Marius Victorinus, *Grammaire,* t. VI ; Isidore de Séville, *Origines,* I, III, 5.

31. Martianus Capella, *De Nuptiis Philologiae et Mercuri,* I, III : « Les voyelles étaient au nombre de sept, Romulus en dénombre six, et plus tard l'usage en compte cinq (Y ayant été rejeté comme grec). »

32. *Grammaire générale et raisonnée,* I, II.

33. *Remarques sur la Grammaire générale et raisonnée,* I, 1.

34. La conclusion philosophique du chapitre est une critique et un éloge de l'écriture comme symptôme tant du progrès que de la dégradation de l'humanité à son stade industrieux. Cette critique vise plus particulièrement l'écriture alphabétique, qui concentre et épure les propriétés essentielles de l'écrit.

L'écriture *altère,* elle aliène la parole en la rendant autre que ce qu'elle est originairement. Elle altère la matière fluide de la continuité vocalique en renforçant la matéralisation et la fragmentation. Elle altère le sens en lui substituant progressivement les raisons. Elle altère la figure poétique en lui substituant la clarté-distinction des idées. Enfin elle abolit les différences infinitésimales entre les accents en leur substituant la règle uniforme imposée par l'analyse alphabétique. L'harmonisation, décrite à partir du chapitre XIV, remplit les mêmes fonctions pour la musique ; comme l'écriture, elle fragmente, analyse, impose l'uniformité du calcul et dévitalise la musique. On retrouve ici la vieille argumentation de la lettre qui tue et de l'esprit qui vivifie, ainsi que des échos de la critique platonicienne de l'écriture (*Phèdre,* mythe de Theuth).

On remarquera également l'apparition de la thématique du *supplément* que J. Derrida a analysée dans des pages célèbres (voir *De la Grammatologie,* Paris, Minuit, 1967, pp. 203 et suiv.). L'écriture, qui prétend n'être qu'un moyen, est en réalité une substitution, elle supplée à la parole en usurpant une place qui ne lui revient pas.

35. Le terme *voix* est plurivoque dans l'*Essai.* Renvoyant parfois à la notion de voyelle, il désigne plutôt ici les résul-

tats de l'analyse phonologique. Rousseau se conforme en cela à l'usage admis couramment chez les grammairiens. Il ne faut donc pas confondre cet usage analytique du terme *voix* avec ce que Rousseau appelle *les simples voix,* sons inarticulés et accentués, ni avec *la voix,* qui désigne la composante sonore, vocalique, mélodique de la voix humaine.

CHAPITRE VI

36. Homère, *Iliade,* chant VI, vers 165 et suiv. Proetos, voulant tuer Bellérophon, envoie ce dernier chez son beau-père muni de « tablettes » sur lesquelles il a inscrit des signes. Lorsque le beau-père de Proetos consulte les tablettes, il impose à Bellérophon diverses épreuves redoutables dont Bellérophon sort finalement vainqueur.

37. Le père Jean Hardouin, érudit de la fin du XVIIe siècle, soutenait que l'histoire ancienne avait été recomposée au XIIIe siècle à l'aide des ouvrages de Cicéron, de Pline, des *Géorgiques* de Virgile, des *Satires* et des *Épîtres* d'Horace. Dans son *Apologie d'Homère où l'on explique le véritable dessein de son « Iliade », et sa Théomythologie* (Paris : Rigaud, 1716), il avance que les dieux mis en scène par Homère ne sont que des représentations mythiques et allégoriques des caractères humains : on peut donc lire l'*Iliade* sans craindre l'impiété, puisque les dieux n'y sont que des projections anthropomorphiques. Dans la conclusion, Hardouin précise que c'est justement la *fausseté* des écrits d'Homère qui permet de les lire sans arrière-pensée : il faut donc abandonner et même combattre l'idée selon laquelle Homère aurait entrevu la vérité de la religion chrétienne.

38. Le chapitre apparaît comme une simple digression, mais ce passage lui rend un rôle central. Non seulement, il s'agit de placer Homère pour ainsi dire du bon côté, du côté du chantant et de la pure parole, mais aussi d'appliquer les arguments mis au point dans le chapitre précédent : l'écriture est une forme d'aliénation par l'uniformité que produit la fixation des sons qu'elle fige et pétrifie.

CHAPITRE VII

39. *Harmonieuse* ne doit pas être confondu avec *harmonique* ou *harmonisée.* Rousseau désigne ici simplement la musicalité, c'est-à-dire en fait la mélodicité de la langue. Le

terme « voix » a ici encore le sens technique qu'il a dans le chapitre V (voir note 35).

Rousseau poursuit la critique de l'écriture moderne en montrant que l'existence des accents écrits témoigne, non pas d'une accentuation mélodique de la langue, mais au contraire de la disparition de celle-ci, selon la logique perverse du supplément (sur le sens du terme *accent*, voir note 26 du chapitre IV). Rousseau oppose « les accents » écrits à l'accent, de même qu'il opposait dès le premier chapitre la gesticulation au geste et la grammaire à l'hiéroglyphe (voir p. 56 et note 4). Ces accents notés dans le graphisme (comme ceux de la langue française par exemple) sont au contraire autant de marques de la fragmentation, de la décomposition de ce que la langue pouvait avoir encore de vocalique.

Sur la théorie de l'accentuation au XVIIIe siècle, voir d'Olivet, *Traité de la prosodie française,* Paris : Gandouin, 1736. Sur la théorie de l'accentuation de nos jours, voir J.-C. Milner et F. Regnault, *Dire le vers*, Paris, Le Seuil, 1987.

La cible que se propose Rousseau ici est évidemment la langue française, graphiquement accentuée. Pour parvenir à ses fins, Rousseau construit dans ce chapitre des espèces d'*expérimentations* destinées à montrer que les accents écrits ne notent jamais une variation de hauteur ou d'expressivité dans l'émission vocale, mais toujours, soit des variations d'un autre type (modalité de la voyelle, durée, intensité), soit des propriétés grammaticales qui n'ont rien à voir avec la sonorité. La première de ces « expérimentations » consiste à déclamer un texte sur une même note : si cela est possible, c'est la preuve que la langue a perdu son accentuation mélodique. La seconde consiste à se donner un texte pour le mettre en musique : si on peut trouver plusieurs mélodies, c'est la preuve qu'il n'y a plus d'accentuation. Il en résulte, 1° que le français n'est pas « accentué » au sens mélodique du terme, 2° que, plus généralement, aucune langue moderne n'a d'accent proprement musical, y compris l'italien. Cette conclusion est sensiblement différente de ce que Rousseau avait soutenu en 1753 dans la *Lettre sur la musique française.* L'intérêt philosophique tant de l'argumentation que de la conclusion est de révéler un des points décisifs de l'*Essai.*

Il résulte de ce chapitre qu'il faut dissocier les langues modernes, « dérivées », de la langue primitive ou originaire. Cette distinction ressemble à celle que Dubos et d'autres théoriciens font entre « langues mères » et « langues dérivées », mais elle a un tout autre sens chez Rousseau. Car les « langues mères » chez Dubos ont une existence réelle, elles sont historiquement saisissables. Chez Rousseau au contraire, on voit ici s'édifier l'idée d'une langue primitive qui n'a pas nécessairement d'existence empirique : son existence est philosophique, ou du moins il importe peu qu'on croie ou non à son existence empirique. Elle a une fonction d'explicativité. Cette langue primitive, décrite dès le chapitre IV, sonore, accentuée, infléchie, peu articulée, est un objet de généalogie et de reconstitution. L'idée que nous devons nous en former, si elle est nécessaire pour comprendre l'état actuel des langues par dégradation, décomposition et complication, ne peut se construire que par une élaboration fictive remontant de ce qui est à ce qui a dû être dans l'ordre de l'intelligibilité généalogique.

Or c'est bien sur le mode du *devoir-être* que se présente ici la notion de « langue primitive » (alors que le chapitre IV pouvait encore laisser croire à un autre mode d'existence, malgré son caractère ouvertement inductif). En effet, les expérimentations inventées par Rousseau reposent sur une pétition de principe. Car la conclusion qu'on pourrait en tirer est qu'il y a distinction entre l'émission parlée et l'émission chantée. Conclure, comme le fait ici Rousseau, que les langues modernes ont *perdu* l'accentuation musicale, c'est en réalité avoir décidé qu'une telle accentuation devait exister dans un état « antérieur », dans des langues primitives dont la fonction est précisément de souder l'ordre linguistique à l'ordre mélodique (pétition de principe, puisque c'est ce qu'il faudrait établir), et dont il ne reste plus alors qu'à projeter l'hypothèse sur des langues que nous n'avons jamais entendu parler. Voilà pourquoi Rousseau est si enclin à en appeler à l'antiquité de langues disparues ou de langues mortes. Il n'a en réalité pas d'autre choix pour donner corps à l'être d'une langue originaire qui *doit* être aussi une mélodie. La fonction théorique de cette langue n'a rien à voir avec celle d'une référence historique ou empirique : elle est essentielle dans un dispositif d'intelligibilité. Rousseau propose sa théorie des langues à travers le roman philosophique de leur développement-dégradation dont le point de départ est un mythe philosophique, un modèle explicatif ; ce sont là

> « des raisonnements hypothétiques et conditionnels, plus propres à éclaircir la nature des choses qu'à en montrer la véritable origine, et semblables à ceux que font tous les jours nos physiciens sur la formation du monde » (*Discours sur l'origine de l'inégalité*, préface).

40. Il s'agit de Du Marsais (article « Accent » de l'*Encyclopédie*).

Traduction du passage de Cicéron (*De l'Orateur*, III, 44, éd. Les Belles Lettres, 1961, traduit par E. Courbeaud et H. Bornecque) :

> « Après ce travail minutieux, vient encore le rythme et le tour harmonieux de la phrase, dont je crains bien, Catulus, qu'ils ne te semblent puérils. Quelque chose d'analogue aux vers, c'est-à-dire une sorte de nombre, devait en effet, selon les anciens maîtres, se rencontrer dans ce genre de prose dont nous nous occupons. Des points d'arrêt déterminés non par la respiration, par l'essoufflement ou par des signes de ponctuation, mais par le nombre à observer dans les mots et les idées étaient, à leur sens, indispensables dans nos discours. Isocrate, dit-on, fut le premier qui, pour flatter l'oreille, selon l'expression de Naucrate, son disciple, établit la règle d'assujettir à un rythme la prose, jusque-là sans règles. En effet, les musiciens qui autrefois étaient en même temps poètes, inventèrent, pour plaire, ces deux procédés le vers et le chant, afin que le rythme des mots et l'harmonie des sons prévinssent toute satiété de l'oreille. Ces deux nouveautés, je veux dire l'art de régler la voix et celui de ramasser les mots en une étendue déterminée, ils pensèrent devoir les faire passer de la poésie à l'éloquence, dans toute la mesure où le discours, œuvre sérieuse, pouvait le permettre. »

Traduction de l'extrait d'Isidore de Séville (donnée par Ch. Porset et J. Starobinski) :

> « En outre il y a des signes qui se rencontrent chez les plus célèbres écrivains et les anciens les introduisirent dans les vers et les récits en prose pour ponctuer leurs écrits. Le signe est une marque particulière placée à la façon d'une lettre pour indiquer à chaque fois pour les mots l'agencement logique des phrases et des vers. Le nombre des signes introduits dans les vers est de 26 et ils se trouvent au-dessous des mots écrits. »

41. Benedetto Buonmattei (1581-1647), grammairien italien (*Avvertimenti grammaticali per la lingua italiana*, Torino, nelle Stamperia reale, 1742).

42. *Remarques sur la Grammaire générale et raisonnée*, I, 4.

CHAPITRE VIII

43. Chapitre de transition qui annonce la seconde division de la première partie de l'*Essai*, consacrée aux diffé-

rences entre langues primitives. La relation essentielle que
Rousseau se propose d'établir entre la langue primitive et la
ligne mélodique vocale, préparée dans les chapitres précédents grâce à l'argument de la plus grande facilité d'émission des sons vocaliques, suppose en outre une relation plus
spécifique entre la vocalité et les langues méridionales. Cela
va permettre à l'auteur de compléter sa théorie par une géographie philosophique de l'origine des langues et de la
musique exposée dans la « longue digression » que constitue
le chapitre IX.

44. La relation qui unit la vocalité et les langues méridionales repose sur une théorie des climats incluant une sorte
de genèse de leur répartition sur le globe terrestre, « sujet
rebattu », non seulement parce qu'il est fort répandu au
XVIIIᵉ siècle (Montesquieu, Dubos), mais aussi parce que
Rousseau l'a lui-même traité dans son *Discours sur l'origine
de l'inégalité*.

CHAPITRE IX

45. Ce chapitre est peut-être le plus célèbre de l'*Essai*.
Le parallèle qui permet de le rapprocher du *Discours sur
l'origine de l'inégalité*, ainsi que le « Projet de préface » de
1763 dans lequel Rousseau, s'apprêtant à publier l'*Essai
sur l'origine des langues*, déclare que ce dernier « ne fut
aussi d'abord qu'un fragment du *Discours sur l'inégalité* que
j'en retranchai comme trop long et hors de place » ont été
à l'origine de vives discussions chez les érudits rousseauistes. L'enjeu de ces discussions, au-delà des problèmes de datation de l'écriture de l'*Essai*, est de situer le
texte du point de vue philosophique (voir présentation, 1ʳᵉ
partie).

Ou bien l'*Essai* est lu dans la perspective d'un développement du *Discours sur l'origine de l'inégalité*, et le chapitre IX
en est bien le moment central, inclus dans une théorie des
langues et de la musique : il faut alors résoudre le problème
des distorsions entre ce chapitre IX et le second *Discours*
(notamment la théorie de la pitié y est sensiblement différente) ; il faut ensuite expliquer, ce qui est plus difficile,
l'insistance particulière de Rousseau sur la musique ; il faut
enfin pouvoir établir que le chapitre IX est bien le fragment
dont parle Rousseau dans son « Projet de préface ».

Ou bien l'*Essai* est lu comme un texte initialement destiné
à répliquer de façon définitive aux incessantes critiques de
Rameau, mais qui ne peut remplir sa fin qu'en la dépassant.

Pour s'en prendre à la conception musicale classique, il fallait remonter à des propositions philosophiques fondamentales et notamment proposer une théorie dissociant (aussi bien dans la musique que dans les langues) l'ordre physique, accessible à l'analyse rationnelle de type mathématique, et l'ordre du sens, accessible seulement à une démarche morale et génétique. Dans cette perspective, le chapitre IX est bien une « digression » par sa longueur et par la nature des thèmes abordés, mais il occupe néanmoins une fonction importante dans la stratégie de l'*Essai*, puisqu'il est destiné à établir la primauté des langues méridionales sur les langues septentrionales, ce qui est une des manières dont l'*Essai* noue la triple relation entre langues primitives, vocalité et musicalité (mélodie).

46. Comme l'ont relevé maints spécialistes de Rousseau, ce passage consacré à la pitié semble bien être en contradiction avec ce que Rousseau avait écrit dans le *Discours sur l'origine de l'inégalité* (éd. Garnier-Flammarion, pp. 197-198) :

> « Je parle de la pitié, disposition convenable à des êtres aussi faibles, et sujets à autant de maux que nous le sommes ; vertu d'autant plus universelle et d'autant plus utile à l'homme qu'elle précède en lui l'usage de toute réflexion, et si naturelle que les bêtes mêmes en donnent quelquefois des signes sensibles. » [...]
>
> « ... la commisération sera d'autant plus énergique que l'animal spectateur s'identifiera plus intimement avec l'animal souffrant. Or il est évident que cette identification a dû être infiniment plus étroite dans l'état de nature que dans l'état de raisonnement. C'est la raison qui engendre l'amour-propre, et c'est la réflexion qui le fortifie ; c'est elle qui replie l'homme sur lui-même ; c'est elle qui le sépare de tout ce qui le gêne et l'afflige : c'est la philosophie qui l'isole ; c'est par elle qu'il dit en secret, à l'aspect d'un homme souffrant : péris si tu veux, je suis en sûreté. Il n'y a plus que les dangers de la société entière qui troublent le sommeil tranquille du philosophe et qui l'arrachent de son lit. »

Il faut souligner que, dans l'*Essai sur l'origine des langues*, et en particulier dans ce chapitre IX, Rousseau ne remonte à « l'homme naturel » (celui du premier état de nature), que pour mettre en évidence la distance qui le sépare de l'homme capable d'« affections sociales » : elles seules peuvent expliquer l'origine des langues. La thèse de l'immense distance entre l'homme naturel et l'invention des langues se trouve déjà dans le second *Discours*. Cette distance et ce contraste exigent, pour prendre place, une longue période que Rousseau s'applique ici à reconstituer en la projetant dans une géologie et une géographie philosophiques, période complexe de transformations naturelles à l'issue desquelles, le globe terrestre ayant enfin pris la position que lui attribue une Providence (dont le bras séculier est une géographie de l'inégalité des climats), le concept de *population* puis celui de *peuple* (qui est plus qu'un simple rassemblement hasardeux) prennent sens. Il s'agit donc, dans ce chapitre, de situer l'apparition de telles « affections sociales », d'en peindre la gamme et d'y greffer le déploiement des langues.

La pitié est considérée ici par Rousseau comme un exemple de transformation. « Naturelle au cœur de l'homme », elle s'exerce d'abord de façon spontanée et irréfléchie, par simple identification à ce qui est proche, ici et maintenant. Pour l'homme naturel « première manière », le *prochain,* objet de pitié, ne peut être que particulier et saisi dans une perception actuelle. Mais comment la pitié devient-elle une « affection sociale » ? En s'élargissant, en prenant de la hauteur, par une opération qui suppose à la fois l'imagination et la conceptualisation. On voit bien alors qu'un tel élargissement est ambivalent et que le statut du prochain est susceptible de degrés et de modifications selon l'étendue et la nature de la généralisation. Celle-ci peut se borner à la famille, à la tribu, au groupe social, à une communauté d'intérêts : elle va, dans un premier temps — et pour utiliser le vocabulaire du *Contrat social* — de la volonté particulière à une collection de volontés particulières. Mais l'horizon de cette opération, en tant qu'elle est abstraite, et pourvu qu'elle soit effectuée sans obstacle, n'est autre que le concept même d'humanité : c'est alors qu'on peut passer de la collection des volontés particulières à la volonté générale. L'opération, prise dans sa continuité, est donc cause de division, mais c'est pourtant elle seule qui peut se donner la pensée de l'universel humain.

Cette ambivalence, qui parcourt nécessairement le développement des affections dès qu'elles deviennent « sociales », susceptibles du pire et du meilleur, est répétée au long du chapitre IX. Ainsi, Rousseau en déduit ces contradictions apparentes qui envahissent l'homme barbare : « ils avaient l'idée d'un père, d'un fils, d'un frère et non pas d'un homme » (p. 84). Ainsi encore, il distingue un peu plus loin (p. 96) familles et nations, langues domestiques et langues populaires, mariage et amour, selon le même principe de développement. Et, comme Jean Starobinski l'a montré dans son ouvrage *Le Remède dans le mal* (Paris, Gallimard, 1989, chapitre V, première partie), le statut de l'imagination et celui de la raison chez Rousseau contribuent à la perte de l'identité naturelle, mais ils sont aussi les seuls moyens, pour l'homme devenu social à jamais, de devenir véritablement un homme civil. Ce cheminement du négatif et du positif est magistralement résumé par Rousseau lui-même dans le chapitre VIII du Livre I du *Contrat social*, où apparaît clairement le rôle salvateur de la réflexion raisonnée, responsable pourtant aussi de la dégradation. Pour l'étude de cette sorte de « fuite en avant », on se reportera au très bel article de Louis Althusser « Sur le *Contrat social* », dans *Cahiers pour l'analyse* n° 8, Paris, Le Seuil, 1967, pp. 5-42.

47. Héros mythologique fondateur de l'agriculture. La déesse Déméter lui donna un char traîné par des dragons ailés et lui ordonna de parcourir le monde en semant du blé. (Pierre Grimal, *Dictionnaire de Mythologie grecque et romaine*, Paris, PUF, 1951, p. 463.)

48. L'inégalité des climats, due à l'inclinaison du plan de l'Equateur de 23°27' sur le plan de l'écliptique, présentée par Rousseau sur le mode de l'articulation providentielle entre le temps mythique du printemps perpétuel et le temps historique, apparaît comme l'événement-avènement inaugural d'un nouvel ordre, l'ordre historique et social. Alors que la première partie du chapitre s'épuise dans la description d'un temps circulaire dans lequel n'apparaît aucune cause de développement, la seconde partie introduit le lecteur dans une série linéaire d'événements et de catastrophes naturels, causes occasionnelles de la mise en activité des facultés humaines, pour le pire et pour le meilleur. Il n'y a donc pas de contradiction dans la pensée de Rousseau : les « premiers besoins » qui dispersent les hommes sont des besoins purement physiques et ont pour théâtre une planète qui ne sollicite aucunement la spécificité de l'espèce ; pour que les besoins moraux apparaissent et révèlent l'humanité à elle-même, il faut une série de causes physiques (géographiques) occasionnelles, « et c'est alors seulement que » (on notera la similitude de l'expression avec celle qui est employée dans le *Contrat social*, I, VIII pour signaler le passage de l'état de nature à l'état civil) l'homme se révèle à la fois comme social et comme parlant.

La question de l'inclinaison de la Terre est l'objet d'un débat au XVIIIe siècle. Les théoriciens naturalistes, comme Buffon (*Théorie de la terre*), pensent qu'il s'agit d'une position originaire de la planète ; les providentialistes, comme l'abbé Pluche (*Le Spectacle de la nature*, Paris, Vve Estienne, 1735-1750), dont Rousseau semble proche ici, y voient une intervention divine. Sur cette question, voir notamment Jean Ehrard, *L'Idée de Nature en France à l'aube des Lumières*, (Paris, Flammarion, 1970, IIIe partie) et l'étude que Jean Starobinski a publiée dans sa récente édition de l'*Essai sur l'origine des langues* (Paris : Folio-Essais, 1990), « L'inclinaison de l'axe du globe », pp. 163-189.

49. Montesquieu, *Esprit des lois*, XVIII, chapitre 3.

50. L'état de rapprochement que décrit Rousseau ici comme nécessaire à l'éclosion des langues est aussi bien la source des divisions : la paix qui peut y régner n'est plus une paix par défaut et par absence de rencontre, comme celle qui règne dans le premier état de nature, elle ne peut être que l'effet d'un acte politique, de même que les guerres qui éclatent ont des motifs d'intérêt social. On se trouve donc dans un moment équivoque d'instabilité.

Rousseau vient de brosser un parallèle entre les climats rudes et les climats chauds à ce point décisif où les rencontres, rendues nécessaires par les modifications physiques du globe, et elles-mêmes génératrices « d'autres besoins », vont favoriser l'éclosion des langues. Mais ce parallèle est en réalité trop parfait, car le lecteur pourrait en conclure qu'il y a équivalence de fonction entre, d'une part les *foyers* autour desquels se réunissent les habitants des pays froids, et de l'autre les *fontaines* qui rassemblent ceux des pays chauds, ce qui aurait pour effet de placer les langues méridionales et les langues septentrionales au même moment philosophique. Une fois de plus (de façon analogue à ce qui se passe dans le chapitre premier, voir la note 2), Rousseau va devoir rompre cet équilibre et faire pencher la balance en faveur des langues du Midi, pour pouvoir maintenir la primauté du vocal sur le consonantique. C'est à quoi il s'applique dans les pages qui terminent le chapitre IX, en décrivant longuement comment les rassemblements autour des points d'eau déverrouillent les « besoins moraux » spécifiques de l'humanité en laissant s'épancher les passions.

51. Tout ce passage, jusqu'à la fin du chapitre, décrit l'éclosion des « premières langues » — qui sont, qui *doivent être*, méridionales — comme un processus de déverrouillage des passions qui « dénoue » les langues.

Ce déverrouillage suit une progression conforme à toute la théorie du va-et-vient entre nécessité physique (cause occasionnelle) et besoins moraux (cause profonde) qui a pour effet de révéler l'humanité à elle-même. Progression qui, commençant par la nécessité et l'action technique (s'ap-

provisionner en eau) produit à la fois un effet d'élargissement (voir « de nouveaux objets », sortir du cercle restreint
de la famille) et un effet émotif (« le cœur s'émut »). C'est
alors que le mouvement s'enroule sur lui-même : l'émotion
suscitée par la rencontre devient à son tour cause du désir
de rencontre et révèle à l'homme sa nature profonde ; c'est
le processus du « besoin moral ». Ce besoin moral s'exprime
d'abord par le geste qui, bientôt insuffisant, fait jaillir l'*accent passionné* par la voix, en même temps qu'il donne naissance à l'acte politique.

Puis vient une objection (« Quoi donc ! »), qui permet à
Rousseau une mise au point et un rappel : il ne faut pas
confondre tous les types de rassemblement. L'humanité ne
se rassemble en tant que telle qu'au moment où elle est
capable de sortir de l'étroitesse des besoins « physiques » qui
la bornent à la famille, à l'instinct, à l'habitude.

Mais ce moment privilégié, saisi par Rousseau dans un
instantané philosophique, donne nécessairement naissance à
la suite naturelle des choses : ce qui cause la réunion cause
aussi la division, et « de nouveaux besoins », besoins de
l'homme devenu social et éclairé mais aussi industrieux et
intéressé, rétroagissent sur les langues en les rendant plus
calculatrices et plus sourdes. C'est ainsi, comme le précise la
dernière phrase du chapitre, qu'elles perdent « leur accent
séducteur », « enseigne de leur père ».

CHAPITRE X

52. L'état actuel des langues modernes est à peu près
homogène : toutes ont subi le processus d'intellectualisation
et d'articulation qui les a également éloignées de leur
schème vocalique et mélodique originaire.

53. L'opposition faire sentir / faire entendre ; énergie /
clarté s'exprime par l'opposition mécanique accent / articulation forte et sensible. En même temps qu'il rappelle la
liaison essentielle entre langues méridionales et accentuation
vocalique, Rousseau introduit la liaison essentielle entre langues septentrionales, matérialité forte et sourde de l'articulation et intellectualité (clarté-distinction). C'est encore une
occurrence du dualisme de l'*Essai*. Le terme « énergie »,
fréquemment employé par Rousseau pour désigner le caractère passionné et l'immatérialité de la passion, relève du
vocabulaire pneumatique destiné à décrire la *moralité*,
l'ordre éthico-passionnel, ordre animé par une sorte de
souffle psychique. Il est notamment employé par l'abbé

Dubos pour caractériser les langues mères (*Réflexions critiques sur la poésie et sur la peinture,* Paris, Mariette, 1719,
ouvrage complété en 1733 et réédité plusieurs fois). On
retrouvera à la fin du siècle la notion d'*énergie* sous la plume
des grands orateurs révolutionnaires, liée de façon significative à la référence spartiate, lacédémonisme également très
présent chez Rousseau, comme en témoigne la *Lettre à
d'Alembert.* Voir l'étude de Michel Delon, *L'Idée d'énergie au
tournant des Lumières,* Paris, PUF, 1988.

54. Rousseau ne renonce pas à faire des passions l'origine
des langues et sa théorie reste extrêmement cohérente tout
au long du texte. La rationalité, l'intellectualité dont sont
marquées les langues du Nord sont elles-mêmes liées aux
passions septentrionales. Inquiétude, prévoyance et irascibilité réclament l'intelligibilité et la clarté.

CHAPITRE XI

55. Toutes les occurrences du dualisme mis en place
durant la première partie de l'*Essai,* que clôt ce chapitre,
sont récapitulées et placées sous les deux rubriques qui les
commandent désormais : langues du Midi / langues du
Nord.

56. La primauté du vocal sur le consonantique, liée à
celle des langues méridionales « plus originaires » — c'est-à-
dire plus proches de la moralité qui est la véritable cause du
langage humain — que celles du Nord a été établie par
Rousseau grâce à des moyens poétiques : c'est en faisant
jaillir les passions « du pur cristal des fontaines » qu'il réussit
à persuader son lecteur d'une telle prééminence. Mais la
question demeure pourtant : on ne voit pas pourquoi les
foyers n'auraient pas assuré au Nord la fonction des *fontaines*
dans le Midi ; de même qu'on ne voit pas pourquoi les sons
vocaliques seraient plus aisés à émettre que les sons sourds
et articulatoires ; de même enfin qu'on ne voit nullement
pourquoi l'émission de la voix parlée serait plus « tardive »,
plus dérivée que l'émission de la voix chantée.

Peut-être ici Rousseau avance-t-il un argument permettant de comprendre la primauté des langues méridionales :
les langues du Nord, issues de l'entraide, demeurent malgré
tout un *langage privé,* celui des hommes qui, en se regroupant, ne font rien d'autre que de resserrer leur cercle et de
comparer leurs intérêts (le foyer serait le lieu, non pas des
ébats et des débats publics, mais celui de l'intimité et des
affaires domestiques). Il faudrait jouer alors sur le contraste

du dehors (les fontaines, puis la place publique, la déclamation poétique et l'éloquence politique, et bientôt l'Etat) et
du dedans (le foyer, puis la société commerçante, la société
civile, l'imprimerie, la circulation des lumières de personne à
personne) pour donner toute sa dimension à cette
remarque.

57. Rousseau pense probablement à la pièce de Voltaire,
Mahomet ou le fanatisme.

CHAPITRE XII

58. Il s'agit d'un « ou » de disjonction, puisque Rousseau
oppose les émissions sonores selon le genre de passion qui
en est l'origine. Du côté des passions violentes ou d'inquiétude (passions septentrionales), les articulations et le fonctionnement des organes sourds, langue et palais ; du côté
des passions tendres et douces, les « sons », les accents, les
inflexions et le fonctionnement des organes vocaliques – ici
la glotte, puisque, comme le remarque M. E. Duchez
(« Principe de la Mélodie et Origine des langues », *Revue de
Musicologie*, déc. 1974, p. 78, note 11), Rousseau semble
ignorer le rôle des cordes vocales découvert par Ferrein
(*Mémoire sur la formation de la voix de l'homme*, Académie
des Sciences, 1741 ; *Lettre sur le nouveau système de la voix*,
S. 1, 1748).

Ce chapitre marque le début de la seconde partie de
l'*Essai*, consacrée à la musique et à la critique de la conception harmonique de Rameau. On notera le parallélisme avec
le chapitre IV. Le problème qui se pose est le même : il
s'agit pour l'auteur de rompre l'équilibre ou l'équivalence
entre deux groupes de sonorités en faveur des sons vocaliques. Cette prééminence du vocalique est nécessaire pour
établir la primauté de la mélodie, essence de la musique.
Rousseau s'était employé à introduire la même dissymétrie
en ce qui concerne les langues par l'argument de la plus
grande facilité d'émission des sons vocaliques (plus « naturels »). Il s'y efforce ici, parallèlement, pour la musique par
deux opérations successives. Tout d'abord, il introduit un
glissement de sens sur le terme « passion », qui, employé au
pluriel au tout début du texte (pour désigner *soit* les passions
violentes, *soit* les passions douces), se voit bientôt réduit au
second emploi en passant au singulier. Ensuite vient le
rappel de l'histoire philosophique brossée au chapitre IX.
C'est autour des fontaines que le lecteur est convié, et non
plus autour des foyers. A la faveur des deux opérations s'ef-

fectue insensiblement l'identification de la voix parlée à la voix chantée.

59. Sur l'équivocité du terme « voix », voir la note 35. Rousseau donne ici une rapide description des propriétés vocalices et mélodiques de la musique archétype, qui sont les mêmes que celles de la langue primitive « générale », parcourues au chapitre IV. Il enchaîne avec la projection de ces propriétés sur la musique et la langue grecques (à comparer avec l'évocation de l'arabe, du grec et du chinois au chapitre IV).

60. Quintilien, *Institution oratoire*, Livre I, 11, Paris : Les Belles Lettres, 1975, traduction de Jean Cousin, p. 135 :

> « ... autrefois, grammaire et musique n'étaient pas séparées, puisque Archytas et Evenus ont même considéré la grammaire comme subordonnée à la musique, et les mêmes maîtres ont enseigné les deux disciplines [...] nous le savons également par Eupolis, qui représente Prodamus enseignant à la fois la musique et les lettres ; et Maricas, lui, qui n'est autre qu'Hyperbolus, avoue que, de la musique, il ne sait que les signes ».

61. Abbé Jean Terrasson, *La Philosophie applicable à tous les objets de l'esprit et de la raison*, Paris, Prault, 1754, seconde Partie, chapitre II, section III, p. 179-180.

Dans sa *Dissertation critique sur l'Iliade d'Homère*, Paris, F. Fournier et A. U. Coustelier, 1715, volume 1, IIIᵉ partie, section 1, chapitre I, Terrasson critique sévèrement l'admiration pour ces effets extraordinaires qu'on attribue à la musique des Anciens, qu'il considère comme bien inférieure à celle des Modernes :

> « Les esprits philosophes seront peu touchés des éloges que les anciens ont donnés à leur musique : ils savent que l'ignorance de l'excellent est la source de l'admiration du médiocre [...] Cela est si vrai que les éloges les plus outrés de la musique ancienne tombent sur les temps les plus reculés, c'est-à-dire sur ceux où la musique était indubitablement la plus imparfaite qu'elle ne l'a été depuis chez les Grecs même. Après tout, si les mouvements extraordinaires qu'elle excitait dans les hommes était une preuve réelle de sa beauté, nous en allégerions des exemples fort semblables parmi nous : car sans s'appuyer sur les guérisons même corporelles dont l'Académie des sciences a fait mention, rien n'égale la sensibilité de quelques jeunes gens à l'égard de la musique ; et si l'air de modération qui est répandu dans le monde poli ne les retenait, ils se laisseraient

véritablement transporter par les sons que les grands
maîtres tirent de leurs instruments. » (p. 220 et suiv.).

62. Pierre-Jean Burette (1665-1747), musicien et
médecin, membre de l'Académie des Inscriptions et Belles-
Lettres, publia dans les *Mémoires* de cette Académie (tomes
I à XVII) plusieurs dissertations consacrées à la musique des
Anciens.

Rousseau tire argument de l'impossibilité empirique d'entendre la musique grecque pour conclure à l'impossibilité
d'en juger. Or c'est précisément sur une telle impossibilité
empirique qu'étaient fondées les « expérimentations » pro-
posées par lui au chapitre VII. Il faut donc juger de la
musique des Grecs sur l'effet qui en est rapporté par ceux
qui l'ont entendue.

CHAPITRE XIII

63. Enoncé du principe philosophique fondamental qui
sous-tend l'ensemble du dualisme en vigueur dans le traité.
Donner « trop d'empire aux sensations », c'est croire que
l'analyse physico-mathématique de la musique et des langues épuise l'ensemble des effets observables ; c'est croire
que les phénomènes relevant de la nature humaine, dans sa
spécificité, sont homogènes dans leurs mécanismes et leurs
effets à ceux du monde physique ; c'est croire que le monde
moral, parce qu'il contient et utilise des symptômes matériels, se réduit à l'analyse mécanique de ces derniers. Tirer
argument du fait que le psychisme se manifeste à travers des
phénomènes matériels pour le réduire à cette matérialité,
c'est prendre l'effet pour la cause, la conséquence pour le
principe, l'apparence pour la vérité. Les grammairiens, qui
s'acharnent à vouloir comprendre le principe signifiant des
langues en scrutant et en analysant la chaîne sonore,
commettent aux yeux de l'auteur la même erreur que les
musiciens qui pensent avoir compris l'essence de la musique
en exhibant la décomposition du « corps sonore ». C'est
l'illusion mécaniste, qui conjugue une forme de fétichisme
pour la matière et l'intellectualisme du siècle de Louis XIV.
Donner « trop peu d'empire » aux sensations, c'est être
aveugle aux effets moraux dont elles sont le siège et l'occasion, c'est se borner à leur apparence matérielle.

Le terme « son », mis en parallèle ici avec la couleur des
peintres, désigne la matérialité dont use la musique. Le son
(matière sonore) est ici à la musique ce que la couleur est à
la peinture : l'aspect mécanique, combinatoire ; le dessin est

à la peinture ce que la mélodie est à la musique : c'est le moment animé ou pneumatique (« la vie et l'âme ») par lequel la moralité s'empare de la matière pour la rendre signifiante. Ainsi, il y a, dans le monde matériel, des objets ambivalents qui sont plus propres à l'investissement du sens, de même qu'il y a dans l'anatomie humaine des organes capables de supporter l'étayage de la signification (voix, oreille). La vocalité est à la langue ce que la mélodie est à la musique et ce que le dessin est à la peinture.

Le dualisme s'enrichit en outre ici d'une distinction entre deux sortes de *plaisir* : le plaisir de sensation ou d'organe, purement mécanique, et le plaisir d'émotion et de signification, plaisir moral ou psychique, éprouvé lorsque le sens vient animer la matière. Ce second plaisir entretient un rapport complexe avec le monde matériel et le corps : la sensation lui est nécessaire pour exister, mais elle ne lui est pas essentielle, elle ne peut en fournir l'intelligibilité. Rousseau va sans cesse opposer ces deux sortes de plaisir dans la suite de l'*Essai* (qu'il appelle respectivement « agrément » ou « sensation agréable » et « volupté »), comme il le fera aussi avec une grande insistance dans son *Dictionnaire de musique*. Ne se produisant qu'à l'occasion de sensations privilégiées, arrachées pour ainsi dire de l'univers matériel par une sorte de visitation psychique, le plaisir de la seconde espèce tient alors essentiellement à une communication émotive : « ce sont les passions qu'elles [les sensations investies par le sens] expriment qui viennent émouvoir les nôtres », selon un schéma de réactivation ou d'activation des émotions (que Rousseau appelle parfois « évocation ») qui s'oppose au schéma mécanique de simple excitation (ébranlement des nerfs ou des esprits animaux, pour prendre un vocabulaire cartésien) produisant la première espèce de plaisir. L'erreur de Rameau est d'avoir cru que tout plaisir est réductible à — et intelligible par — une combinaison d'ébranlements mécaniques : il examine le processus qui va d'une vibration matérielle (un corps résonnant) à une membrane (le tympan) et néglige celui qui va d'une instance affective à une autre.

64. L'objection matérialiste et rationaliste est celle d'un Rameau, supposé ici dialoguer avec l'auteur, et qui va faire une apparition théâtrale un peu plus loin dans ce même chapitre. Objection « bornée » qui se contente d'alléguer l'existence de l'apparence matérielle prise par l'ordre supraphysique de la signification et de la communication des émotions. Objection qui mélange les champs, en croyant pouvoir réduire le domaine de la moralité à celui de la

matière et des raisons, sous prétexte que le premier passe
par le canal du second. La thèse de Rousseau est ici la
même que celle qui inspire la première partie du traité :
les effets signifiants des langues ne peuvent pas être trouvés
dans la matière même du signifiant ; de même la matière
des sons musicaux n'épuise pas les effets de la musique ;
il faut donc recourir à un principe métaphysique ou moral
pour en rendre compte.

65. Il s'agit évidemment de Rameau, transposé dans le
domaine de la peinture, et parodié dans ce passage. La
« nation voisine » dont il est question plus haut est probablement l'Italie, et les « peintres français » désigneraient les
musiciens italiens. Tout en pastichant son style emphatique,
Rousseau relève principalement deux thèmes familiers du
musicien :

1° La thèse de la décomposition du son. C'est la théorie
de la résonance du corps sonore que Rameau mit au point
entre 1726 et 1737 à la suite des découvertes de l'acousticien Joseph Sauveur : « voilà toutes les couleurs primitives » ; en effet, Rameau fonde les objets musicaux de
façon déductive sur la triple résonance naturelle du corps
sonore et en tire une exposition rationnelle des principes
de son art.

2° La thèse de l'extension du modèle musical à l'ensemble du champ esthétique, puis à celui de la connaissance, pour s'achever en une métaphysique de l'harmonie,
sorte de panthéisme musical. (« Que dis-je de l'art ! De tous
les arts, messieurs, de toutes les sciences... Or tout dans
l'univers n'est que rapport. On sait donc tout... ») Le raccourci par lequel Rousseau expose l'escalade théorique que
parcourut Rameau à partir de 1750 est à peine exagéré.
Dans la seconde édition de ses *Eléments de musique suivant les
principes de M. Rameau* (Lyon, 1762), d'Alembert avertit le
musicien des extravagances théoriques auxquelles il se
livrait. Rameau ne céda jamais et termina sa vie en écrivant
deux ouvrages métaphysiques consacrés à l'universalité du
modèle musical dans les sciences et comme principe d'explication de l'ensemble du monde. Le dernier de ces textes,
intitulé *Vérités intéressantes tirées du sein de la nature* a été
découvert à Stockholm en 1986 par Herbert Schneider. Voir
aussi C. Kintzler : *Poétique de l'Opéra français de Corneille à
Rousseau*, Paris, Minerve, 1991, pp. 415-422.

66. L'harmonie correspond bien au « seul physique de
l'art », alors que la mélodie correspond au moral de l'art.
Tout ce paragraphe est extrêmement proche de deux textes,
que Rousseau devait connaître :

1° Batteux, *Les Beaux-Arts réduits à un même principe*, Paris, Durand, 1746 (III, III, chap. 3) :

> « Que dirait-on d'un peintre qui se contenterait de jeter sur sa toile des traits hardis et des masses des couleurs les plus vives, sans aucune ressemblance avec un objet connu ? L'application se fait d'elle-même à la musique. [...] Concluons donc que la musique la mieux calculée dans tous ses tons, la plus géométrique dans ses accords, s'il arrivait, qu'avec ces qualités, elle n'eût aucune signification ; on ne pourrait la comparer qu'à un prisme, qui présente le plus beau coloris, et ne fait point de tableau. Ce serait une espèce de clavecin chromatique, qui offrirait des couleurs et des passages pour amuser peut-être les yeux, et ennuyer sûrement l'esprit. »

2° Du Bos, *Réflexions critiques sur la poésie et sur la peinture* (pp. 484-486 de l'éd. de 1770 ; la première édition est de 1719) :

> « Comme il est des personnes qui sont plus touchées des coloris des tableaux que de l'expression des passions, il est de même des personnes, qui dans la musique ne sont sensibles qu'à l'agrément du chant, ou bien à la richesse de l'harmonie, et qui ne font point assez d'attention si ce chant imite bien le bruit qu'il doit imiter, ou s'il est convenable au sens des paroles auxquelles il est adapté. [...] Je placerais volontiers la musique où le compositeur n'a point su faire servir son art à nous émouvoir au rang des tableaux qui ne sont que bien coloriés, et des poèmes qui ne sont que bien versifiés. Comme les beautés d'exécution doivent servir en poésie, ainsi qu'en peinture, à mettre en œuvre les beautés d'invention et les traits de génie qui peignent la nature qu'on imite, de même la richesse et la variété des accords, les agréments et la nouveauté des chants ne doivent servir en musique que pour faire et pour embellir l'imitation du langage de la nature et des passions. »

67. Allusion probable au début de la *Démonstration du principe de l'harmonie* de Rameau :

> « La mélodie et l'harmonie constituent toute la science musicale des sons. La mélodie est l'art de les faire succéder d'une manière agréable à l'oreille ; l'harmonie est l'art de plaire au même organe en les unissant. »

Dans sa *Génération harmonique* de 1737 (chapitre II),

Rameau définit aussi la musique comme « une science physico-mathématique » dont « la fin est de plaire et d'exciter en
nous diverses passions », comme le fait l'*Abrégé de musique*
de Descartes (trad. Pascal Dumont, Paris, Klincksieck,
1990, p. 47). Définitions harmonistes au sens philosophique
du terme, puisqu'elles font de la musique une combinaison,
c'est-à-dire un ensemble articulé de sons mis en relation les
uns avec les autres ; définitions intellectualistes (puisque
cette combinaison suppose une analyse rationnelle et une
idée des principes d'ordre de la combinatoire) et matérialistes (l'agrément dont il est question ici relève du plaisir de
sensation et l'oreille y est considérée comme membrane,
« corps passivement harmonique »).

68. Terme équivoque. Toute l'esthétique classique
repose, on le sait, sur le principe de l'imitation de la nature.
Rameau s'inscrit parfaitement dans cette tradition où il
s'agit, non pas de reproduire le réel, mais d'en extraire la
vérité cachée ou l'essence. Le son musical, analysé, « réduit
à ses principes » fondamentaux, est donc plus « vrai » que le
bruit réel, que la réalité sonore observable : l'art, à l'instar
de la science classique, se propose de conduire au-delà de
l'apparence vers la nature même des choses. Lorsque Rousseau utilise le terme « imitation », il entend par là que l'artiste doit conduire vers l'essence des émotions en les réacti-
vant : ce n'est pas la nature des choses (matérielle,
physique) qu'il faut se donner comme modèle, mais la
nature morale de l'homme. Voir l'article « Imitation » du
Dictionnaire de musique.

CHAPITRE XIV

69. Jusqu'au chapitre XVII inclus, Rousseau met en place
sans relâche et répète en les précisant progressivement les
occurrences du dualisme qui oppose le monde physique des
choses naturelles, des sensations et le monde moral des
signes humains, propre à la nature humaine. On remarquera
ici l'opposition entre le plaisir d'agrément, issu de la nature
physique du son, et le plaisir dénommé « volupté », fondé
sur la saisie des significations et la communication des émotions.

70. L'harmonie, fondée sur la décomposition et l'analyse
rationnelle du corps sonore, appartient à la catégorie des
objets relevant du monde physique. Mais elle ressortit à la
fois à la « nature » (nature des choses en tant que celles-ci
obéissent à des lois naturelles) et à l'art humain, la

convention ou encore, comme le dit Rousseau un peu plus loin, l'institution. Il n'y a là nulle contradiction. L'harmonie, qui dégage les composantes du son de la même manière que la mécanique dégage les composantes du mouvement, renvoie aux lois de la nature physique. Mais la démarche qui dégage ces lois est une démarche d'analyse intellectuelle qui suppose le recours à des modèles artificiels d'intelligibilité (le modèle mathématique par exemple). En outre, une démarche qui s'appuie sur l'analyse rationnelle du son pour fonder sur elle, *a posteriori*, les principes de la composition musicale, fait de la musique une technique entièrement artificielle : c'est un « bricolage ». L'harmonie-science donne naissance à l'harmonie-technique. Le reproche s'adresse évidemment à Rameau, virtuose de l'analyse et de l'écriture, attaché à l'orchestration.

Toute la démonstration compliquée qui suit est destinée à montrer que, malgré les apparences sensibles, l'usage de l'harmonie affaiblit la musique au lieu de la renforcer. Cela va contre les apparences, puisqu'un chant harmonisé est plus *fort* qu'un chant qui ne l'est pas.

Rousseau s'appuie sur la définition même de la résonance naturelle : tout corps qui résonne fait entendre « ses sons concomitants », c'est-à-dire sa double quinte et sa triple tierce majeure. L'argument consiste à dire que l'harmonisation, soit ajoute ce qui est déjà contenu dans la résonance (elle est alors superflue) soit ajoute ce qui n'y est pas (elle est alors contre nature). Dans les deux cas, la nature est trahie, il y a renforcement du bruit, de l'intensité, et affaiblissement de l'essence. D'où la conclusion : « Naturellement il n'y a point d'autre harmonie que l'unisson », la mélodie est donc primitive.

La position de Rameau est diamétralement opposée : l'harmonie est nécessaire à la musique parce qu'elle en révèle l'essence cachée, elle fait entendre la vérité du son, qui se trouve masquée dans l'apparence observable du simple chant ; la mélodie se trouve développée et révélée par l'harmonie, qui en déploie tous les implicites ; l'un des objets de l'art humain est d'obtenir ce « rendu », de rendre la nature à elle-même ; l'harmonie est la vérité de la musique, sa *ratio cognoscendi*. C'est en ce sens que Rameau se rattache à la tradition classique de l'imitation de la nature.

La fin de la démonstration de Rousseau aboutit précisément à inverser le sens classique du terme « imitation » : il ne s'agit nullement de « rendre » la composition élémentaire des choses, mais de disposer ces choses de manière à les faire parler (« de quoi l'harmonie est-elle signe ? »), il s'agit d'imiter le principe même de la signification, qui est psychique. La mélodie, parce qu'elle évoque la ligne vocale de la langue, est imitation du sens. Rousseau récapitule alors les propriétés signifiantes de cette évocation (« la mélodie, en imitant les inflexions de la voix... ») qu'il répartit en deux moments.

1° Moment réel d'imitation des langues. La mélodie, par sa linéarité, son infléchissement, est plus proche du déroulement de la parole. En ce sens, le chant fonctionne comme un principe de reconnaissance : celui qui l'entend y reconnaît quelque chose de l'ordre de la langue.

2° Moment philosophique : construction du schème de la voix essentielle et intérieure. La mélodie fait plus qu'imiter telle ou telle langue (« elle a cent fois plus d'énergie que la parole même »). Le rapport d'imitation s'inverse et devient plus fondamental : la ligne mélodique musicale, loin d'être subordonnée à l'imitation de tel ou tel phrasé existant dans telle ou telle langue réelle, représente au contraire le principe de toute vocalité, elle se présente comme originaire. Elle n'imite pas la voix d'une langue, elle évoque la voix primitive, l'archétype de toute ligne vocalique ; c'est une mise en scène du principe moral du sens, une voix intérieure.

On retrouvera une bonne partie de ces textes, remaniés, mais souvent aussi repris tels quels, dans le *Dictionnaire de musique,* notamment aux articles « Expression », « Harmonie », « Mélodie », « Musique », « Unité de mélodie ».

71. Rousseau plaide pour la simplification de la composition musicale. Mais cette simplification ne va pas jusqu'à réclamer la suppression de l'harmonie, qui (de même que les sciences et les arts) est à la fois un progrès et une cause de dégradation. La place de l'harmonie est seconde : il faut donc lui assigner un rôle d'*accompagnement,* de mise en valeur de la ligne du chant, et lui refuser le rôle de *supplément,* d'usurpation, par lequel elle prétend représenter la musique. Ce rôle de soutien et de mise en valeur est précisé à l'article « Expression » du *Dictionnaire de musique* :

> « Le plaisir physique qui résulte de l'harmonie augmente à son tour le plaisir moral de l'imitation, en joignant les sensations agréables des accords à l'*expression* de la mélodie [...]. Mais l'harmonie fait plus encore ; elle renforce l'*expression* même, en donnant plus de justesse et de précision aux intervalles mélodieux ; elle anime leur caractère, et, marquant exactement leur place dans l'ordre de la modulation, elle rappelle ce qui précède, annonce ce qui doit suivre, et lie ainsi les phrases dans le chant, comme les idées se lient dans le discours. L'har-

monie, envisagée de cette manière, fournit au compositeur de grands moyens d'*expression,* qui lui échappent
quand il ne cherche l'*expression* que dans la seule harmonie ; car alors, au lieu d'animer l'accent, il l'étouffe par
ses accords, et tous les intervalles, confondus dans un
continuel remplissage, n'offrent à l'oreille qu'une suite de
sons fondamentaux qui n'ont rien de touchant ni
d'agréable, et dont l'effet s'arrête au cerveau. »

72. L'effet de l'harmonisation sur la musique est parallèle
à celui qu'exercent l'intellectualisation et l'articulation sur
les langues. Cet effet est double, un peu à l'image d'un trajet
sur un escalier à double révolution où deux personnes s'éloignent de leur point de départ tout en s'éloignant l'une de
l'autre : 1° langues et musique s'éloignent conjointement de
leur origine commune, vocale et mélodique ; 2° elles se distinguent et se spécifient de plus en plus. Le résultat est un
divorce entre musique et langue, d'autant plus prononcé et
irrémédiable que l'une et l'autre se sont davantage perfec-
tionnées dans le sens de la matérialisation et de la rationalisation. Le cas extrême, aux yeux de Rousseau, est celui de
la langue et de la musique françaises, de telle sorte qu'un
opéra français devient impossible (on ne peut plus ni faire
chanter la langue, ni faire parler la musique) et que Rousseau propose, comme figure de réconciliation, le modèle du
mélodrame dans lequel passages musicaux et passages parlés
alternent (*Fragments d'observations sur l'Alceste italien de M. le
Chevalier Gluck*).

73. La « voix de la nature », désigne ici l'aspect physique du
son musical, sa résonance naturelle : celle-ci se réduit à du
« bruit » en l'absence d'une évocation de la voix morale qui
seule peut fournir une expression — évocation qui se fait par
l'inflexion mélodique. Rousseau distingue donc le « bruit » et
le son musical véritable par le critère de la signification dont le
premier est dénué (ainsi au chapitre XVI : « Les oiseaux sifflent, seul l'homme chante... »). Rameau, de son côté, énonce
une tout autre distinction entre bruit et son, dans sa *Démonstration du principe de l'harmonie* : le bruit est toujours isolé,
perçu comme anecdotique, alors qu'un son se présente comme
élément d'un réseau sonore, comme pris dans un ensemble
ordonné (en l'occurrence la tonalité) qui lui donne sa valeur ;
on dirait aujourd'hui que le son musical (comme le son linguistique) est pris dans un système d'articulation.

74. Allusion au ballet de Rameau *Platée,* sur un livret de
Jacques Autreau remanié par Le Valois d'Orville, créé en 1745.
Dans un chœur célèbre, le musicien s'est amusé à imiter le
coassement des grenouilles en jouant sur la sonorité du mot

pourquoi. On remarquera, une fois de plus, l'équivocité des termes « imitation », « imiter ». Il s'agit ici d'une imitation physique. La véritable imitation esthétique se propose, au contraire, d'activer les affects par l'évocation d'une voix originaire (voir ci-dessus la note 70). Sur « coasser » et « croasser », voir la note 89.

CHAPITRE XV

75. La thèse centrale de la distinction entre monde physique et monde moral, celle de l'investissement du monde moral dans certains domaines du monde physique (le phénomène de la signification se déroulant comme une symptomatisation) se font de plus en plus insistantes et répétitives. Elles s'expriment dans la tournure polémique « tant que » par laquelle Rousseau dénonce inlassablement l'illusion rationaliste et matérialiste. On retrouve à plusieurs reprises la même tournure dans le *Dictionnaire de musique,* (à l'article « Mélodie » : « Voilà les vrais principes ; tant qu'on en sortira et qu'on voudra parler du pouvoir de la musique sur le cœur humain, on parlera sans s'entendre, on ne saura ce qu'on dira » ; à l'article « Musique » : « Tant qu'on cherchera des effets moraux dans le seul physique des sons, on ne les y trouvera point, et l'on raisonnera sans s'entendre »).

76. Nicolas Bernier (1664-1734), successeur de M.-A. Charpentier à la Sainte Chapelle. Rousseau rapporte la même anecdote à l'article « Musique » du *Dictionnaire de Musique.*

77. La fin du chapitre récapitule une grande partie du dualisme appliqué à la musique. On retrouve les alternances :

— impressions sensuelles / impressions morales ;
— objets sensibles / affections de l'âme ;
— simples objets des sens / représentations et signes ;
— suites d'accords / quelque chose qui n'est ni son ni accord ;
— agrément / émotion (plaisir physique / volupté) ;
— oreille / cœur.

Ces alternances sont en outre médiatisées par une théorie de la causalité : le sensible, lorsqu'il est investi par la signification, est un véhicule occasionnel. C'est ainsi qu'il peut y avoir un mouvement entre l'oreille et le cœur ; par ce mouvement l'oreille est plus qu'une membrane vibrante, elle devient un organe pénétré de moralité. L'erreur matérialiste consiste à prendre cette cause occasionnelle pour seule cause efficiente de la signification.

Enfin, Rousseau ajoute à cette récapitulation une dimension philosophique plus large : l'erreur matérialiste et rationaliste tient à la position philosophique du classicisme. L'analyse de la musique, celle des phénomènes esthétiques et celle des phénomènes de signification impliquent une théorie philosophique complète qui englobe aussi bien le domaine politique et éthique : la relation finale entre « bon goût » et « vertu » rappelle la *Lettre à d'Alembert* et prépare le chapitre XX.

CHAPITRE XVI

78. Il s'agit du « clavecin oculaire » du Père Castel. A la fin de son ouvrage *Optique des couleurs* (Paris : Briasson, 1740) figure une description du clavecin intitulée « Description de l'orgue ou clavecin oculaire, inventé et exécuté par M. le Père Castel, fameux mathématicien, et Jésuite à Paris, tirée d'une lettre et mise en Allemand par Monsieur Telemann, imprimée à Hambourg dans l'imprimerie de Piscator en 1739. »

Le principe du clavecin était de faire correspondre une couleur à chaque son du clavier, en se fondant sur la théorie de la décomposition de la lumière de Newton et de montrer les couleurs en même temps que les notes :

> « Monsieur le Père Castel prouve dans divers écrits, par ses principes de géométrie, qu'il n'y en a que douze possibles [il s'agit des octaves], à compter depuis le tuyau d'orgue de 64 pieds jusqu'au plus haut tuyau possible d'une ligne et demie, qui au plus ne peuvent produire que 144 sons harmonieux possibles. Ce même auteur a trouvé entre le blanc et le noir pareillement 144 couleurs possibles. C'est au moyen de ces propositions que nous avons détaillées, que M. le Père Castel a mis au jour tout l'arrangement de son nouvel orgue ou clavecin, et de sa nouvelle musique chromatique. Cependant jusqu'ici nous n'avons encore que la moitié de la musique. Le mouvement en fait l'âme, et ce mouvement consiste à faire entendre en différents temps différents sons, plus ou moins durables selon la mesure ou selon la musique qui les règle. Il s'agit donc ici de pouvoir, à son gré, montrer ou cacher les couleurs, de faire paraître tantôt le bleu, tantôt le rouge, puis le vert, le violet. Quelquefois le vert et le rouge successivement,

tandis que le rouge demeure ou passe lentement devant nos yeux, ou seul, ou en compagnie d'autres couleurs. Voulez-vous entendre un son d'orgue, vous posez le doigt sur le clavier, vous appuyez sur la touche, et à mesure qu'elle baisse par-devant, et qu'elle lève par-derrière, elle fait ouvrir une soupape, qui, en donnant passage au vent des soufflets, produit le son que vous désirez. Une autre touche ouvre une autre soupape, et fait sonner un autre tuyau. [...] Comme la touche en pressant ou en tirant une targette, une pilote ou un talon ouvre une soupape pour opérer un son, de même le P. Castel s'est servi de cordons de soie, de fils d'archal, ou de languettes de bois, qui, étant tirés ou poussés par le derrière ou le devant de la touche, ouvrent un coffre de couleurs, un compartiment, ou une peinture, ou une lanterne éclairée en couleurs. De manière qu'au même instant vous entendez un son, vous voyez une couleur relative à ce son. Ceci suffit pour l'instruction au sujet du mouvement musical des couleurs. Plus les doigts courent et sautent sur le clavier, plus on voit de couleurs, soit en accords, soit dans une suite d'harmonie. On fait des difficultés à Monsieur le P. Castel. On lui demande si le mouvement des couleurs peut faire une harmonie, si ce mouvement sera agréable à la vue, si l'œil pourra sentir cette harmonie ; etc. [...]

Pour ce qui concerne le doute qu'on fait, savoir si ces couleurs aussi étroitement unies avec les sons, plairont à la vue, je réponds : les sons ne peuvent plaire que par une diversité clairement marquée. Les couleurs sont aussi différentes que les sons. Elles ont un rapport et une harmonie entre elles. L'œil peut les joindre et combiner, il en peut faire la comparaison. Il peut en sentir l'ordre et le désordre. De cette diversité que produisent les différents objets, naît une sensation qui remue l'âme, et excite au plaisir. En un mot, si le vrai charme de l'oreille consiste à s'apercevoir à tout moment de la variété des sons, et à la remarquer successivement, et quelquefois dans un court espace de temps. Ce qui remue l'âme, et l'empêche de tomber dans un abattement qui résulte de la monotonie, le charme des yeux consiste de même à s'apercevoir de la variété des couleurs, et à la remarquer, souvent successivement et quelquefois dans un court espace. Ce qui préserve l'âme de l'ennui que lui causerait l'uniformité des couleurs. Concluons. L'âme reçoit, par la diversité des couleurs, le même divertissement qu'elle reçoit par la diversité des sons. » (pp. 480-487).

79. L'harmonie n'est « naturelle » qu'au sens scientifique et technique du terme, puisqu'elle suppose une analyse reposant sur l'intervention humaine : voir la note 70 du chapitre XIV. Le plaidoyer de Rousseau en faveur de l'unisson se retrouve dans le *Dictionnaire de musique,* à l'article « Harmonie » et à l'article « Unisson », où il écrit :

> « Une question plus importante est de savoir quel est le plus agréable à l'oreille de l'*unisson* ou d'un intervalle consonant, tel, par exemple, que l'octave ou la quinte : tous ceux qui ont l'oreille exercée à l'harmonie préfèrent l'accord des consonances à l'identité de l'*unisson ;* mais tous ceux qui, sans habitude de l'harmonie, n'ont, si j'ose parler ainsi, nul préjugé dans l'oreille, portent un jugement contraire ; l'*unisson* seul plaît, ou, tout au plus, l'octave : tout autre intervalle leur paraît discordant : d'où il s'ensuivrait, ce me semble, que l'harmonie la plus naturelle et par conséquent la meilleure, est à l'*unisson.* »

80. Rousseau franchit une étape supplémentaire dans l'élargissement philosophique de son propos. La comparaison entre peinture et musique, qui renvoie à l'opposition entre le monde physique du silence (où on n'entend, à la rigueur, que des « bruits ») et le monde moral de la voix signifiante, trouve sa catégorisation philosophique dans l'opposition entre l'espace (domaine de la simultanéité et du déploiement synchronique en éléments articulés et discrets, qui est en quelque sorte naturellement « harmonique ») et le temps (domaine de la linéarité, de la succession, du déploiement diachronique, naturellement « psychique »). L'idée selon laquelle la peinture est plus proche du monde matériel des choses, plus « naturelle » au sens classique du terme est notamment exposée par Dubos dans ses *Réflexions critiques sur la poésie et sur la peinture* (1ʳᵉ éd. 1719) :

> « ... les signes que la peinture emploie pour nous parler ne sont pas des signes arbitraires et institués, tels que sont les mots dont la poésie se sert. La peinture emploie des signes naturels, dont l'énergie ne dépend pas de l'éducation. Ils tirent leur force du rapport que la nature elle-même a pris soin de mettre entre les objets extérieurs et nos organes, afin de procurer notre conservation. Je parle peut-être mal, quand je dis que la peinture emploie des signes : c'est la nature elle-même que

la peinture met sous nos yeux ». (Première partie, Section XL).

Dubos esquisse un peu plus loin une comparaison entre peinture et musique très proche de celle que Rousseau développe :

« Ainsi que le peintre imite les traits et les couleurs de la nature, de même le musicien imite les tons, les accents, les soupirs, les inflexions de voix, enfin tous ces sons, à l'aide desquels la nature même exprime ses sentiments et ses passions. Tous ces sons, comme nous l'avons déjà exposé, ont une force merveilleuse pour nous émouvoir parce qu'ils sont les signes des passions institués par la nature dont ils ont reçu leur énergie ; au lieu que les mots articulés ne sont que des signes arbitraires des passions. »

Mais, alors que la distinction conduit Dubos à une forme de comparaison et d'égalité entre musique et peinture, Rousseau utilise la distinction pour remettre complètement en question la classification des beaux-arts fondée sur la primauté du modèle littéraire et du modèle pictural. La hiérarchisation proposée par Rousseau place la musique en position d'art-modèle parce que, de tous les arts, c'est la musique qui s'approche le plus de l'expression inarticulée et originaire des passions : elle a donc primauté à la fois sur la littérature (qui reste subordonnée à l'existence des langues réelles) et sur la peinture (qui reste dépendante de l'ordre matériel de la nature physique). Les places respectives de l'espace et du temps, ainsi que celles des organes qui leur sont liés, l'œil et l'oreille, s'inversent du même coup et préfigurent l'ordre que leur assignera plus tard la théorie kantienne des formes *a priori* de la sensibilité. L'espace, saisi par l'œil, imité par le geste, est le domaine de l'exactitude, de l'éternité, de la fixité et de la froideur : l'essence de l'extériorité. Le temps, saisi par l'oreille, évoqué par la ligne vocale, est le domaine de la flexibilité, du mouvement, de l'intimité et de la chaleur des passions : l'essence de l'intériorité.

81. Voir la note 73, chapitre XIV.

82. Ce dernier paragraphe (repris presque mot pour mot dans l'article « Imitation » du *Dictionnaire de musique*) expose la théorie de la distinction et de l'opposition entre l'imitation mécanique, qui se propose de déclencher les passions en passant par des objets matériels, et l'imitation psychique qui se propose l'évocation directe des affects par imitation d'un langage originaire.

CHAPITRE XVII

83. Ce bref chapitre conclut l'ensemble des considérations sur la musique élaborées à partir du chapitre XII en regroupant les principaux termes du dualisme appliqué à la musique autour de la thèse principale de l'essence morale des phénomènes signifiants. L'effet moral d'une musique parvenue au comble de la décomposition, de l'articulation et de la matérialisation est inversement proportionnel à son effet physique : à la prodigalité « bruyante » de l'harmonisation correspond la quasi-nullité de la signification. Il va de soi que Rousseau vise la musique de Rameau, tout comme il vise sa position théorique lorsqu'il fait allusion aux musiciens qui ne considèrent que « le physique de leur art ».

CHAPITRE XVIII

84. Ce chapitre peut être considéré comme le symétrique du chapitre VI consacré à Homère. Rousseau projette sur la musique grecque le modèle idéal de la mélodie originaire. Elle se caractérise par sa *simplicité* (elle ne connaît en effet que la linéarité mélodique, le terme « harmonie » ne désignant alors que l'ordonnance des sons) et par sa *fluidité* (usage d'intervalles très petits qui l'opposent à la discrétion calculée des intervalles actuels et la rapprochent d'un idéal vocalique infléchi). La référence à la musique grecque joue le rôle d'une sorte de schématisme : elle permet à Rousseau de donner un corps à la modélisation dont l'*Essai* retrace la construction intellectuelle. Mais il s'agit d'un corps perdu, objet archéologique que son inaccessibilité transforme d'autant mieux en objet philosophique.

85. Le système musical de la Grèce antique est construit par un enchaînement de tétracordes (groupes de quatre notes dont les deux extrêmes sont fixes et les deux intermédiaires mobiles) descendants — de l'aigu au grave — autour d'un tétracorde de base, appelé « tétracorde méson ». L'ensemble de la construction obéit à des règles qui font varier les rapports entre les sons successifs (selon que les tétracordes sont joints les uns aux autres par un son commun ou par un intervalle). La répartition des sons mobiles à l'intérieur du tétracorde se fait selon les divisions du ton ; on obtient alors des séries observant une certaine succession. C'est le modèle de cette succession qui fonde la notion de « genre ». Le « genre diatonique » est construit selon la succession : ton, ton, demi-ton ; le genre chroma-

tique selon la succession : tierce mineure, demi-ton, demi-
ton ; le genre « enharmonique » selon la succession : tierce
majeure, quart de ton, quart de ton. En outre, l'échelle
musicale, selon la partie du diagramme utilisée (qui n'excé-
dait pas en général deux tétracordes) et la répartition des
notes qui s'y succèdent, donne lieu à un éventail de sept
« modes », ou « harmonies ». Ces indications très sommaires
sont tirées de l'article « Grecque (musique) » de l'*Encyclopédie de la musique,* Paris, Fasquelle, 1959, où l'on peut lire
(p. 334) ce commentaire, qui va dans le sens de Rousseau :
« Les anciens Grecs disposaient de cette fine sensibilité
mélodique que nos écoles musicales occidentales avaient
perdue jusqu'à ces derniers temps, mais que l'on retrouve
dans bien des civilisations (en particulier orientales, et par
bien des caractères c'est à ces dernières que se rattache la
musique grecque). »

Pour une information plus complète sur la musique de la
Grèce ancienne, voir notamment, outre l'article qui vient
d'être cité :

— François-Auguste Gevaert, *Histoire et théorie de la
musique dans l'Antiquité* (Gand, Imprimerie de C. Annoot-
Braeckman, 1875-1881), travail considérable d'érudition en
deux volumes in-4° ;

— Le chapitre « Grèce » de l'*Encyclopédie de la musique et
Dictionnaire du Conservatoire* (Paris, Delagrave, 1913, pre-
mière partie, volume 1, p. 376 et s.), rédigé par Maurice
Emmanuel ;

— Théodore Reinach, *La Musique grecque* (Paris, Payot,
1926), ouvrage plus bref et très clair ;

— L'article « Greece, Ancient » du *New Grove Dictionary
of Music and Musicians,* ed. by Stanley Sadie, vol. 7, pp.
663-668 (article dû à R.P. Winnington-Ingram).

Les sources de Rousseau sont probablement celles qu'il
trouve à la Bibliothèque du Roi, notamment le recueil
publié en 1652 par le philologue danois Marc Meibom,
Antiquae musicae auctores septem, qui renferme des extraits
d'Aristoxène de Tarente, d'Euclide, de Nicomaque de
Gerasa, d'Alypius, de Gaudence, de Bacchius l'Ancien et
d'Aristide Quintilien. Rousseau devait très probablement
avoir lu le *De Musica* attribué à Plutarque, traduit par
Burette, les *Harmoniques* de Ptolémée, ouvrage publié en
1682 et les *Problèmes musicaux* d'Aristote. Pour la fin de la
période romaine, Rousseau connaît bien Martianus Capella
qu'il cite au chapitre V. Les études contemporaines de
Rousseau sur la musique des Anciens sont principalement
dues à l'académicien Burette dont on peut consulter les

recherches dans les *Mémoires de littérature de l'Académie des Inscriptions et Belles-Lettres*, T. VIII, X, XIII, XV et XVII. On peut avoir un aperçu d'ensemble des connaissances sur ce sujet au XVIIIᵉ siècle par l'ouvrage de l'abbé Roussier, *Mémoire sur la musique des Anciens* publié en 1770 à Paris (Lacombe), qui renvoie au *Dictionnaire* de Rousseau dans son Avertissement. Rousseau suggère souvent un parallèle entre la musique de l'Antiquité et celle des peuples extra-européens, jetant ainsi les bases de ce qu'on appelle l'ethnomusicologie ; ce point de vue est abordé dans l'*Histoire générale critique et philologique de la musique* de Charles-Henri de Blainville (Paris : Pissot, 1767). Voir à ce sujet « Mélodisme archaïque et traditions savantes, bref aperçu d'ethnomusicologie » par Jacques Viret : introduction à la réédition de 1981 (Laurens) de *L'Histoire de la langue musicale* de Maurice Emmanuel.

CHAPITRE XIX

86. Voir la note précédente ; Rousseau veut désigner ici l'usage d'intervalles plus petits que notre demi-ton. Il ne faut pas confondre ce sens du terme « enharmonie », qui désigne un intervalle réellement observé, avec le sens moderne du terme « enharmonie », qui désigne au contraire la réduction d'un tel intervalle à l'identité, réduction due à l'introduction du tempérament égal. Cette réduction (qui fait qu'aujourd'hui, par exemple, ré dièse et mi bémol correspondent au même son) est bien due, comme le pense Rousseau, à une forme de rationalisation de la musique qui égalise les intervalles pour obtenir une homogénéité dans la succession des notes et dans l'accord de l'orchestre. L'usage moderne de l'intervalle enharmonique rend cependant possible le passage (modulation) d'une tonalité à une autre très éloignée, ce qui produit en général un effet d'étrangeté pour l'oreille.

87. En décrivant la dégénérescence de la musique sous l'effet d'un double mouvement de rationalisation et de matérialisation aboutissant à son harmonisation, le chapitre XIX décrit aussi et parallèlement celle des langues qui, sous l'effet des mêmes causes, se séparent de la mélodie-poésie originaire en s'articulant et en se distinguant les unes des autres. Cette décomposition parallèle finit par un divorce total entre la musique harmonisée et les langues articulées. Il s'agit donc ici d'une conclusion générale qui rassemble les deux parties de l'*Essai* dans un parallélisme de la dégradation.

88. Passage rapporté dans le *De Musica* attribué à Plutarque, traduit par Burette (*Dialogue de Plutarque sur la musique traduit en français avec des remarques,* par M. Burette, Paris : de l'Imprimerie royale, 1735, pp. 45-47) :

« ... le poète comique Phérécrate fait paraître sur la scène la musique en habit de femme, et le corps déchiré de coups. La Justice l'interroge sur la cause de ce mauvais traitement, et la Musique lui répond en ces termes : " Je vous l'apprendrai très volontiers : car je n'aurai pas moins de plaisir à vous le dire, que vous en aurez à l'entendre. Celui que je regarde comme la première source de tous mes maux est Mélanippide, qui a commencé à m'énerver, et qui par le moyen de ses douze cordes, m'a rendue beaucoup plus lâche. Cependant cet homme ne suffisait point encore pour me réduire à l'état malheureux que j'éprouve maintenant. Mais Cinésias, ce maudit Athénien, m'a tellement perdue et défigurée, en introduisant dans les strophes de ses dithyrambes des inflexions de voix dépourvues de toute harmonie, que ce qui est à gauche paraît être à droite, comme dans l'usage des boucliers. Vous ne l'auriez jamais dit : il m'était pourtant cruel à tel point. Mais Phrynis, par l'abus de je ne sais quels roulements qui lui sont particuliers, me faisant fléchir et pirouetter à son gré, et voulant trouver dans le nombre de sept cordes douze harmonies différentes, m'a totalement corrompue." »

89. Le passage du *Misopogon* de l'empereur Julien auquel Rousseau fait allusion est ainsi traduit par l'abbé de La Blétérie (*Histoire de l'empereur Jovien et traductions de quelques ouvrages de l'empereur Julien* par M. l'abbé de La Blétérie, Paris, Prault Fils, 1748, vol. 2, pp. 2-3) :

« N'ai-je pas vu moi-même avec quelle complaisance les barbares d'au-delà du Rhin goûtent une musique sauvage, dont les paroles aussi rudes que les airs ressemblent au cri de certains oiseaux ? »

Il s'agit donc de croassements d'oiseaux et non de coassements de grenouilles. La confusion entre « coasser » et « croasser » (voir aussi chapitre XIV) est relevée par Littré chez La Fontaine et Voltaire.

90. Ce paragraphe effectue le lien unissant l'intellectualisation de la musique à sa matérialisation croissante. L'articulation et la distinction des intervalles a pour effet le renforcement de l'intensité et de la durée des sons émis : la raison, en introduisant le calcul et l'intervalle égalisé, abolit

les intervalles plus petits et renforce ainsi le caractère
« bruyant » de la musique.

91. Allusion au traité *Speculum Musicae*, aujourd'hui
attribué à Jacques de Liège (fin XIIIᵉ-début XIVᵉ siècle).

92. Compositeur et poète italien, auteur d'une *Histoire de
la musique* publiée à Pérouse en 1695.

93. Comme le montre la note de Rousseau, le statut théorique du mode mineur fait problème dans le système harmonique que Rameau prétend construire uniquement selon une
déduction fondée sur l'ordre naturel. En effet, alors que la
construction du mode majeur peut se déduire d'un phénomène naturel (la résonance fournit les trois sons composant
l'accord parfait majeur), il n'en va pas de même pour le mode
mineur qu'aucune résonance n'engendre directement. La
« prétendue expérience » dont il est question dans la note de
Rousseau est celle dite de la résonance des cordes graves —
symétrique de la résonance des cordes aiguës qui donne
l'accord majeur (une corde qui vibre fait vibrer avec elle, sans
qu'on les touche, des cordes trois fois et cinq fois plus cour-
tes). Dans cette prétendue expérience, une corde ferait vibrer
des cordes trois fois et cinq fois plus longues, ce qui engendre-
rait l'accord mineur. Les cordes plus longues vibrent, mais en
se divisant en « ventres » séparés par des « nœuds » immobiles,
de sorte que le son qui résonne effectivement n'est autre que
l'unisson de la première corde, la plus aiguë. C'est ce que
Rousseau objecte à Rameau ; d'Alembert fait la même
remarque dans ses *Eléments de musique*.

L'expérience de Tartini est une expérience d'audition, elle
est connue par les facteurs d'orgue : deux sons accordés
parfaitement à la quinte juste donnent à l'oreille la sensation
de la fondamentale. Il s'agit d'un phénomène relatif à la
physiologie de l'audition.

De tout ce détour technique, il faut conclure que le mode
mineur ne peut être « déduit » directement de la « nature » :
seule une intervention humaine permet d'en avoir une idée.
L'enjeu de la question est bien de montrer que l'harmonie
relève de l'invention et de l'art humain. Il convient, par
conséquent, de la classer du côté de l'artifice et de la
convention « arbitraire », ou encore, comme Rousseau l'écrit
au chapitre XVII, de l'« institution ».

CHAPITRE XX

94. Le dernier chapitre de l'*Essai* effectue la liaison entre la
théorie esthétique et la théorie morale et politique. Au centre

de la relation se trouve l'un des concepts fondamentaux de l'*Essai* : la *moralisation*. Dire en effet que les langues et la musique, en tant qu'elles véhiculent du sens, sont des phénomènes moraux, ce n'est pas seulement soutenir une thèse sur la métaphysique du signe réglée par une conception dualiste du monde. La *moralité* du sens, trait caractéristique de l'humanité, ne s'entend pas seulement en termes psychiques ou « pneumatiques », mais aussi en termes éthiques et politiques : elle s'articule à une vision des mœurs et de la cité.

Le modèle vocal et mélodique obstinément mis en place par Rousseau tout au long de son traité renvoie à un idéal de simplicité et de fluidité ; il est aussi un dispositif polémique destiné à récuser l'artificialisme intellectualiste et matérialiste incarné dans la personne de Rameau. A travers ce dernier, c'est non seulement la philosophie classique mécaniste et rationaliste des *appareillages* que Rousseau vise — celle pour laquelle le vrai n'est pas transparence, mais opacité qu'il convient de forcer et de traduire en relations intelligibles —, c'est aussi une conception du plaisir, de la fiction théâtrale, c'est enfin un ensemble de comportements, de *mœurs* (« aménité, urbanité, politesse, connaissances »), éloignés de la moralité essentielle, authentique, autant que le sont les langues et la musique modernes de la mélodicité originaire.

Traduit en termes éthiques et politiques, le schème de la voix intérieure s'entend alors comme régénération et purification. Dans l'éloge de la liberté à l'antique incarnée par le modèle de l'éloquence publique où se déploient le souffle de l'orateur et la vocalité de la langue — par opposition à la dégradation des cités modernes, vouées à la fois au tintamarre des techniques et aux sons étouffés des salons —, Rousseau retrouve les accents de sa *Lettre à d'Alembert*, ouvrage consacré également à l'articulation entre la théorie esthétique et la théorie politique. Le clivage qui oppose le théâtre (lieu de division entre la salle et la scène, lieu qui juxtapose les spectateurs en les isolant, lieu d'éloignement où joue l'opacité de la fiction) au rassemblement populaire, fête qui abolit l'ordre artificiel du spectacle pour se vouer à la vérité de l'effusion, est l'ultime occurrence du dualisme scandant l'*Essai*.

On décèle enfin dans ce chapitre, comme dans la *Lettre à d'Alembert*, une variante du lacédémonisme assez répandu au XVIIIe siècle. Cette admiration pour Sparte, Rousseau la tire très probablement de ses lectures (notamment Xénophon et Plutarque), et il la partage avec nombre de ses contemporains, mais il lui donne une dimension théorique sans précédent. Magnifiée et simplifiée, cette référence idéalisée culminera dans la mythologie et l'emblématique de la

Révolution française dont elle traverse les oppositions politiques classiques. Condorcet sera l'un des rares penseurs de
cette période à critiquer systématiquement ce courant de
pensée qu'il tient pour dangereux et obscurantiste ; il
s'évertue à réhabiliter l'écriture et l'imprimerie en opposant
la persuasion oratoire et la conviction rationnelle ; par ailleurs, il laisse paraître sa méfiance à l'égard de ce qu'on
appelait alors l'« enthousiasme » et la sacralisation du lien
social scellée dans des cérémonies et des fêtes. (Voir
Concordet, *Écrits sur l'instruction publique*, Paris, Edilig,
1989-90, 2 vol.). Sur l'idéalisation de Sparte, on consultera
notamment : François Ollier, *Le Mirage spartiate, étude sur
l'idéalisation de Sparte dans l'antiquité grecque*, Paris, E. de
Boccard, 1933, 2ᵉ partie, Paris : Les Belles Lettres, 1943 ;
Elizabeth Rawson, *The Spartan Tradition in European
Thought*, Oxford, Clarendon Press, 1969).

95. D'Alembert, *De la liberté en musique*, dans *Mélanges de
littérature, d'histoire et de philosophie*, Amsterdam, Z. Chatelain, 1759-67, vol. 4 (1759), p. 323 et suiv.

Lettre sur la musique française

96. « Des mots, des sons, et rien de plus », vers attribué à
Ovide.

97. Note ajoutée dans l'édition de 1782. A l'article
« Plain-chant » du *Dictionnaire de musique*, Rousseau cite ce
passage, dont il donne la traduction :

> « Le très pieux roi Charles étant retourné célébrer la
> pâque à Rome avec le seigneur apostolique, il s'émut
> durant les fêtes une querelle entre les chantres romains
> et les chantres français. Les Français prétendaient
> chanter mieux et plus agréablement que les Romains ;
> les Romains se disant les plus savants dans le chant
> ecclésiastique, qu'ils avaient appris du pape saint Gré-
> goire, accusaient les Français de corrompre, écorcher et
> défigurer le vrai chant. La dispute ayant été portée
> devant le seigneur roi, les Français, qui se tenaient forts
> de son appui, insultaient aux chantres romains ; les
> Romains, fiers de leur grand savoir, et comparant la
> doctrine de saint Grégoire à la rusticité des autres, les
> traitaient d'ignorants, de rustres, de sots et de grosses
> bêtes : comme cette altercation ne finissait point, le très
> pieux roi Charles dit à ses chantres : déclarez-nous

quelle est l'eau la plus pure et la meilleure, celle qu'on prend à la source vive d'une fontaine, ou celle des rigoles qui n'en découlent que de bien loin ? Ils dirent tous que l'eau de la source était la plus pure, et celle des rigoles d'autant plus altérée et sale qu'elle venait de plus loin. Remontez donc, reprit le seigneur roi Charles, à la fontaine de saint Grégoire dont vous avez évidemment corrompu le chant. Ensuite le seigneur roi demanda au pape Adrien des chantres pour corriger le chant français, et le pape lui donna Théodore et Benoît, deux chantres très savants et instruits par saint Grégoire même ; il lui donna aussi des antiphoniers de saint Grégoire qu'il avait notés lui-même en note romaine. De ces deux chantres le seigneur roi Charles, de retour en France, en envoya un à Metz, et l'autre à Soissons, ordonnant à tous les maîtres de chant des villes de France de leur donner à corriger les antiphoniers, et d'apprendre d'eux à chanter. Ainsi furent corrigés les antiphoniers français, que chacun avait altérés par des additions et retranchements à sa mode, et tous les chantres de France apprirent le chant romain, qu'ils appellent maintenant chant français, mais quant aux sons tremblants, flûtés, battus, coupés dans le chant, les Français ne purent jamais bien les rendre, faisant plutôt des chevrotements que des roulements, à cause de la rudesse naturelle et barbare de leur gosier. Du reste la principale école de chant demeura toujours à Metz ; et autant le chant romain surpasse celui de Metz, autant le chant de Metz surpasse celui des autres écoles françaises. Les chantres romains apprirent de même aux chantres français à s'accompagner des instruments ; et le seigneur roi Charles, ayant derechef amené avec soi en France des maîtres de grammaire et de calcul, ordonna qu'on établît partout l'étude des lettres ; car avant ledit seigneur roi l'on n'avait en France aucune connaissance des arts libéraux. »

La référence donnée par Rousseau (*Annal. et Hist. Francor. ab an. 708 ad an. 990 Scriptores coaetanos. Imp. Francofurti 1594, sub vita Caroli Magni*) correspond bien à un ouvrage qui se trouve à la Bibliothèque nationale :

éd. Pierre Pithou, *Annalium et historiae Francorum ab anno DCCVIII ad annum DCCCCXC scriptores coaetanei*, Francofurti, 1594 (cote 8°L⁴⁵ 1. A), mais nous n'avons pu y trouver le passage.

98. Toute la phrase, depuis « Ignorons-nous » est ajoutée dans l'édition de 1782.

99. Platon, *Les Lois*, II, 658e, trad. en latin de Ficin, citation ajoutée dans l'édition de 1782. Traduction de l'ensemble du passage (Les Belles Lettres) :

> « Je vais jusqu'à faire moi-même cette concession à la multitude que la musique doit se juger d'après le plaisir, mais non pas, toutefois, d'après celui des premiers venus : cet art, dirons-nous, sera le plus beau qui charme les meilleurs, après une formation suffisante, et surtout celui qui plaît à un homme distingué entre tous par la vertu et l'éducation. »

100. Le Tasse, *Jérusalem délivrée,* trad. de Jean-Michel Gardair, Paris, Bordas, 1990.
Première stance citée, chant XVI, st. 25 (description de la ceinture merveilleuse qu'Armide ne quitte jamais) :

> « Tendres dédains, sereines et charmantes
> ruptures, adorables chaînes et suaves harmonies,
> mots caressants et douces effusions
> de larmes, soupirs entrecoupés et délicieux baisers :
> elle a tout mélangé et fondu ensemble
> et trempé au feu de torches lentes,
> pour obtenir la si merveilleuse ceinture
> dont elle a ceint sa belle taille. »

2ᵉ stance citée par Rousseau, Chant IV, st. 3 :

> « Le son rauque de la trompette infernale
> appelle les habitants des ombres éternelles.
> A ce bruit tremblent les immenses cavernes
> noires et l'air ténébreux retentit ;
> comme n'a jamais grondé la foudre tombant
> des régions supérieures du ciel,
> comme n'a jamais tremblé la terre que secouent
> les vapeurs enfermées dans son sein.

101. « L'art, à qui l'on doit tout, ne se découvre en rien », Le Tasse, *Jérusalem délivrée, op. cit.*, Chant XVI, st. 9.

Examen de deux principes...

102. « L'Amour triomphe » : chœur du *Pygmalion* de Rameau.
103. Jean-Adam Serre, auteur d'*Essais sur le principe de l'harmonie* (1753).
104. Voir la note 93.

BIBLIOGRAPHIE

Sources :

Encyclopédie ou Dictionnaire raisonné des Sciences, des Arts et des Métiers, Paris : Briasson David Le Breton et Durand, 1751-57 ; Neufchastel, Samuel Faulche, 1765-72.
La Querelle des Bouffons (textes des pamphlets recueillis par Denise Launay), Genève, Minkoff, 1973, 3 vol.
Alembert Jean Le Rond d', *Mélanges de littérature, d'histoire et de philosophie,* Amsterdam : Chatelain et fils, 1759-67.
Alembert Jean Le Rond d', *Réflexions sur la musique en général et sur la musique française en particulier,* S. 1, 1754.
Alembert Jean Le Rond d', *Eléments de musique théorique et pratique suivant les principes de M. Rameau,* Paris, David 1752 (Genève, Slatkine) ; Lyon, Bruyset, 1762.
Alembert Jean Le Rond d', *Essai sur les Eléments de philosophie. Eclaircissements sur les éléments de philosophie,* Paris : Fayard-Corpus des Œuvres de philosophie en langue française, 1986.
Arnauld Antoine et Lancelot Claude, *Grammaire générale et raisonnée,* Paris, Le Petit, 1660.
Batteux abbé Charles, *Les Beaux-Arts réduits à un même principe* (1746), éd. critique par J.-R. Mantion, Paris, Aux Amateurs de livres, 1989.
Blainville Charles Henri de, *Histoire générale critique et philologique de la musique,* Paris, Pissot, 1767. Genève : Minkoff 1972.
Beauzée, article « Langue » de l'*Encyclopédie.*
Bossuet Jacques-Bénigne, *Maximes et réflexions sur la comédie,* Paris, Anisson, 1694.
Buffon Georges-Louis de, *Histoire naturelle* ; Paris : Imprimerie royale, 1749-1757, 15 vol.

Buommattei Benedetto, *Avvertimenti grammaticali per la lingua italiana*, Torino, nella Stamperia reale, 1742.

Burette, Etudes sur la musique des Anciens, *Mémoires de littérature de l'Académie des Inscriptions et Belles-Lettres*, T. VIII, X, XIII, XV et XVII.

Cahusac Louis de, *La Danse ancienne et moderne ou Traité historique de la danse*, La Haye, Neaulme, 1754 ; Genève, Slatkine, 1971.

Capella Martianus, *De Nuptiis philologiae et Mercuri*, Vicentiae, 1499.

Castel Louis-Bertrand, *Optique des couleurs*, Paris, Briasson, 1740.

Chardin Jean, *Voyage de Monsieur le Chevalier Chardin en Perse et autres lieux de l'Orient*, Amsterdam, J. de Lorme, 1711, 3 vol. in-4°.

Chardin Jean, *Les Voyages de Jean Chardin* (réduit et annoté par G. Mantoux), Paris, M. Dreyfous, 1883, 2 vol.

Condillac abbé Etienne Bonnot de, *Œuvres complètes*, Paris : Lecointe et Durey, 1821-22, 8 vol. in-8° ; Genève, Slatkine, 1970.

Descartes René, *Abrégé de musique. Compendium Musicae* (éd. et traduit du latin par Frédéric de Buzon avec introd.), Paris, PUF, 1987.

Descartes René, *Abrégé de musique*, suivi des *Eclaircissements physiques sur la musique de Descartes* du R.P. Nicolas Poisson, trad., introd. et notes de Pascal Dumont, Paris, Méridiens Klincksieck, 1990.

Diderot Denis, *Ecrits sur la musique* (publiés par Béatrice Durand-Sendrail), Paris, Lattès, 1987.

Dodart, *Mémoire sur les causes de la voix de l'homme et ses différents tons*, Paris, Académie des Sciences, 1700.

Du Bos abbé Jean-Baptiste, *Réflexions critiques sur la poésie et sur la peinture*, Paris, Mariette, 1719, 1733 et 1770.

Du Marsais César Chesneau, *Traité des tropes*, Paris, David, 1757. Paris, imprimerie de Delalain, 1816.

Duclos Charles Pinot, *Œuvres complètes*, Paris, Janet et Cotelle 1820-21, in-8°, 9 vol. ; Genève, Slatkine, 1968.

Duclos Charles Pinot, article « Déclamation des Anciens » de l'*Encyclopédie*.

Ferrein Antoine, *Mémoire sur la formation de la voix de l'homme*, Académie royale des sciences, 1741.

Fontenelle Bernard le Bovier de, *Œuvres*, Paris, Belin, 1818, in-8°, 3 vol.

Grimm Frédéric Melchior, *Lettre sur Omphale*, Paris, 1752.

Grimm Frédéric Melchior, *Le Petit Prophète de Boehmischbroda*, Paris, 1753.

Hérodote, *Histoires*, Paris, Les Belles Lettres.

Hardouin Jean, *Apologie d'Homère*, Paris, Rigaud, 1716.

Isidore de Séville, *Libri etymologiarum*, Augustae Vindelicorum per G. Zainer, 1472.

Julien empereur, *Misopogon*, dans *Histoire de l'empereur Jovien et traductions de quelques ouvrages de l'empereur Julien*, par M. l'abbé de La Blèterie, Paris, Prault fils, 1748.

Lacépède Bernard Germain Etienne de la Ville comte de, *La Poétique de la musique*, Paris, Imprimerie de Monsieur, 1785, in-8°, 2 vol.

Lamy le Père Bernard, *La Rhétorique ou l'art de parler*, Paris, Pralard, 1675.

L'Epée Charles Michel abbé de, *Institution des sourds et muets par la voie des signes méthodiques*, Paris, Nyon l'Aîné, 1776.

L'Epée Charles Michel abbé de, *La véritable manière d'instruire les sourds et muets confirmée par une longue expérience*, Paris, Fayard-Corpus, 1984 (1784).

Mably Gabriel Bonnot abbé de, *Lettres à Madame la marquise de P*** sur l'opéra*, Paris, Didot, 1741.

Maupertuis Pierre Louis Moreau de, *Œuvres*, Lyon, Bruyset, 1756.

Meibom Marc, *Antiquae musicae auctores septem*, Amstelodami, apud L. Elzevirium, 1652.

Nicole Pierre, *Les Imaginaires ou Lettres sur l'hérésie imaginaire*, Liège, A. Beyers, 1667, 2 vol.

Olivet Pierre-Joseph Thorellier abbé d', *Traité de la Prosodie française*, Paris, Gandouin, 1736.

Pithou Pierre (éd.), *Annalium et historiae Francorum ab anno DCCVIII ad annum DCCCCXC scriptores coaetanei*, Francofurti, 1594.

Pluche abbé Antoine, *Le Spectacle de la nature*, Paris, Vve Estienne, 1735-1750, 9 vol.

Rameau Jean-Philippe, « Vérités également ignorées et intéressantes, tirées du sein de la nature », manuscrit de Stockholm avec introduction, notes et commentaire par Herbert Schneider, *Archiv für Musikwissenschaft*, Band XXV, Fr. Steiner Verlag, Wiesbaden GMBH, Stuttgart 1986.

Rameau Jean-Philippe, *Complete theoretical writings* (ed. Jacobi), American Institute of Musicology, 1967, 5 vol., in-4°.

Rameau Jean-Philippe, *Musique raisonnée* (recueil de textes, avec études de C. Kintzler et J.-Cl. Malgoire), Paris, Stock, 1980.

Rousseau Jean-Jacques, « L'origine de la mélodie », manuscrit de Neuchâtel, publié par M. E. Duchez, *Revue de Musicologie*, déc. 1974.

Rousseau Jean-Jacques, « Du Principe de la mélodie ou Réponse aux Erreurs sur la musique », dans R. Wokler, *Rousseau on Society, Politics, Music and Language, an historical interpretation of his early Writings*, Garland Publishing, Inc. : New York & London, 1987, p. 437 et suiv.

Rousseau Jean-Jacques, *Correspondance complète* (éd. R.A. Leigh), Oxford, The Voltaire Foundation et Paris : diffusion J. Touzot.

Rousseau Jean-Jacques, *Dissertation sur la musique moderne*, Paris, Quillau, 1743.

Rousseau Jean-Jacques, *Lettre à M. Grimm au sujet des Remarques ajoutées à sa Lettre sur Omphale*, s.l., 1752.

Rousseau Jean-Jacques, *Lettre sur la musique française*, s. 1. 1753 (1re et 2e édition).

Rousseau Jean-Jacques, *Collection complète des œuvres de J.-J. Rousseau, citoyen de Genève*, Genève, 1782 (éd. par Du Peyrou), volume huitième.

Rousseau Jean-Jacques, *Projet concernant de nouveaux signes pour la musique* (faux-titre, *Traités sur la musique*), Genève, 1781 (éd. par Du Peyrou).

Rousseau Jean-Jacques, *Dictionnaire de musique*, Paris, Vve Duchesne 1768 (reprint New York, Olms, 1969).

Rousseau Jean-Jacques, *Ecrits sur la musique* (préf. C. Kintzler), Paris, Stock, 1979.

Rousseau Jean-Jacques, *Essai sur l'origine des langues*, éditions récentes :
   — introd. et notes de Charles Porset, texte établi sur le Ms, Bordeaux, Ducros, 1968.
   — introd. et notes de Angèle Kremer-Marietti, Paris, Aubier-Montaigne, 1973
   — fac-similé éd. Belin 1817, Paris, Le Seuil, 1976.
   — fac-similé éd. Pourrat 1838, préface de C. Kintzler dans *Ecrits sur la musique*, Paris, Stock, 1979.
   — chap. 1 à 11 et chap. 20, commentaire de Eric Zernik, Paris, Hatier, 1983.
   — commentaire de P. Yves Bourdil, Paris, L'Ecole, 1987.
   — préface et commentaire de Jean-Louis Schefer, Paris, Presses Pocket, 1990.
   — introd., notes et études de Jean Starobinski, texte établi sur le Ms, Paris, Folio-Essais, 1990.

Rousseau Jean-Jacques, *Lettre à M. d'Alembert sur les spectacles* (1758), introd. de Michel Launay, Paris, Garnier-Flammarion, 1967.

Rousseau Jean-Jacques, *Œuvres complètes*, Paris, Gallimard, 1959-1965.

Roussier abbé Pierre-Joseph, *Mémoire sur la musique des anciens*, Paris, Lacombe, 1770.

Sauveur Joseph, *Principes d'acoustique et de musique*, Paris, Académie royale des sciences, 1701 (Genève : Minkoff, 1973).

Serre Jean-Adam, *Essais sur le principe de l'harmonie*, Paris, Prault fils, 1753.

Tasso Torquato dit Le Tasse, *Jérusalem délivrée*, texte établi, présenté et traduit par Jean-Michel Gardair, Paris, Bordas, 1990.

Terrasson Jean, *La Philosophie applicable à tous les objets de l'esprit et de la raison*, Paris, Prault, 1754.

Terrasson Jean, *Dissertation critique sur « L'Iliade » d'Homère*, Paris, F. Fournier et A.U. Coustelier, 1715, 2 vol. in-12°.

Tite Live, *Histoire romaine*, Paris, Les Belles Lettres.

Victorinus Marius, *Ars grammatica*, Tubingae, ab U. Morhardo, 1537.

Etudes :

Althusser Louis, « Sur le Contrat social », *Cahiers pour l'analyse*, n° 8, Paris, Le Seuil, 1967.

Anthony James R., *La Musique en France à l'époque baroque*, Paris, Flammarion, 1981.

Armellini Mario, *Le due Armide. Metamorfosi estetiche e drammaturgiche da Lully a Gluck*, Firenze, Passigli Editori, 1991.

Aurenche Louis, *J.-J. Rousseau chez M. de Mably*, Paris : Sté française d'éditions littéraires et techniques, 1934.

Auroux Sylvain, *L'Encyclopédie : « grammaire » et « langue » au XVIIIe siècle*, Tours, Mame, 1973.

Auroux Sylvain, *La Sémiotique des encyclopédistes*, Paris, Payot, 1979.

Barthélemy Maurice, « Essai sur la position de D'Alembert dans la Querelle des Bouffons », *Recherches sur la musique française classique*, 1966, VI, pp. 159-175.

Batlay Jenny H., *Jean-Jacques Rousseau compositeur de chansons*, Paris, éd. de L'Athanor, 1976.

Baud-Bovy Samuel, *Jean-Jacques Rousseau et la musique*, textes recueillis et présentés par Jean-Jacques Eigeldinger, Neuchâtel, A la Baconnière, 1988.

Beaudouin Henri, *La Vie et les œuvres de Jean-Jacques Rousseau*, Paris, 1891.

Beaussant Philippe, *Lully ou le musicien du Soleil*, Paris, Gallimard-Théâtre des Champs-Elysées, 1992.

Bourdil P. Yves, voir Rousseau Jean-Jacques, *Essai sur l'origine des langues* (éd. et présentation).

Bourdin Dominique et Launay Michel, *Concordance de l'« Essai sur l'origine des langues »*, Coll. *Etudes rousseauistes et index des œuvres de J.-J. Rousseau*, Genève, 1989.

Cannone Belinda, *Philosophies de la musique* (1752-1780), Paris, Aux Amateurs de livres, 1990.

Cassirer Ernst, *La Philosophie des Lumières,* Paris, Fayard, 1970 et 1986.

Chouillet Anne-Marie, « Du bon usage des signatures dans l'*Encyclopédie* », *Recherches sur Diderot et l'Encyclopédie,* Paris, Aux Amateurs de livres, nº 3, pp. 157-160.

Chouillet Anne-Marie, « Présupposés, contours et prolongements de la polémique autour des écrits théoriques de Jean-Philippe Rameau », *Actes du Colloque International Rameau Dijon,* Paris-Genève, Champion-Slatkine, 1987, pp. 409-424.

Chouillet Jacques, *L'Esthétique des Lumières,* Paris, PUF, 1974.

Chouillet Jacques, « D'Alembert et l'esthétique », *Dix-Huitième Siècle,* Paris, Garnier, nº 16, 1984, pp. 137-150.

Cucuel Georges, *Les Créateurs de l'Opéra-comique français,* Paris, Les Maîtres de la musique, 1914.

Darnton Robert, *L'Aventure de l'Encyclopédie,* Paris, Perrin, 1982.

David Madeleine V., *Le Débat sur les écritures et l'hiéroglyphe aux XVII*e *et XVIII*e *siècles,* Paris, SEVPEN, 1965.

Delon Michel, *L'Idée d'énergie au tournant des Lumières (1770-1820),* Paris, PUF, 1988.

Derrida Jacques, *De la Grammatologie,* Paris, Minuit, 1967.

Didier Béatrice, *La Musique des Lumières,* Paris, PUF, 1985.

Dominicy Marc, « La Querelle des Inversions », *Dix-Huitième Siècle,* nº spécial *D'Alembert,* Paris, PUF, 1984, pp. 109-121.

Dominicy Marc, *La Naissance de la grammaire moderne,* Bruxelles, Mardaga, 1984.

Duchet Michèle et Launay Michel, « Synchronie et diachronie : l'*Essai sur l'origine des langues* et le Deuxième *Discours* », *Revue Internationale de philosophie,* nº 82, 1967/4, pp. 421-422.

Duchez Marie-Elisabeth, « Principe de la Mélodie et origine des langues », *Revue de Musicologie,* déc. 1974, pp. 33-86.

Dufour Théophile, *Recherches bibliographiques sur les œuvres imprimées de Jean-Jacques Rousseau,* Paris, Giraud-Badin, 1925.

Ehrard Jean, *L'Idée de Nature en France dans la première moitié du XVIII*e *siècle,* Chambéry, Imprimeries réunies, 1963 ; Paris, Flammarion, 1970.

Emmanuel Maurice, chapitre « Grèce », de l'*Encyclopédie de la musique et Dictionnaire du Conservatoire,* Paris, Delagrave, 1913, première partie, volume 1, p. 376 et suiv.

Emmanuel Maurice, *Histoire de la langue musicale*, Paris, H. Laurens, 1911 et 1928 (rééd. 1981, Paris, Laurens).

Escal Françoise, « Un contradicteur de Rousseau à l'horizon de l'opéra : voix, chant, musique selon Chabanon », *L'Opéra au XVIIIe siècle*, Actes du Colloque d'Aix-en-Provence 1977, Public. de l'Univ. de Provence, 1982, pp. 463-475.

Escal Françoise, « D'Alembert et la théorie harmonique de Rameau », *Dix-Huitième Siècle*, n° 16, 1984, pp. 151-162.

Espinas Alfred, « Le *système* de Jean-Jacques Rousseau », *Revue internationale de l'enseignement*, 1895, XXX, pp. 325-356 et 425-462.

Faguet Emile, *Rousseau artiste*, Paris, Société française d'imprimerie et de librairie, 1913.

Fajon Robert, *L'Opéra à Paris du Roi Soleil à Louis le Bien-Aimé*, Paris-Genève, Champion-Slatkine, 1984.

Fajon Robert, « Propositions pour une analyse rationalisée du récitatif de l'opéra lullyste », *Revue de Musicologie*, 1978, n° 1.

Fauconnier Gilbert, *Index de l'œuvre théâtrale et lyrique de J.-J. Rousseau*, Genève, Paris, Slatkine, 1986.

Fouquet Paul, « Jean-Jacques Rousseau et la grammaire philosophique », *Mélanges de philosophie offerts à Ferdinand Brunot*, Paris, 1904, pp. 115-136.

Fubini Enrico E., *Les Philosophes et la musique*, Paris, Champion, 1983.

Gevaert François-Auguste, *Histoire et théorie de la musique dans l'Antiquité*, Gand, Imprimerie de C. Annoot-Braeckman, 1875-1881.

Girdlestone Cuthbert, *Jean-Philippe Rameau*, Desclée de Brouwer, 1965 et 1983.

Girdlestone Cuthbert, *La Tragédie en musique (1673-1750) considérée comme genre littéraire*, Genève, Droz, 1972.

Goldschmidt Victor, *Anthropologie et politique. Les principes du système de Rousseau*, Paris, 1974.

Goulemot Jean-Marie et Launay Michel, *Le Siècle des Lumières*, Paris, Le Seuil, 1968.

Gramont Jérôme de, « Images rousseauistes du sujet », *L'Enseignement philosophique*, 37/4, avril-mai 1987, pp. 10-24.

Grimal Pierre, *Dictionnaire de la mythologie grecque et romaine*, Paris, PUF, 1988.

Grosrichard Alain, « L'air de Venise », *Ornicar ?*, n° 25, 1982.

Havelock Eric, *Aux origines de la civilisation écrite en Occident*, Paris, Maspero, 1981.

Jansen Albert, *J.-J. Rousseau als Musiker*, Genève, Slatkine 1971 (Berlin, Reimer, 1884).

Jullien Adolphe, *La Musique et les philosophes au XVIIIe siècle*, Paris, J. Baur, 1873.

Kintzler Catherine, *Jean-Philippe Rameau, splendeur et nau-frage de l'esthétique du plaisir à l'âge classique*, Paris, Le Sycomore 1983 ; Paris, Minerve 1988.

Kintzler Catherine, *Poétique de l'Opéra français de Corneille à Rousseau*, Paris, Minerve, 1991.

Kintzler Catherine, voir Rousseau Jean-Jacques, *Essai sur l'origine des langues* (présentation).

Kleinman Sidney, *La Solmisation mobile de J.-J. Rousseau à John Curwen*, Paris, Heugel, 1974.

Kremer-Marietti Angèle, voir Rousseau Jean-Jacques, *Essai sur l'origine des langues* (éd. et présentation).

Lane Harlan, *Quand l'esprit entend : histoire des sourds-muets*, Paris, Odile Jacob, 1991.

Lanson Gustave, « Jean-Jacques Rousseau », *La Grande Ency-clopédie*, 1900, XXVIII, pp. 1060-1070.

Lanson Gustave, « L'unité de la pensée de Jean-Jacques Rous-seau », *Annales de la Société J.-J. Rousseau*, 1912, VIII, pp. 1-31.

Launay Denise voir *La Querelle des Bouffons* (éd.).

Launay Michel, voir : Bourdin Dominique, Duchet Michèle et Goulemot Jean-Marie.

Macherey Pierre et Regnault François, « L'Opéra ou l'art hors de soi », *Les Temps modernes*, n° 231, août 1965, pp. 320 et suiv.

Malgoire Jean-Claude, « L'analyse ramiste du monologue d'Armide », voir : Rameau, *Musique raisonnée*, pp. 201-215.

Malignon Jean, *Rameau*, Paris, Le Seuil, 1960.

Masson Paul-Marie, *L'Opéra de Rameau*, Paris, H. Laurens, 1930.

Masson Pierre-Maurice, « Questions de chronologie rous-seauiste », *Annales de la Société J.-J. Rousseau*, 1913, IX, pp. 37-61.

Mély Benoît, *Jean-Jacques Rousseau, un intellectuel en rupture*, Paris, Minerve, 1985.

Milner Jean-Claude et Regnault François, *Dire le vers*, Paris, Le Seuil, 1987.

Moffat Margaret M., *Rousseau et la Querelle du théâtre au XVIIIᵉ siècle*, Bordeaux, Brière et Paris, E. de Boccard, 1930.

Mongrédien Jean, *La Musique en France des Lumières au romantisme*, Paris, Flammarion, 1986.

Mortier Roland, *L'Originalité. Une nouvelle catégorie esthétique au siècle des Lumières*, Genève, Droz, 1983.

Murat Michel, « Jean-Jacques Rousseau : Imitation musicale et origine des langues », *Travaux de linguistique et de littérature publiés par le Centre de philologie et de littératures romanes de l'Université de Strasbourg*, XVIII, 2, pp. 145-168.

Nattiez Jean-Jacques, *Musicologie générale et sémiologie*, Paris, C. Bourgois, 1987.

Oliver Alfred Richard, *The Encyclopedists as critics of music*, New York, Columbia University Press, 1947.

Ollier François, *Le Mirage spartiate, étude sur l'idéalisation de Sparte dans l'antiquité grecque*, Paris, E. de Boccard, 1933 ; 2ᵉ partie, Paris, Les Belles Lettres, 1943.

Pappas John, « D'Alembert et la Querelle des Bouffons d'après des documents inédits », *R.H.L.F.*, juill.-sept. 1965 et juill.-sept. 1966.

Pons Amilda, *Jean-Jacques Rousseau et le théâtre*, Genève, Jullien, 1909.

Porset Charles, « "L'Inquiétante étrangeté" de l'*Essai sur l'origine des langues* : Rousseau et ses exégètes », *Studies on Voltaire and the eighteenth Century*, CLI-CLV, 1976, pp. 1715-1758.

Porset Charles, voir Rousseau Jean-Jacques, *Essai sur l'origine des langues* (éd. et présentation).

Pougin Arthur, *Jean-Jacques Rousseau musicien*, Paris, Fischbacher, 1901.

Rawson Elizabeth, *The Spartan Tradition in European Thought*, Oxford, Clarendon Press, 1969.

Regnault François, voir Macherey Pierre et Milner Jean-Claude.

Reinach Théodore, *La Musique grecque*, Paris, Payot, 1926.

Richebourg (Reichenburg) Louisette, *Contribution à l'histoire de la Querelle des Bouffons*, Paris, Nizet et Bastard, 1937.

Richebourg Marguerite, *Essai sur les lectures de J.-J. Rousseau*, Genève, A. Jullien, 1934.

Richebourg Marguerite, « La Bibliothèque de Jean-Jacques Rousseau », *Annales de la Société J.-J. Rousseau*, Genève, Jullien, nº 21, 1932, pp. 181-250.

Rodis-Lewis Geneviève, « L'*Art de parler* et l'*Essai sur l'origine des langues* », *Revue Internationale de philosophie*, nº 82, 1967/4, pp. 407-420.

Rolland Romain, *Musiciens d'autrefois*, Paris, Hachette, 1908.

Saint Girons Baldine, *Esthétiques du XVIIIᵉ siècle. Le modèle français*, Paris, Philippe Sers, 1990.

Schneider Herbert, voir Rameau Jean-Philippe (éd.).

Snyders Georges, *Le Goût musical en France aux XVIIᵉ et XVIIIᵉ siècles*, Paris, Vrin, 1968.

Starobinski Jean, *Jean-Jacques Rousseau, la transparence et l'obstacle*, Paris, Gallimard, 1971 et 1976.

Starobinski Jean, *Le Remède dans le mal*, Paris, Gallimard, 1989.

Starobinski Jean, voir Rousseau Jean-Jacques, *Essai sur l'origine des langues* (éd., présentation et études annexes).

Striffling Louis, *Esquisse d'une histoire du goût musical en France au XVIIIe siècle*, Paris, Delagrave, 1912.

The New Grove Dictionary of Music and Musicians, ed. by Stanley Sadie, Macmillan Publ. limited, London Grove's Dict. of Music In. Washington D.C., Peninsula Publ. Limited Hong Kong, 1980.

Tiersot Julien, *Jean-Jacques Rousseau, un maître de la musique*, Paris, PUF, 1977 (Paris, Alcan, 1912).

Verba Cynthia, « Jean-Jacques Rousseau : radical and traditional views in his *Dictionnaire de musique* », *The Journal of Musicology*, VII/3, Summer 1989, pp. 308-326.

Viret Jacques, « Mélodisme archaïque et traditions savantes, bref aperçu d'ethnomusicologie », introduction à la réédition de 1981 (Paris, Laurens) de *L'Histoire de la langue musicale* de Maurice Emmanuel.

Webb Hunt Thomas, « The *Dictionnaire de Musique* of J.-J. Rousseau », Denton Texas : 1967 (thèse, microfilm, Bibliothèque d'études rousseauistes, Montmorency).

Wokler Robert, « Rameau, Rousseau and the *Essai sur l'origine des langues* », *Studies on Voltaire and the eighteenth Century*, CXVII, 1974, pp. 179-238.

Wokler Robert, *Rousseau on Society, Politics, Music and Language, an historical interpretation of his early Writings*, Garland Publishing, Inc. : New York & London, 1987.

Zernik Eric, voir Rousseau Jean-Jacques, *Essai sur l'origine des langues* (éd. et présentation).

CHRONOLOGIE SÉLECTIVE COMPARÉE

Rousseau (1712-1778)	
Textes publiés du vivant de l'auteur	Non publiés du vivant de l'auteur et lettres
	1742 : Mémoire lu à l'Académie des sciences (*Projet concernant de nouveaux signes pour la musique*)
1743 : *Dissertation sur la musique moderne* (exposé d'une nouvelle notation musicale)	
1749-50 : rédaction des articles sur la musique pour l'*Encyclopédie* (signés : S.)	
1750 : *Discours sur les sciences et les arts*	
1753 : *Lettre sur la musique française*	
1755 : *Discours sur l'origine et les fondements de l'inégalité parmi les hommes*	**1755** : Principe de la mélodie et origine des langues. *Examen de deux principes avancés par M. Rameau.*
	1756-1761 : *Essai sur l'origine des langues*
1758 : *Lettre à d'Alembert sur les spectacles*	
1761 : *La Nouvelle Héloïse*	**1761** : Lettre à Malesherbes où il est question de l'*Essai*
1762 : *Emile. Du Contrat social*	**1763** : Projet de préface pour un volume comprenant l'*Essai*
	1765 : Lettre à Du Peyrou, projet d'un volume d'écrits sur la musique, dont l'*Essai* et l'*Examen de deux principes avancés par M. Rameau*
1768 : *Dictionnaire de musique*	

Rameau (1683-1764) : principaux ouvrages théoriques	Principales créations à l'Académie Royale de Musique
1722 : *Traité de l'harmonie*	
	1733 : *Hippolyte et Aricie* (Pellegrin-Rameau)
	1735 : *Les Indes galantes* (Fuzelier-Rameau)
1737 : Traité de la *Génération harmonique*	**1737** : *Castor et Pollux* (Bernard-Rameau)
	1739 : *Dardanus* (La Bruère-Rameau)
	1745 : *Platée* (Autreau-Rameau : création à la Cour)
	1748 : *Zaïs* (Cahusac-Rameau)
	1749 : *Zoroastre* (Cahusac-Rameau)
1750 : *Démonstration du principe de l'harmonie*	**1752** : arrivée des Bouffons
	1753 : *Le Devin du Village* (Rousseau) ; *Titon et l'Aurore* (La Marre-Mondonville) ; *Daphnis et Alcimadure* (Mondonville)
1754 : *Observations sur notre instinct pour la musique*	**1754** : départ des Bouffons.
1755 : *Erreurs sur la musique dans l'Encyclopédie*	
1756 : *Suite des Erreurs*	
	1757 : *Les Surprises de l'Amour* (Bernard-Rameau)
	1758 : *Enée et Lavinie* (Fontenelle-Dauvergne)
	1760 : *Les Paladins* (Monticourt-Rameau) ; *Canente* (La Motte-Dauvergne)
1762 : *Origine des sciences*	**1761** : *Hercule mourant* (Marmontel-Dauvergne)
1764 : *Vérités intéressantes tirées du sein de la nature* (manuscrit publié en 1986)	

TABLE

TABLE

LA PHILOSOPHIE DANS LA GF

GF-CORPUS

GF Flammarion

07/08/131094-VIII-2007 – Impr. MAURY Imprimeur, 45330 Malesherbes.
N° d'édition LO1EHPNFG0682C009. – Janvier 1993. – Printed in France.

DATE DUE
